ESCRITO AL MARGEN

LITERATURA ESPAÑOLA
DEL SIGLO DE ORO

NUEVA BIBLIOTECA DE ERUDICIÓN Y CRÍTICA

DIRECTOR
PABLO JAURALDE

Volúmenes publicados:

1. *Margit Frenk*
   CORPUS DE LA ANTIGUA LÍRICA POPULAR HISPÁNICA
   (SIGLOS XV A XVII).

2. *John E. Varey*
   COSMOVISIÓN Y ESCENOGRAFÍA: EL TEATRO ESPAÑOL
   EN EL SIGLO DE ORO

3. *María del Carmen Simón Palmer*
   ESCRITORAS ESPAÑOLAS DEL SIGLO XIX
   Manual Bio-Bibliográfico

4. *Ignacio Arellano - Jesús Cañedo*
   CRÍTICA TEXTUAL Y ANOTACIÓN FILOLÓGICA EN OBRAS
   DEL SIGLO DE ORO

5. *Alvar Núñez Cabeza de Vaca*
   LOS NAUFRAGIOS
   Edición de Enrique Pupo-Walker

6. *Francisco de Quevedo y Villegas*
   SUEÑOS Y DISCURSOS (Tomo I y Tomo II)
   Edición de James O. Crosby

7. *Sebastián de Covarrubias Orozco*
   TESORO DE LA LENGUA CASTELLANA O ESPAÑOLA
   Edición de Felipe C. R. Maldonado, revisada por Manuel Camarero

8. *José María Ruano de la Haza-John J. Allen*
   LOS TEATROS COMERCIALES DEL SIGLO XVII
   Y LA REPRESENTACIÓN DE LA COMEDIA

9. *Juan de Mena*
   LABERINTO DE FORTUNA
   Edición de Maxim P. A. M. Kerkhof

PAUL JULIAN SMITH

ESCRITO AL MARGEN

LITERATURA ESPAÑOLA
DEL SIGLO DE ORO

NUEVA BIBLIOTECA DE ERUDICIÓN Y CRÍTICA

EDITORIAL CASTALIA

SUMARIO

Para E.

Omnis enim oratio figurata est.

J. C. Escalígero

El arte, cuyo efecto es suplir la falta de naturaleza.

Sánchez de Lima

Ce dangereux supplément.

Derrida, citando a Rousseau

ABREVIATURAS

Las siguientes abreviaturas se utilizan tanto en las notas al pie como en la Bibliografía.

ASSQJ	*Anglo-Spanish Society Quarterly Journal*
BCom.	*Bulletin of the Comediantes*
BHisp.	*Bulletin hispanique*
BHS	*Bulletin of Hispanic Studies*
FMLS	*Forum for Modern Language Studies*
HR	*Hispanic Review*
JHP	*Journal of Hispanic Philology*
JWCI	*Journal of the Warburg and Courtauld Institutes*
MLR	*Modern Language Review*
NRFH	*Nueva Revista de Filología Hispánica*
PMLA	*Publications of the Modern Language Association of America*
REH	*Revista de Estudios Hispánicos*
RF	*Romanische Forschungen*
RJ	*Romanistisches Jahrbuch*
RQ	*Romance Quaterly*
RR	*Romanic Review*
RS	*Romance Studies*

PRÓLOGO A LA EDICIÓN ESPAÑOLA

ESTOY MUY AGRADECIDO al profesor Pablo Jauralde y a la editorial Castalia por la amable invitación para que se traduzca *Escrito al margen*. Espero con impaciencia conocer las reacciones de los lectores españoles, aunque también temo que algunos aspectos de su contenido provoquen malentendidos. El desarrollo de los estudios literarios y culturales en España ha sido de alguna manera diferente al de los países de habla inglesa. Esa es la causa por la que alguna insistencia puede sorprender al lector de español.

España cuenta con una rica tradición filológica y con cierta permeabilidad en el uso de vocabularios técnicos en ese campo (pienso, particularmente, en el formalismo y en el estructuralismo). Cuando se escribió *Escrito al margen*, en Gran Bretaña y, en menor medida, en los Estados Unidos, una de las perspectivas críticas más importantes era la del «*New Criticism*», profundamente hostil a lo que se venía llamando "jerga" crítica. Entre los hispanistas ingleses que trabajaban en el Siglo de Oro, se combinó, algo forzadamente, la tradición empirista y positivista con la ferviente creencia en el valor moral de la literatura. Mi propia posición fue que tal perspectiva era históricamente inadecuada, en la medida en que desdeñaba la retórica y la lógica contemporánea de los textos literarios que estudiaba; y que era anticuada, en la medida en que no prestaba atención a la teoría crítica que había transformado otras áreas de los estudios culturales. Además, me parecía que la poética del Siglo de Oro tenía mucho en

7

común con ciertas tendencias de la teoría moderna: las dos compartían una misma falta de interés por la figura del autor, un regusto por los vocabularios técnicos y una fijación con el modelo lingüístico como el fundador de la práctica cultural. De este modo, *Escrito al margen* se proponía ofrecer una crítica a los acercamientos del «*New criticism*» y sugerir nuevas lecturas de los textos canónicos, modeladas tanto por la retórica renacentista como por los recientes acercamientos en la teoría crítica. El lector español puede tener la sensación de que dediqué demasiado tiempo a los debates en lengua inglesa; pero esto fue así porque tuve la necesidad de asegurar la legitimidad de mi propio acercamiento a lo largo del estudio.

Algunas reseñas del libro original han malinterpretado su tesis central; quiero explicitarlas ahora y aquí de manera concisa. Mis referencias a la "marginalidad" de la cultura española no implican que esa cultura sea intrínsecamente inferior a las demás; por el contrario, lo que yo argumento es que la cultura española ha sido excluida, al menos de modo intermitente, de una cultura europea, reconocida como tal, por parte de naciones que, erróneamente, consideran su propia cultura como central. Tal proceso se acerca a un racismo cultural, en el que el Norte se distancia del Sur para asegurar su propia pureza. Lo que arguyo es la inversión de esa binariedad inicial al defender que, para alcanzar su propia identidad, el centro depende del márgen. "España" (y la "mujer" en la página final del libro) son, así, el signo de una exclusión histórica a la que busco hacer justicia y reivindicar. En un gesto hecho familiar por la deconstrucción, invierto la jerarquía tradicional sólo para desplazarla en su conjunto.

El objetivo de mi trabajo en general no es, por lo tanto, llevar meramente la teoría al campo del hispanismo, sino llevar, asimismo, el hispanismo al campo de la teoría (de los departamentos de literatura inglesa o comparada, que han tendido a descuidar los textos en lengua española). Es, en consecuencia, una labor de presentación cuyo objetivo es responder a la marginalización de la que hablé anteriormente. *Escrito al margen* no pretende, sin embargo, la exhaustividad; se centra solamente en los textos canónicos del Siglo de Oro y omite géneros completos, como la narrativa alegórica. He subsanado algunos de estos vacíos en libros posteriores, principalmente dedicados a la literatura moderna. *The Body Hispanic: Gender and Sexuality in Spanish and Spanish American Literature* (Oxford: Oxford University Press, 1989) se ocupa de Santa Teresa de Avila, María de Zayas y Góngora; *Representing the Other: Race, Text and Gender in Spanish and Spanish American Narrative* (Oxford: Oxford University Press, 1992) trata de la Celestina, de Teresa otra vez y de Gracián. He extendido, de este modo, mi crítica deconstructivista para incluir cuestiones de género, sexualidad y nacionalidad que permanecen sin desarrollar en *Escrito al margen*.

Espero que el libro interese a los lectores españoles que todavía pueden no estar familiarizados con la obra de Derrida y de Lacan, que sigue siendo tan importante en ciertas áreas de estudio; y que estos lectores serán benevolentes con respecto a los debates que los textos españoles suscitaron en el dominio del hispanismo inglés.

Cualesquiera que sean las diferencias que nosotros, los estudiosos extranjeros, podamos tener, estamos unidos por nuestro profundo amor hacia una cultura a la que tanto debemos. *Escrito al margen* se ofrece, así pues, como una muestra de reconocimiento hacia la literatura española; su traducción significa que el diálogo internacional que dio comienzo con la publicación inglesa del libro puede continuarse y fructificar.

PAUL JULIAN SMITH
Londres y Cambridge, 1992.

INTRODUCCIÓN:
RELEYENDO EL SIGLO DE ORO

ÉSTE ES EL PRIMER estudio sobre la escritura del Renacimiento o del Siglo de Oro españoles que se despliega, de una manera extensa, desde lo que ha llegado a ser conocido como «postestructuralismo». Cuando escribo esto, en la mitad de la década de los ochenta, existe la sensación, particularmente en los Estados Unidos, de que la «deconstrucción» ha alcanzado su culmen y está siendo suplantada por un nuevo pragmatismo o historicismo. Y a pesar de todo, sigue dándose el caso de que los más recientes acercamientos críticos han tenido escasa influencia en los estudios sobre el Siglo de Oro. Mi propósito, en consecuencia, es sugerir métodos en los que, a la zaga de Derrida y otros, puedan renovarse y refinarse las lecturas de los textos del Siglo de Oro; pero también completar las versiones más herméticas de la deconstrucción prestando cuidadosa atención histórica a las relaciones entre los diferentes autores, al desarrollo de los géneros literarios y a los conflictos dentro de la práctica de la retórica renacentista. Decir que «no existe nada fuera del texto» no significa necesariamente que la obra literaria sea un objeto estético discreto, sino, más bien, que el mundo del discurso «que está más allá» se estructura de modo similar al propio texto y no puede ser separado del mismo. Como Terry Eagleton ha sugerido, la evidencia para un modelo de deconstrucción «abierto», como éste, se encuentra en el propio Derrida. [1]

1 *Literary Theory: An Introduction* (Oxford, 1983), 148.

11

En este estudio me centro en los problemas del «exceso» y de la marginalidad, porque son los que conciernen a la indeterminación de las fronteras entre binomios como las de dentro y fuera, el arte y la vida. El primer capítulo examina la teoría del Siglo de Oro en lo que concierne a la exageración o el exceso lingüístico y su relación con la concepción de un temperamento español. En los siguientes tres capítulos recojo los tres términos de Derrida *(suplemento, parergon y traza)* para indagar en los géneros más importantes de la época (la lírica, la narrativa picaresca y el teatro). Mi propósito es doble: desplazar la crítica positivista tradicional y, al mismo tiempo, revelar las contradicciones de los textos producidas por lecturas más experimentales. En el capítulo final la popularidad de Don Quijote se relaciona con su (aparente) represión de esos rasgos lingüísticos excesivos, tan característicos de otros textos españoles de la época. En la conclusión sugiero que la propia España es el lugar de la «marginalidad», el suplemento para Europa (tanto en exceso como esencial) que, al mismo tiempo, esconde y revela los criterios en los que se funda su exclusión.

Dos hispanistas anglosajones han trazado la historia de la devaluación o marginalización de los estudios hispánicos. Para John Beverly, el hispanismo se deriva en parte del placer, de alguna manera condescendiente, que el hombre del norte decimonónico encontró en las tierras del sur, tan pintorescas como reaccionarias.[2] Barry Jordan sugiere que, en el hispanismo británico, la deferencia hacia un canon restrictivo de la «gran literatura» y su fe en la habilidad magistral de los autores para trascender la época en que vivieron, ha divorciado el estudio de lo «español» de las circunstancias sociales e históricas de las propias culturas hispánicas. Postula el autor, como yo mismo, una atención estratégica hacia la diferencia o especificidad de los textos hispánicos, diferencia que no puede confinarse dentro de una «naturaleza humana» totalizadora.[3]

La poética humanista todavía dominante en el hispanismo puede parecer lo suficientemente flexible, con su insistencia en la individualidad del autor, el relativismo de los puntos de vista y la

2 «Hispanism Today: A View from the Left», comunicación leída en la Conferencia del Medio Oeste de la Modern Language Association of America (Iowa, 1982).
3 «Between Discipline and Transgression: Retracing the Boundaries of British Hispanism», *RS*, 5 (Winter 1984-5), 55-74 (pp. 59, 66).

ambigüedad típica del gran texto literario. Sin embargo, el hispanismo británico ha tendido, especialmente, hacia un formalismo y un moralismo que pueden resultar opresores. La crítica tradicional se basa en ciertas distinciones automáticamente aceptadas, como las que se establecen entre la escritura imaginativa y la crítica, o entre los textos literarios y los no literarios. A menudo, desde el *«New criticism»*, se considera que las virtudes de los textos literarios son, por una parte, la unidad y la coherencia, y por la otra, la tensión y la ambigüedad. La primera pareja confirma el estatus del texto como el de un perfecto artefacto estético; la segunda invoca una pluralidad de significados que está, no obstante, rigurosamente delimitada por la intención autorial y la relevancia crítica. La presuposición principal de esta clase de crítica, entonces, es la de que el autor es el origen del texto y la de que él (o, rara vez, ella) ha determinado el valor de éste para siempre.

Las retóricas renacentistas, por otra parte, aparecen a primera vista como inflexibles, pero en la práctica se revelan como fluidas y contradictorias. Así, una distinción básica es la establecida entre los tropos (que implican la trasferencia del significado) y las figuras (que implican la organización de las palabras). Sin embargo, la clase de las figuras está a su vez dividida en «figuras del discurso» y «figuras del pensamiento». Las primeras dependen del orden de las palabras, mientras que las últimas no; están sujetas a la voluntad *(voluntas)* artística del orador. De este modo, las figuras del pensamiento tienen mucho en común con los tropos; ciertamente, la sinécdoque, por ejemplo, puede aparecer bajo ambos encabezamientos. Los términos binarios formalistas tienden a fallar cuando se utilizan en la práctica. En último lugar, como veremos, el uso de tales términos tiende a poner en entredicho la distinción más básica de todas: la que existe entre el lenguaje «sencillo» y el figurativo, entre la esencia y el exceso. Las virtudes del discurso retórico son igualmente problemáticas. En este estudio presto particular atención a dos de ellas: la claridad y el decoro. La claridad tiene dos definiciones simultáneas y mutuamente exclusivas, el brillo gráfico y la simplicidad formal. El decoro es literalmente indefinible: es esa infinita adaptabilidad de la dicción al hablante, al público y a la materia que sólo es constante en su mutabilidad. También la retórica tiende a descentrar o desestabilizar cualquier sentido simple de la causalidad o del determinismo.

Porque si el orador tiene una «voluntad», entonces su lenguaje es consumido por un público cuya reacción no es en absoluto predecible. La disciplina retórica es, al mismo tiempo, una teoría y una práctica del discurso, que surge del interior de una sociedad oral, pero que los letrados adaptan para diferentes propósitos. Como en la definición que da Escalígero del arte de la poética, los límites de la retórica son imposibles de fijar y sus parámetros están continuamente cambiando. En particular, no consigue trazar una distinción consistente entre el discurso literario y el no literario. Quintiliano espiga citas indistintamente del poema épico de Virgilio y de la oratoria forense de Cicerón.

Las más recientes teorías sobre el discurso buscan abandonar los términos binarios de todas clases. Allí donde el estructuralismo intentó la articulación del significado en el juego de la diferencia entre dos términos, el post-estructuralismo tiende a vaciar ese significado al recurrir a terceros términos que no permiten ni la antítesis ni la síntesis de los opuestos. Así, el «suplemento» de Derrida es al mismo tiempo adición y sustituto de otro término, y su estatuto tan contradictorio sirve para socavar la pertinaz creencia de que existe «un» significado en el lenguaje y del autor en el texto. Otros términos de Derrida poseen una cualidad perturbadora similar, al ser al mismo tiempo presentes y ausentes, esenciales y excesivos. Participan, por ello, en el continuo ataque de Derrida a lo que él considera la «metafísica», o el idealismo irreflexivo, de la concepción occidental del ser y del conocimiento. Pero estos términos no son herramientas o instrumentos que vayan a ser empuñadas por el crítico magistral, algo de alguna manera externo al texto en cuestión. Generalmente van a encontrarse dentro del propio texto, sea éste Rousseau, Kant o Freud. La práctica de Derrida es la de una minuciosa, incluso excesiva, «lectura detallada». Como nos recuerda Barbara Johnson, una de sus más fecundas comentaristas, la deconstrucción no está tan alejada en su etimología del «análisis» (al significar, literalmente, «deshacer»).[4] Dos cualidades a menudo atribuidas al texto post-estructuralista son la reflexividad y la indecibilidad. La reflexividad es la capacidad del texto para reflejarse sobre su propia naturaleza como

---

4 Véase la introducción a su traducción de la obra de Derrida *Dissemination* (London, 1981), p. xiv.

constructor discursivo. Sin embargo, esto no implica necesariamente el tradicionalismo dogmático de la «unidad» de los tradicionalistas, puesto que (como sugerí anteriormente) el texto permanece abierto en un continuado proceso de «intertextualidad» a los actos o mensajes discursivos que lo preceden o lo siguen. De la misma manera, la indecibilidad no es (o no debería reducirse) a la «ambigüedad» del «*New Criticism*». Porque mientras que la interpretación de Empson considera que un múltiple, aunque fijo, número de significados son típicos del gran texto literario, la lectura post-estructuralista considera que la pluralidad del significado es la condición general del discurso en su conjunto. Así como no existe una base original o final para la autoridad, tampoco existe un lenguaje unívoco o simple desde el que las complejidades del literario puedan divergir.

La teoría moderna, como se ve, es radicalmente escéptica sobre muchas distinciones y valores todavía sustentados por los críticos más tradicionales. También busca desplazar cualquier simple teleología o causalidad: el escritor ya no es el origen único y activo del texto, ni el lector su destino pasivo. Si nosotros, como críticos, elegimos adoptar tal punto de vista, entonces seremos constantemente conscientes del estatus de la subjetividad (el sentido de lo propio) como el de un proceso cambiante, no como un producto fijo, y del lenguaje como de un medio concreto, no una esencia ideal. Así pues, lo que parece unir a los teóricos renacentistas y a los post-estructuralistas (y lo que los separa de los estudios positivistas o humanistas) es que los primeros reconocen desde el principio que cualquier comunicación inmediata es imposible o ilusoria: no puede haber una presencia directa del autor en el lenguaje, que surja de él, ninguna representación en el lenguaje que no esté comprometida por el marco discursivo en el que se forma, y ninguna experiencia humana natural anterior e inmune a la inscripción cultural. Lo que es más, el fluido movimiento de la intertextualidad moderna se repite, de un modo bastante abierto, en la cultura de citas y escolar del Renacimiento, con sus glosas y comentarios incesantes, escasamente determinada (si acaso) por un texto «anfitrión» u original, que se va alejando y oscureciendo. Esto tiende a reafirmar la corriente más penetrante en el post-estructuralismo, aquella que consiste en intuir que no existe metalenguaje alguno, ningún vocabulario «fuera» del objeto literario (o del sujeto psicológico) que pueda servir para «explicarlo». La crítica tradicional ha eludido siempre esta cuestión, al afirmar a la vez que el texto literario es superior al crítico y que este último posee el único acceso a la verdad inherente, si bien invisible, del primero. Escritores como Derrida y Barthes, por otra parte, han ido desvaneciendo la distinción entre lo creativo y lo crítico tanto en sus trabajos teóricos como en los prácticos. Por ello, si en este estudio presto una atención irregular a las lecturas secundarias de los textos primarios, es porque no puede existir un enlace directo con la escritura del Siglo de Oro: el acceso sólo puede hacerse a través de un desarrollo extensivo del comentario, que también debe ser objeto del análisis. Una vez más, es posible que la práctica renacentista se acerque más aquí al post-estructuralismo. Escritores como Herrera y Tasso son poetas y teóricos, y el relativo estatus de la retórica dentro del trivium y de la poética dentro de las ciencias humanas está en constante cambio, es siempre inestable.

Dado este conocimiento, mi propia aproximación (como la de los comentaristas del Renacimiento) es ecléctica o intertextual. Aunque la sustancia principal de mi argumentación parte de Derrida, soy consciente de la huella de pensadores anteriores de los que he tomado prestadas cosas de manera con frecuencia inusual. Así, de Marx tomo una visión de la historia como estructura teórica, no fenómeno superficial, y del valor como producido o relativo, y no innato e ideal. De Saussure la teoría de que el valor lingüístico es arbitrario o convencional (sujeto a la práctica cultural), pero no de índole fortuita, y que el lenguaje es un sistema de diferencias sin términos «llenos» o positivos. De Freud, una desconfianza hacia la consciencia y hacia el dominio del intelecto, y un interés por el lenguaje como proceso psíquico, que Lacan desarrolla mucho más. Del propio Lacan tomo el concepto de lo «imaginario» (es decir, el reino de la representación engañosa necesaria para la construcción de la identidad), y de la propia subjetividad como una práctica lingüística, no una esencia ideal. Con todo, si en Lacan y en Derrida no existe una base última ni para la identidad psíquica ni para el valor textual, esto no significa que la experiencia de la locura o de la sujección sea menos «real». Más bien dirige nuestra atención de manera más detallada hacia los problemas del poder, del castigo y de la vigilancia, íntimamente relacionados con Foucault.

No afirmo que sea yo el único en haber reducido a estos escritores.

Si existe un «nuevo hispanismo» en los estudios del Siglo de Oro, éste tuvo comienzo en Francia como la poética estructuralista de Maurice Molho y la sociocrítica de Edmond Cros. Mientras que la obra de ambos ha sido nueva y polémica ha tendido a confirmar los prejuicios anglosajones hacia los vocabularios técnicos, con su léxico a menudo hermético y sus frecuentes defensas de una maestría o desapego «científicos». Esta última defensa es, por supuesto, abiertamente refutada por Lacan, Derrida y los últimos trabajos de Barthes. Si va a producirse un Renacimiento en los estudios del Siglo de Oro, puede muy bien provenir de los estudiosos en Norteamérica. Así, James Iffland ha ofrecido lecturas marxistas estructurales de Góngora y de Cervantes. Henry W. Sullivan ha intentado un acercamiento lacaniano a la comedia. V. Herrero, Harry Sieber y Ruth El Saffar han estudiado la prosa del Siglo de Oro a la luz de la semiótica, la narratología y el feminismo. Una autoridad del hispanismo norteamericano, Elías L. Rivers, ha realizado un tratamiento general de la literatura hispánica, que se centra, como el mío propio, en una variedad de aproximaciones nuevas.[5]

Al menos en un campo yo mismo he sido conservador, y es en la preservación de un «canon» de grandes autores y textos. ¿Por qué limitar mis capítulos principales a la lírica, la picaresca y el drama? Existen obvios vacíos en este estudio. Entre los textos «literarios» excluidos están el cancionero y la poesía épica; la narrativa de caballerías y la pastoril; y el teatro cómico y el religioso. Otra ausencia importante es la de la narrativa alegórica, como la de los *Sueños* o el *Criticón*, obras que tenderían a reafirmar mi tesis sobre la «diferencia» española como una de sobrecarga verbal y conceptual. Pero si da la impresión de que reitero y por ello reafirmo un canon de grandes autores (y uno particularmente limitado), no es porque considere que encarnan la esencia de la escritura de la época o porque carezca del espacio o de la energía para tratar con autores menos conocidos o con textos «no literarios» como los manuales religiosos o las crónicas de sucesos históricos. Ciertamente, doy por hecho que el canon es específico en relación a un tiempo y un espacio particulares, y es, por ello, un producto variable, no una esencia intemporal. La oscilante fortuna de que ha gozado

5 *Quixotic Scriptures: Essays on the Textuality of Hispanic Literature* (Bloomington, 1983).

Góngora en este siglo es un buen ejemplo. Sin embargo, como ya he sugerido, el hecho de que el valor sea convencional no lo hace menos «real» en cuanto a sus efectos. El canon ha sido creado, en parte, por la fuerza misma de la atención crítica; pero esa atención crítica es en sí misma objeto de mi estudio. Así pues, aunque mi objetivo último podría muy bien ser la disolución del canon y la emergencia de un dominio menos rígido de los «estudios culturales», un requisito previo y necesario de semejante cambio es el desplazamiento de estos valores (el humanismo, el esencialismo, el ahistoricismo) que los críticos afirman ver ejemplificados en los «grandes autores». Si Garcilaso y Lope no son las presencias puras que ellos han creído, entonces el rigor prescriptivo de la crítica tradicional se ha socavado seriamente. Y si la supuesta artificialidad de Góngora y de Calderón es común a todo discurso literario, entonces la distinción convencional entre el arte y la naturaleza deben también ser cuestionados.

Puede que también se me critique una falta de interés por la historia, en el sentido tradicional de la palabra. De nuevo, como he sugerido, doy por hecho que existe una relación específica, si bien variable, entre el arte y la vida, o (en términos de Foucault) entre las prácticas discursivas y las no discursivas. Sin embargo, resulta claro que el incidente histórico o epifenómeno no determina un texto literario de un modo directo, aunque podamos llamar a la mediación entre ambos por una variedad de nombres, incluyendo los de «convención» o «ideología». Y si la historia empírica no explica el texto, entonces el texto determina a menudo, al menos hasta cierto punto, el modo en el que la propia historia es experimentada. Por ejemplo, parece probable que la novela picaresca presentase a los lectores contemporáneos una «pintura» de la sociedad que constituía y no constituía su experiencia, lo suficientemente cercana para ser reconocible, pero lo suficientemente distante como para resultar lisonjera o consoladora. Si la literatura alimenta de esta manera lo «imaginario», entonces cualquier acceso a lo «real» más allá resulta, en verdad, problemático. Para tomar en consideración otro ejemplo específico, la sensación de una «diferencia» española (el punto de arranque de mi estudio) ¿fue una ilusión literaria o una realidad histórica? La respuesta es que fue ambas cosas y que no fue ninguna. La cultura española está, ciertamente, tipificada por el «exceso», pero este exceso es, como argumentaré, de índole extraordinariamente volátil, y típico del discurso literario tomado en su conjunto. La rígida distinción entre lo concreto y lo discursivo (entre la historia y la literatura) difícilmente se puede sostener.

Finalmente, una nota cautelar. En los próximos años, el hispanismo puede encontrarse (como les sucede ahora a los estudios ingleses o franceses) en una posición extraordinariamente incómoda. Por una parte, existirán los nuevos críticos «fuertes», cuyo trabajo resultará impopular y a menudo inaccesible para sus colegas; y por la otra, los críticos mayores y más tradicionales, tal vez insatisfechos con los métodos de antes, pero todavía reacios a rendirse a la corriente actual. Este estudio supone un intento por llenar ese hueco, o ausencia, tal y como se presenta en el proceso de nacimiento. Para este fin combina, tal vez de una manera un tanto incómoda, las teorías renacentistas y modernas sobre la escritura. Sin duda alguna a algunos lectores les parecerá demasiado histórico, y demasiado teórico a otros. Sin embargo, a medida que el libro se desarrolla, el interés se desplaza de lo primero a lo último, en un intento por introducir al lector en las ideas que le resultan menos familiares sin la amenaza de la violencia intelectual. No será un intento de sintetizar los opuestos mediante un tercer término que los trascienda. Porque no existía una simple oposición de partida. Ni la crítica antigua ni la moderna constituyen estructuras monolíticas; cada una de ellas es una mezcla de ideas y tradiciones varias. Ciertamente, el debate moderno es bastante similar a la controversia gongorina de comienzos del siglo XVII. Porque la simple dicotomía entre «culteranismo» y «conceptismo» casi no existió en la realidad, y la perversa novedad de Góngora ya estaba implícita en los manerismos, a menudo artificiales, de Herrera e, incluso, de Garcilaso. La obra de Terry Eagleton *Literary Theory: An Introduction* termina con un elogio de la retórica como actividad crítica «inseparable de... los escritores de los lectores, de los oradores y de los públicos» (p. 206). La retórica, en el más amplio sentido de la palabra, constituye, en verdad, la más íntima ligazón entre todas las teorías del discurso literario. Incluso aquellas aproximaciones que afirman su inocencia con respecto a cualquier base teórica pueden sucumbir a su ardiente interrogación. Y, tal vez, las «jergas» de los pensadores franceses del siglo XX no estén tan alejadas de las «jerigonzas» de los españoles del siglo XVII. Con seguridad no resulta accidental que Lacan cite a Gracián y Barthes elogie a

Góngora.[6] Tanto en los escritores franceses como en los españoles, la densidad y la materialidad del lenguaje niega al lector la ilusión de transparencia lingüística y la comodidad de una comunión íntima con el autor. Es ésta una lección que no debería olvidarse, y que la escritura peculiarmente compleja e intrincada del Siglo de Oro está particularmente calificada para demostrar. La afirmación de que la escritura o la lectura llevan en sí mismas una práctica crítica correspondiente se ha convertido en un lugar común de la teoría reciente. Por ello que, en cuanto a mí concierne, los argumentos anteriores no son simplemente teóricos o abstractos. Son la sustancia de la tesis que desarrollaré a lo largo de este libro. Sin embargo, la cuestión de «¿Cómo afectan los cambios en el acercamiento teórico la lectura que hacemos de un texto específico?» es legítima, y puede ser ilustrada, si no respondida, en este punto preliminar del libro. Ofreceré, así, tres lecturas diferentes de un conocido soneto, obra de un poeta a quien no tomo en consideración en el capítulo sobre la lírica, Francisco de Quevedo. Las lecturas son la tradicional, la retórica que hace el Renacimiento y la teórica que hace la crítica moderna. Como he postulado antes, las distinciones entre las escuelas críticas no son nunca difíciles y rápidas, y las lecturas deberían ser consideradas ejemplares, incluso paródicas. Y, por supuesto, no puede existir ningún ejemplo inocente.

El poema intenta representar por medio del lenguaje un retrato de la dama del poeta contenido en un anillo. Ofrece, así, un alcance particular para la apelación a esas nociones de la reflexividad y la indecibilidad, típicas de la teoría moderna. Sin embargo, el *New Criticism* favorece, asimismo, el soneto como objeto preferido de la lectura cuidadosa; y el retórico renacentista se ve atraído por la convencionalidad del tópico y la complejidad del lenguaje que hallamos en el poema de Quevedo.

> En breve cárcel traigo aprisionado
> con toda su familia de oro ardiente,
> el cerco de la luz resplandeciente,
> y grande imperio de Amor cercado.

---

6 Véase Malcom Bowie, «Lacan and literature», *RS*, 5 (1984-5), I-26 (pp. 9, 15); y mi propio estudio «Barthes, Góngora and nonsense», *PMLA*, 101 (1986), 82-94. Para un estudio retórico de un solo autor del Siglo de Oro véase mi *Quevedo on Parnassus* (London, 1987).

Traigo el campo que pacen estrellano
las fieras altas de la piel luciente;
y a escondidas del cielo y del Oriente,
día de luz y parto mejorado.

Traigo todas las Indias en mi mano,
perlas que, en un diamante, por rubíes,
pronuncian con desdén sonoro yelo,

y razonan tal vez fuego tirano
relámpagos de risa carmesíes,
auroras, gala y presunción del cielo. [7]

Para el *New Criticism,* gran parte del valor del poema reside en su unidad estética. [8] La «breve cárcel» del anillo es también la del propio soneto, que constriñe los elementos variados dentro de una estructura formal coherente: el poeta se refiere de un modo perifrásico a los rayos dorados del sol en la primera estrofa, a las estrellas del cielo en la segunda y a las joyas de las Indias en la tercera. Cada uno de estos términos representan partes de la belleza de la dama: su pelo, sus ojos y su boca, respectivamente. El orden del cosmos se refleja, así, en un orden particular, si bien paralelo, de los rasgos de mujer. Por ello, tanto en el nivel figurativo como en el literal (el cuerpo celeste y la belleza femenina) el soneto encarna una natural unidad de imagen y referente, una unidad que refleja la habilidad del poeta y que reproduce su emoción (auténtica y autentificadora). Esta combinación de control artístico y de carga emocional no es, en absoluto, contradictorio. Más bien garantiza que la imaginería del poema no sea decorativa o superflua, sino orgánica y esencial. También infunde al soneto de una tensión sustancial, al mismo tiempo formal y existencial. El tema del confinamiento se contrasta con el de la expansión: la infinita prosperidad del cosmos fuerza los menudos límites del anillo y de la mano del poeta. De la misma manera, el poeta afirma que puede él comprender la belleza de su dama, pero que no soportar su crueldad. En el primer terceto, ella le habla con

---

7 Texto procedente de *Poesía original,* ed. José Manuel Blecua (Barcelona, 1974), n°. 465.
8 Para un recorrido de la crítica moderna sobre este poema, véase el cap. III de mi *Quevedo on Parnassus.* Para dos lecturas recientes del mismo véase la obra de Julián Olivares, *The Love-Poetry of Francisco de Quevedo* (Cambridge, 1983), 68-74; y la de D. Gareth Walters, *Francisco de Quevedo, Love Poet* (Cardiff, 1985), 79-80.

desprecio; en el segundo, habla con «fuego tirano» y se ríe con «relámpagos carmesíes». La desconcertante sinestesia de esta última imagen revela la originalidad del poeta Quevedo (insufla nueva vida en los lugares comunes de la lírica petrarquista) y los sentimientos paradójicos del hombre Quevedo (adora la belleza de su dama pero teme su cólera). El poema adquiere una novedosa luz de ambigüedad: las fuerzas naturales son al mismo tiempo hermosas y crueles, sólo el amor puede producir vida y muerte. Lo que es más, el amante que busca confinar a su dama se encuentra, a su vez, cautivo por su belleza. Estas ambiguas tensiones (placer y dolor; libertad y servidumbre) son expresadas por el autor en un lenguaje que es al mismo tiempo naturalmente orgánico y artísticamente forjado. Y la significación final del poema es, a una vez, peculiar al individuo Quevedo que sufre y general a un estado invariable del hombre. La cárcel de amor de Quevedo no es sólo suya. También es nuestra.

La prioridad para el retórico renacentista es explorar las figuras, los tropos y las referencias eruditas del soneto y facilitar, de este modo, su recepción por parte del lector. Así, un editor del poema del siglo XVII nos dice que la «familia de oro» son los rayos del sol y el «campo estrellado» el firmamento, que debe permanecer «a escondidas» después de que amanezca («Oriente»).[9] Imágenes como éstas pueden resultarle oscuras al lector moderno si requieren una explicación de este tipo. Pero si les falta inmediatez, prestan al poema un brillo gráfico que es altamente apreciado. En su simplicidad de sintaxis y en su complejidad de metáfora, Quevedo exhibe, así, esa curiosa combinación de cualidades que el Renacimiento llamaba «claridad». Esta densidad de figuración suscita, también, la cuestión del decoro. Los lectores del Renacimiento habrían, probablemente, visto el poema como un ejemplo de la «alegoría» o «icono», la metáfora extendida en la cual el término literal es omitido. La dicción elevada parece apropiada para la omnipotencia de la dama, el objeto (ausente) de la alabanza. Por otra parte, el estatus del soneto amoroso en general es incierto en la época. Un lenguaje tan altisonante sería más adecuado para los nobles temas de la épica que para el estilo humilde o medio de la lírica. No parece probable

---

9 El editor es José Antonio González de Salas. Sus comentarios son reproducidos por Blecua a los pies del poema.

que el poema hubiera sido considerado como testimonio de experiencia personal: la poesía tiene que ver con cosas universales, no particulares. Pero incluso si así fuera, no recibiría el valor trascendental que algunos críticos modernos le han atribuido por semejante razón. Los críticos del Renacimiento, asimismo, confían menos en la distinción entre la imaginería orgánica y la artificial, entre el lenguaje figurativo y el funcional. Tal vez sea significativo que el editor del siglo XVII no comente esas imágenes que el crítico moderno considera como las más complejas y ambiguas (el hielo sonoro y el relámpago carmesí), sino que se centra en el uso que el poeta hace de la más manida de las metáforas (los labios de rubí). También cita la creencia de que el diamante y el hielo están compuestos de la misma sustancia, sujeta a grados variables de congelación. Semejante información difícilmente parece relevante cuando los términos se utilizan figurativamente para representar la boca de la dama y su desdén por el poeta, respectivamente. Esto sugiere, con todo, que se aplican los mismos criterios para el lenguaje figurativo y el no figurativo: incluso las estrellas metafóricas no pueden brillar una vez que ha amanecido; y los minerales metafóricos no pueden contradecir las propiedades físicas del universo concreto. El espacio de la poesía se abre, así pues, hacia el de otras disciplinas, como las ciencias naturales. El soneto no es el artefacto cerrado, estético y experiencial de la *nueva crítica;* es a un mismo tiempo efecto e instrumento de una cultura de la erudición potencialmente ilimitada.

Así pues, los estudiosos renacentistas no piensan en elogiar al poeta por su originalidad. Existe tan escaso interés por la novedad temática como por la forma orgánica o el lenguaje auténtico. Si el comentario del editor hubiera sido más completo, habría señalado las semejanzas entre Quevedo y otros poetas que se ocupan del tópico del anillo, tales como Marino y Góngora. Habría señalado que la dama de Horacio, como la de Quevedo, se ríe y habla en una oda bien conocida. La imagen del «relámpago carmesí» habría sido elogiada, no por no novedad, sino por la sutil refundición que realiza de un tópico que puede retrotraerse de Dante y Petrarca hasta Tasso y Marino. La propia imagen se habría visto, no como sinestesia (expresividad sensual), sino como epíteto que ha sido transferido (ingenuidad retórica). Este retorno infinito de un poeta a otro, esta indefinida expansión de un área del conocimiento a otra, sugiere que la erudición renacentista resiste cualquier intento de clausura: el problema de la intertextualidad no tiene fácil solución. Por ello, la cuestión del sujeto (de la integridad del lenguaje y de la sinceridad de la emoción por parte del poeta) no se suscita. A pesar de la insistencia puesta en la primera persona del singular del poema («traigo»), el exagerado retoricismo del lenguaje de Quevedo tiende a descentrar o desplazar cualquier noción del poeta como individuo particular y que se tiene a sí mismo.[10]

Una lectura teórica moderna podría partir de estas asunciones no expresas de la retórica renacentista. Como he dicho, el post-estructuralismo es, en general, hostil a las oposiciones binarias excesivamente esquemáticas. Desconfía, también, de los orígenes trascendentes o de los finales definitivos. Si leemos el soneto teniendo en cuenta esta especie de escepticismo lingüístico, entonces las preconcepciones fundamentales de otros críticos pueden ser borradas o disueltas por la acción del propio poema. Estas preconcepciones implican las supuestas distinciones entre la figura y la base, la forma y el contenido, el sujeto y el objeto. He sugerido que, retóricamente, la relación entre el lenguaje figurativo y el no figurativo es muy problemática. La figura está en lugar del término nativo o propio, pero también va más allá del mismo en potencia verbal. Sustituye y completa el lenguaje llano. En palabras de Derrida, la acción de la figura es «suplementaria» (del francés «supléer», que significa, al mismo tiempo, desplazar un término que está presente y sustituir otro que está ausente). Exploro con detalle la suplementariedad de la lírica del Siglo de Oro en el capítulo 2. Sin embargo, el soneto de Quevedo es un ejemplo extremo de cómo el término figurativo, supuestamente secundario y derivativo, desplaza y excede el referente primario. A pesar de los esfuerzos de los comentaristas, no resulta en absoluto claro lo que algunas imágenes afirman representar: si las perlas son los dientes y los rubíes los labios, ¿cómo puede ser un diamante la suma de estas partes (la boca)? Este no es un engaño artificiosamente dirigido, ni tampoco una pieza arbitraria de la hipérbole. Es un síntoma del juego diseminador de la figuración, que siempre rebasa el término «propio» que pretende sustituir. El lenguaje ornamental

---

10 Para un ataque a la supuesta «individualidad» de la poesía de Quevedo, véase mi estudio «Affect and Effect in the Lyryc of Quevedo», *FMLS*, 22 (1986), 62-76.

de Quevedo amplifica la belleza de la dama y, a la vez, atrae la atención del lector hacia la exclusión de la dama del soneto que se hace
de ella. Cuando la metáfora es tan dominante, apunta meramente a
la ausencia del lenguaje llano y del referente original. Podría argumentarse que esta tendencia hacia la exorbitancia verbal está
determinada por la posición históricamente marginal de Quevedo,
casi el último de los grandes poetas líricos. Pero (como argumentaré
en el Capítulo 2) esto supone la posibilidad de un lenguaje natural o
neutral no contaminado por las lacras de la figuración, un lenguaje
que no va a encontrarse en los más tempranos y sencillos de los poetas del Siglo de Oro. Y (como argumentaré en el Capítulo 4) la
«traza» o «huella» alienante de la inscripción cultural precede a los
genios españoles más «naturales». La dispersión de la presencia de
la mujer y la falta de sentimiento inmediato en el soneto de Quevedo no deben, necesariamente, asignarse a un clima de desvío
barroco. Apuntan, más bien, a los papeles de la diferencia y de la
alienación en la escritura y en la lectura de cualquier época.

La distinción entre la figura y el fondo (los términos primario y
secundario) es más adelante subvertida por la tendencia de Quevedo
hacia la remetaforización de términos metafóricos. Así, las «fieras
altas de la piel luciente» representan la constelación de Tauro, que, a
su vez, representa los ojos resplandecientes de la dama; o el Oriente
representa el amanecer, y el amanecer la reaparición de la dama. Por
supuesto, esta metáfora de segundo grado es común en la época, particularmente en Góngora. Es lo suficientemente familiar para los retóricos como para darle el nombre de metalepsis (que procede del verbo
griego que significa tomar parte en algo y, también, cambiar una cosa
por otra). Pero las implicaciones que tiene para el lenguaje poético
son de amplio alcance: la metalepsis sugiere la posibilidad de una
cadena interminable de sustitución, en la cual el antecedente y el consecuente (lo literal y lo figurativo) se desplazan uno a otro incesantemente. La dama está en el cosmos y el cosmos en la dama. Ciertamente, como veremos, la peculiar potencia del poema se deriva de los
desvíos o deslizamientos de semejante perspectiva. La forma del soneto (y la del anillo) puede ser leída como un parergon, un margen o un
marco, al mismo tiempo necesarios y contingentes, que ponen en cuestión la distinción entre el centro y la periferia, lo interno y lo externo.
En el Capítulo 3 exploro la relación entre el parergon y la supuesta

«pintura» ofrecida por el relato-marco de la picaresca. Pero al hacer del retrato de la dama el supuesto objeto de su poema, y al subrayar tanto las rígidas coerciones de ese retrato como sus, curiosamente fluidas, transformaciones, el poema llama asimismo la atención del lector hacia el problema de la representación en sí misma.

Llamo al retrato el supuesto objeto del poema, porque, cuando llegamos a los tercetos la imagen que el amante tiene en su mano habla y se ríe. Aquí, la estructura retórica del poema parece desplazarse desde la ecphrasis (la reproducción en palabras de una imagen preexistente) hacia la pintura (el retrato en verso de un modelo original). Podemos especular sobre si el poeta resulta delirante; o sobre si la miniatura representa a la mujer en el momento de reírse y de hablar. Pero difícilmente podría representar ambos momentos: el pintor, a diferencia del poeta, no puede representar la acción consecutiva. Existe, por ello, un deslizarse desde la imitación al original como motivo del poema, que no ha sido señalado por los críticos modernos, sojuzgados por la seductora «presencia» de la dama. El poema es reflexivo porque, en una lectura cuidadosa, apunta a los márgenes de la propia representación. Pero no puede ser decidido, porque priva al lector de cualquier referente estable «fuera» de sí mismo. Podemos sucumbir a las alucinaciones del amante, pero solamente al reproducir de una manera no crítica los cambios y vueltas de su deseo.

Un crítico moderno sugiere que «En la conclusión podemos preguntarnos: ¿quién es en realidad el prisionero?» (Olivares, p. 74). Pero esta inseguridad no sirve, necesariamente, para reforzar la creencia ortodoxa en el supuesto tormento psicológico del individuo y en la verdad universal que guarda para el lector. Más bien, y de una manera más radical, sugiere lo inadecuado de todas las teorías que presuponen una identidad esencial y sustancial fuera del lenguaje. En particular, se corresponde con la teoría de Jacques Lacan de que el proceso a través del cual el sujeto comienza a existir es el de la especularidad y el reflejo. Para Lacan, como para Quevedo, el ojo es un órgano del deseo, tanto como de la percepción.[11] Lacan cita

---

11 Véase el ensayo de Lacan «Of the Gaze as Objet Petit a», en *The Four Fundamental Concepts of Psychoanalysis*, trad. Alan Sheridan (Harmondsworth, 1977), 67-119. Las referencias a Zeuxis y a Parrhasios están en las pp. 103 y 111-112. Para un clarividente comentario sobre este pasaje véase la obra de Elizabeth Wright, *Psychoanalytic Criticism: Theory in Practice* (London and New York, 1984), 119.

la historia, bien conocida, de los pintores Zeuxis y Parrhesios. La pintura que hizo el primero de un racimo de uvas era tan perfecta que engañó a los pájaros. Pero la pintura que el segundo hizo de una cortina le hizo a su rival preguntarle que qué había detrás de la misma, tan real parecía ésta. Para Lacan, lo que se plantea no es la cualidad ilusionadora de las imágenes. Por el contrario, los objetos no necesitan haber sido representados con precisión alguna. Incluso las más esquemáticas de las imágenes habría engañado a los pájaros (no familiarizados con las convenciones pictóricas) y a un testigo humano (no acostumbrado a la representación de objetos caseros). El ojo es, así, impresionado no por las cualidades esenciales del objeto, sino por su propia predisposición a ser engañado. La pintura sirve, meramente, de señuelo, que transmite un mensaje al sujeto ya contenido en la misma mirada. De este modo, el retrato de la dama es como el de las uvas, en la medida en que su falta de realismo fotográfico no impide que sirva como un objeto perfecto del deseo; y es como el de la cortina en la medida en que su opacidad provoca que el testigo (masculino) busque satisfacción detrás de ésta. La mirada del poeta se desliza más allá de la pintura hacia el modelo ausente, causa de su desconsuelo; la mirada del crítico se desliza más allá del poema hacia el autor ausente, causa de su seducción.

El objeto es, así pues, privado de integridad, porque siempre está implicado en la mirada. Pero el propio sujeto es, asimismo, descentrado. ¿Desde dónde habla? Como señor de la dama, está fuera del marco; como su prisionero, está atrapado dentro. Y esta discontinuidad confirma lo que, para Lacan, es la necesaria asimetría de la mirada del amor, el hecho de que «Nunca me miras desde el lugar desde el que yo te veo» (p. 103). La posición del sujeto es desplazada en relación a la de la amada, pero ambas no pueden nunca coincidir. Así, en el nivel de la superficie, no puede haber comunicación entre los dos: la dama permanece ausente e inconocible. Así como la figura desplaza al término propio que afirma meramente representar, y la pintura suplanta al modelo en el que afirma basarse, así también el deseo rebasa incesantemente al objeto que defiende como su origen. El poema termina con una promesa de nuevos amaneceres para la dama-sol, y de una riqueza rival de la del cielo: «auroras, galas y presunción del cielo». El movimiento de los cuerpos celestes, subrayado a lo largo de todo el poema, es semejante al del propio deseo: ofrece circularidad sin reciprocidad.

A pesar de las afimaciones, implícitamente totalizadoras, de la teoría de Lacan, esta condición puede no ser universal. En particular, resulta tentador considerar la «breve cárcel» de Quevedo, brillante y opresiva a la vez, como un espéculum: la superficie curva y distorsionante que busca arrojar luz sobre la oscuridad de la mujer e integrar su supuesta falta de forma. Esta imagen (derivada de la teoría moderna)[12] tiene un curioso precedente en un texto del Siglo de Oro, la enciclopédica *Mathesis* de Caramuel.[13] Comentando el verso «Ahora vemos a través de un espejo oscurecido», Caramuel afirma que ningún espejo puede representar de manera perfecta un objeto. Los espejos convexos ofrecen imágenes más pequeñas que la vida, los espejos planos cambian el lado derecho por el izquierdo, y los espejos cóncavos cambian la parte de arriba por la de abajo. Nuestra percepción de Dios en el mundo está, así, limitada por las necesarias deficiencias de todo reflejo mecánico. La imagen divina que vemos en el ojo de nuestra mente es mucho más pequeña que el original. El mundo está, así pues, cargado con el seguro signo del espejo convexo: «mundus enim convexi speculi praerogative pollet». (Thesis xlviii, p. 168).

El contexto de este pasaje es, por supuesto, teológico. Pero al ponerse en contacto con una cultura polimática, no resulta, tal vez, inadecuado para el crítico moderno moverse, como hicieron sus predecesores, de una arte a otra. La significación para la literatura parecería ser una sensibilidad del escritor hacia los límites formales y materiales de la representación y la percepción. Y la combinación de la propia conciencia erudita y la intensa concentración que encontramos en la imagen de Caramuel es típica, no sólo del soneto de Quevedo, sino de mucha de la escritura del Siglo de Oro en general. El signo del espejo convexo es un emblema adecuado para la literatura de la época. Lo que Caramuel deja de examinar, por supuesto, es la primacía de la propia visión como el modelo privilegiado de la

---

12 Para una crítica de la mirada tiránica masculina y una refutación implícita del modelo lacaniano de la especularidad, véase la obra de Luce Irigaray, *Speculum, de láutre femme* (París, 1974). Para un análisis de este motivo en Irigaray, véase el libro de Toril Moi, *Sexual/Textual Politics: Feminist Literary Theory* (London and New York, 1985), 129-31.
13 Hago referencia a la edición publicada en Lovaina, 1644.

percepción, y en el capítulo siguiente sugiero que las medio borradas metáforas de la luz y de la visión forman el «punto de ceguera» de la poética contemporánea. Sin embargo, el frontispicio de la obra de Caramuel ofrece un segundo emblema para nuestro estudio: muestra una osa dándole a su cría recién nacida forma con la lengua, con la divisa «Informia formo». Es una imagen familiar que procede de los bestiarios y de los libros de emblemas de toda Europa. Y cuando Covarrubias la glosa hace referencia a otro legendario pintor griego, Apelles.[14] Este artista no pudo nunca terminar un cuadro hasta que sus amigos escondieron sus pinceles y brochas: el cuadro podía ser siempre alterado y mejorado. Así pues, firmó sus obras «Apelles pingebat» (antes que «pinxit»), usando el aspecto imperfecto para sugerir acción incompleta y continua. Covarrubias aconseja al artista o al escritor futuros que limen una obra y la laman, tal y como la osa lame a su cría sin forma hasta dársela. Como el espejo convexo, la imagen de la osa sugiere que el proceso artístico es interminable, siempre está incompleto. Y lo que es más, el proceso natural es, en sí mismo, artificioso: el poeta imita no objetos inocentes o brutos, sino un mundo coherente que ya está sobrecargado de motivación y significación. No puede haber espacio «fuera» de estos, densamente trabajados, sistemas de significado. Y, como veremos, las aspiraciones metatextuales de los teóricos españoles están, inevitablemente, destinadas al fracaso.

14 *Emblemas morales* (Madrid, 1610), i. 40

1

LA RETÓRICA DEL EXCESO
EN LA TEORÍA DEL SIGLO DE ORO

1.1. LA DIFERENCIA ESPAÑOLA

«España es diferente». Así rezaba el eslogan publicitario de los años sesenta. Diseñado por el gobierno franquista para atraer a turistas extranjeros, fue a veces utilizado de modo irónico por la oposición política al régimen. También para el estudiante de retórica o poética renacentistas España es diferente; y es acerca de la naturaleza y el estatus de esa diferencia sobre lo que versa este capítulo. Como en el eslogan, esa «diferencia» puede ser sometida a más de una interpretación.

La teoría literaria en España empieza más tarde que en otros lugares y es, inicialmente al menos, meramente dependiente de antecedentes latinos e italianos. La primera retórica que se publica en la España de lengua vernácula es el manual de predicación, completamente tradicional, de Miguel de Salinas, de 1541; y la segunda (si excluimos los resúmenes de la primera) es la de Juan de Guzmán, de 1589. Retóricos de este talante recogieron lo esencial de Cicerón, Quintiliano y del «Ad Herennium», y añadieron poco o nada de su propia cosecha. Este retraso histórico y esta dependencia cultural se aceptan como tales por los propios teóricos españoles de los siglos XVI y XVII, y ambas cosas jugaron, como luego veremos, un importante papel en el desarrollo de una teoría de la escritura autóctona en España.[1]

---

1 Para la «tardanza» española véase Ernst Robert Curtius, *European Literature and the Latin Middle Ages*, trad. Willard R. Trask (London, 1953), 541-3.

31

Como en Italia, la tradición retórica precede e informa la crítica literaria en general, [2] término este último que en España recibe el genérico nombre de «preceptiva». En verdad, mientras que las auténticas retóricas tienen poco interés intrínseco, los textos marginales son más abundantes, menos fáciles de clasificar, su importancia trasciende sus limitaciones históricas y geográficas. Los tres textos o colecciones de los que me ocupo aquí abarcan la segunda mitad del Siglo de Oro. Se trata de las *Anotaciones* de Fernando de Herrera a la poesía de Garcilaso de la Vega (publicadas en 1580); de los documentos relativos a la disputa sobre los poemas de Góngora, la más importante controversia literaria del momento (en las décadas de 1610 y 1620); y, finalmente, de la *Agudeza o arte de ingenio* de Baltasar Gracián (en la edición revisada de 1648). Prestaré particular atención a los prólogos de estos libros, pasajes preliminares en los que ya de por sí son textos marginales.

La tardanza de textos primarios se ha visto reflejada, hasta época reciente, en la literatura secundaria. Los estudios de retórica o poética han recibido menos atención por parte de los hispanistas que en otros lugares. No ha habido un estudio en español tan detallado y general como el de Weinberg, sobre lo italiano, o el de Fumaroli, sobre lo francés. Se han publicado dos tratados generales de retórica del Siglo de Oro, el de Antonio Martí y el de José Rico Verdú, respectivamente. [3] Sin embargo, ambos adolecen de brevedad en la exposición y de inseguridad en la definición. Por ejemplo, Rico Verdú dedica una página escasa a Gracián, sin duda el más grande y original preceptista de la época, mientras que Martí le dedica seis páginas, considerándole, sin duda, de poco peso retórico. Sin embargo, como sugeriré más adelante, Gracián está profundamente comprometido con la tradición retórica de la que intenta distanciar su práctica teórica.

El sentido de una «diferencia» española puede relacionarse con la percepción, muy generalizada, de un cierto exceso o de algo superfluo, a la vez intrínseco y extrínseco a la cultura española tomada en su conjunto. Parece adecuado admitir que la propia España,

---

2 Véase Craig Kallendorf, «The Rhetorical Criticism of Literature in Early Italian Humanism from Bocaccio to Landino», *Rhetórica*, I.2 (1983), 39-59.
3 José Rico Verdú, *La retórica española de los siglos XVI y XVII* (Madrid, 1973); Antonio Martí, *La preceptiva retórica española en el siglo de oro* (Madrid, 1972).

geográficamente separada del resto de Europa, ha sido considerada a menudo como marginal, incluso redundante, y por supuesto menos «central» que Francia o Italia con respecto a una llamada «cultura europea». La prosa, la poesía y el teatro del Siglo de Oro han tenido relativamente poca resonancia en el extranjero, condenados como fueron, desde el siglo XVII en adelante, por excesivamente extravagantes e inmoderados. Hasta época reciente, el tópico del «exceso barroco» encontró cierto eco en los propios críticos españoles. Para Menéndez y Pelayo, el primero en prestar cuidadosa atención a la preceptiva española, la transición del siglo XVI al siglo XVII, o de la poesía de Garcilaso a la de Góngora, muestra un marcado declive desde una noble claridad hacia un carácter ornamental redundante. De la misma manera, este declive se iba reflejando en la creciente y desordenada complejidad de la escritura teórica de este mismo periodo, así como en la progresiva decadencia histórica de España como poder imperial.[4]

De acuerdo con Menéndez Pelayo y con la mayoría de los críticos que le siguieron, la poesía y la teoría del siglo XVII se escindieron en dos campos: el «culteranismo» de Góngora y de sus seguidores, caracterizado por un exceso verbal redundante, y el «conceptismo» de Quevedo y de Gracián, marcado por su complicada dificultad conceptual. La distinción entre uno y otro es la misma que, en el campo de la retórica, se da entre res y verba. Sin embargo, la investigación más reciente ha demostrado que esta oposición es insostenible, por cuanto ambos términos eran desconocidos para los escritores a los que, todavía con frecuencia, se aplican; y les habrían resultado, ciertamente, ininteligibles.[5] Parece claro que se requiere una aproximación más sofisticada. Mi propia tesis se desdobla en dos partes: primero, que la aparente contradicción entre la claridad poética y la dependencia teórica del siglo XVI y el exceso poético y la autonomía teórica del siglo XVII es, de hecho, una progresión gradual, en la cual la extravagancia final esta ya implícita en la sobriedad inicial;[6] y que la exclusión o marginalización de España con relación a Europa es más relativa que absoluta, ya que los

---

4 Véase la *Historia de las ideas estéticas en España* (Santander, 1947), esp. ii. 329.
5 Véase Andrée Collard, Nueva poesía: *Conceptismo, culteranismo en la crítica española* (Madrid, 1967).
6 Véase Arthur Terry, «The Continuity of Renaissance Criticism», *BHS,* 31 (1954), 27-36.

dos términos se definen mutuamente, sin estar rigurosamente divorciados. Mi convicción al expresarme de una manera tan general deriva de afirmaciones de la preceptiva del periodo, que ahora examinaremos detalladamente.

En la introducción a su *Arte poética en romance castellano* (1580), Sánchez de Lima utiliza el argumento horaciano de que, en el caso del poeta o del retórico, el arte debe suplir las deficiencias de la naturaleza. Mas aún, este «suplemento» artístico es particularmente necesario en España, donde los «ingenios» nativos permanecen peligrosamente desarreglados por el precepto.[7] Más complejo, pero bastante similar, es el argumento que da Herrera ese mismo año, desarrollado con cierta extensión en las páginas iniciales de sus *Anotaciones*.[8] Por una parte, Herrera pretende «ilustrar» y «enriquecer» la cultura española de su época introduciendo en ella aquellos conceptos poéticos y retóricos ajenos a ella y de los que, hasta entonces, ha permanecido ignorante. Esta ignorancia es el resultado de la historia marcial española, con esa predisposición característica de su pueblo hacia las armas antes que hacia las letras. Por otra parte, Herrera elogia la lengua española por su suprema variedad y abundancia, mayores que las de todas las demás lenguas, lo que hace de ella instrumento digno del poderoso imperio en el que se habla. Además rechaza con vigor las acusaciones hechas por teóricos italianos, como Tomitano, de que los españoles son ignorantes y analfabetos.

Por consiguiente, Herrera, a la vez reconoce y refuta la dependencia de España con respecto a Europa, vuelve la vista atrás hacia el vacío retórico de los reinos guerreros emergentes, y hacia adelante, hacia la plenitud poética de un dominio imperial establecido. Sin embargo, estos dos estadios parecen coexistir en el momento en que Herrera escribe. El contraste entre la ignorancia pretérita y el saber futuro se expresa repetidamente en términos binarios, como los de desnudez y ropaje, pobreza y riqueza, deficiencia y exceso. Sin embargo, la lengua española, en su estado actual, parecía comprender ambos términos en cada una de estas oposiciones, de acuerdo con una perspectiva pareja de alabanza y vituperio, que Herrera desarrolla simultáneamente.

---

7 Ed. Rafael de Balbín Lucas (Madrid, 1944), 12.
8 *Garcilaso de la Vega y sus comentaristas*, ed. Antonio Gallego Morell (Madrid, 1972), p. 305.

Otra contradicción del mismo orden puede verse en el tratamiento que Herrera da al término «claridad», que considera como la principal virtud elocutiva. La «claridad» es la meta principal a la que el poeta puede aspirar y, en un principio, parece corresponder a un brillo ornamental o a una luminosidad decorativa. Sin embargo, los excesos de elaboración verbal deben evitarse: el lenguaje no debería desviarse de su sencillez natural, y la oscuridad sólo se tolera como parte del discurso, no de su expresión. [9] Así, la claridad tiene dos valores (luminosidad y simplicidad), que se producen, respectivamente, por la explotación o restricción de los recursos del lenguaje figurativo. La complejidad lingüística es, al mismo tiempo, positiva, en la medida en que es prueba de erudición, y negativa, en lo que tiene de síntoma de inmoderación. Puede que esta ambigüedad se funde también en las autoridades normalmente citadas por los españoles en este contexto, Cicerón y Quintiliano. Pero debería subrayarse que los problemas de la claridad y del exceso parecen estar ligados a la peculiar sensibilidad de los retóricos españoles por lo que se refiere al estatus marginal de su cultura.

Iguales argumentos (y autoridades) vuelven a aparecer a los treinta o cuarenta años que separan las *Anotaciones* de la controversia gongorina, aunque el interés parece cambiar muy ligeramente. El retórico aristotélico López Pinciano todavía se lamenta, en 1596, de la pobreza de la teoría española, que se ha confinado a sí misma a la prosodia. Cautelarmente añade sus reticencias sobre los peligros del vicio exclusivo de la hipérbole. [10] El platónico Luis de Carballo (1602) defiende la necesidad urgente de más libros de retórica, no para poner límites al «ingenio» de los poetas españoles sino, antes bien, para cultivar al pueblo ignorante, que todavía considera a la poesía extravagante y desordenada. [11] El retórico académico Jiménez Patón (1604) muestra una confianza abierta en las virtudes de la abundancia española. En el prólogo a su *Elocuencia española*, afirma que su intención es la de preservar a la lengua española en lo que era su actual estado de exaltación, prestando atención al noble ornamento característico de la escritura contemporánea. Consecuentemente,

9 Garcilaso de la Vega, p. 342.
10 *Philosofía antigua poética*, ed. Alfredo Carballo Picazo (Madrid, 1953), i. 9; iii. 56.
11 *Cisne de Apolo*, ed. Alberto Porqueras Mayo (Madrid, 1958), p. 23.

ilustra las figuras de su retórica con ejemplos vernáculos antes que clásicos. [12] Un decidido tono es el de Luis Carrillo en su *Libro de la erudición poética* (publicado póstumamente en 1611). Carrillo afirma que, desde la época de Garcilaso, la práctica de la poesía en España ha llegado a rivalizar con la de Italia. Y resulta tal vez significativo que describa esta creciente abundancia y riqueza poéticas como «exceso», sin dar al término, evidentemente, ninguna connotación negativa. Su objetivo al escribir el tratado es atacar a los que se oponen a la laboriosidad lingüística de la nueva poesía, a los que despojarían a las musas españolas de los ropajes estilísticos que acaban de adquirir. [13] Carrillo apela, como ya hizo Herrera, a la metáfora tradicional del estilo como adorno. Y, como Herrera, es perfectamente consciente de las acusaciones foráneas que toman como punto de mira la desnudez retórica de España. Una vez más, la cuestión del exceso estilístico se liga a la de la ansiedad nacional; pero, a diferencia de la preceptiva anterior, aquí la dificultad u oscuridad verbal es un bien incalculable, un aparejo lingüístico adecuado para el español aristócrata y varonil que (como Carrillo) se dedica a las armas y a las letras.

Semejante elogio de la oscuridad abre el camino para los tópicos que surgirán en la controversia gongorina de las décadas de 1610 y 1620. De nuevo el debate teórico intenta establecer los límites necesarios entre lo esencial y lo excesivo, y situar una práctica poética relativamente novedosa dentro de los confines tradicionales de las poéticas retoricistas. En su *Antídoto* contra la primera *Soledad* (escrito hacia 1614) Juan de Jáuregui ataca la monstruosa «hinchazón» que practica Góngora con las palabras, sus grandes «montones» de figuras y metáforas, causa y efecto ambos de una «locuacidad superflua». Diez años después, en su defensa de Góngora, Pedro Díaz de Rivas presenta una lista de once objeciones a la «poesía nueva», de supuestas transgresiones de la norma retórica. Se trata del uso excesivo del neologismo, del tropo y del hipérbaton, y de la oscuridad que, consecuentemente, se produce; de la extravagancia de la metáfora, la disonancia del estilo y la mezcla impropia de la dicción baja con la elevada; de la repetición innecesaria, la hipérbole y la extensión

---

12 Citado por Rico Verdú, p. 49.
13 Ed. Manuel Cardenal Iracheta (Madrid, 1946), 8-9.

de la longitud de las frases. La objeción final comprende todas las demás: «la redundancia o excesiva abundancia en la dicción».[14]

Sin embargo, los defensores de la novedad española se ven forzados a justificar con firmeza su posición teórica apelando a la autoridad de la retórica tradicional (esto es, foránea). Rivas tiene tendencia a referirse a Aristóteles y Hermógenes, a Cicerón y Quintiliano, a Escalígero y Minturno, pero rara vez cita a los teóricos nativos de España, como Herrera, que ya para ese momento habían producido una parte sustancial de sus obras.[15] La marginalidad española es, de este modo, apoyada por la ortodoxia europea y la práctica poética autónoma emerge al cobijo de una teoría retórica que depende de fuentes foráneas.

A la inversa, quienes se oponen a Góngora (y defienden la tradición y la reacción) se ven constreñidos, por su nacionalismo, a rechazar las autoridades canónicas y a afirmar la marginalidad española, al mismo tiempo que proclaman su ortodoxia. El mayor crítico de Góngora es Quevedo, y su ejercicio teórico fundamental nos lo encontramos en la introducción a su edición de la poesía de fray Luis de León (1629).[16] Quevedo presenta la obra de fray Luis como el paradigma de la lírica clara y «moderada» del siglo XVI, explícitamente opuesta al exceso de Góngora en el siglo XVII. Sin embargo, las autoridades que Quevedo cita son idiosincráticas y su argumentación resulta, con frecuencia, oscura. Cita a Estacio como ejemplo de claridad y a Petronio como ejemplo para evitar lo vulgar; poco preocupado, al parecer, por la reputación, tan difundida en su tiempo, del primero como ejemplo de oscuridad y del segundo como paradigma de obscenidad. Recurre al prosodista español del siglo XV Enrique de Villena, con magros resultados. Y concluye su discurso con una exégesis de la «claridad» basada, principalmente, en Demetrio Faléreo, quien, inequívocamente, había propuesto la redundancia verbal como la clave para la brillantez expresiva. Para Quevedo, las técnicas que producen «claridad» incluyen la anáfora

---

14 Citado por Eunice Joiner Gates en la intr. a su ed. de estos textos, *Documentos gongorinos*, (Ciudad de México, 1960), 20-1.

15 Véase C.C. Smith, «On the Use of Spanish Theoretical Works in the Debate on Góngora», *BHS*, 39 (1962), 165-76.

16 Reimpreso en *Obras completas: Prosa*, ed. Luis Astrana Marín (Madrid, 1932), pp. 1482-8.

(repetición de una única palabra al comienzo de una serie de líneas consecutivas); la cacofonía (juego exageradamente discordante con los valores fonéticos de palabras aisladas); y lo que él llama «menudencia» (el recurso al detalle impropiamente «bajo» o físico para el propósito de la expresividad pictórica elevada). Estas figuras «brillantes» del discurso resultan peligrosamente cercanas a los vicios excesivos del gongorismo, de los que Quevedo se declara enemigo. En verdad, la lista de Quevedo muestra cierto parecido con la de Díaz de Rivas, de quince años antes. Hacia el final de la década de 1620 la «claridad» que, en un principio, se pensó estaba ausente en Góngora, se produce por tanto (paradójicamente) por aquellos recursos verbales característicos del mismo. En la práctica, las diferencias entre la poesía de Quevedo y la de Góngora no pueden reducirse a la dicotomía res/verba. Y en teoría, sus posturas como tradicionalista o innovador, acaban por enredarse en uno y otro caso; porque cada uno se sustenta en su, ambigua y bastante diferente, relación con una tradición europea que no se puede ni aceptar ni ignorar.

El ambiguo estatus de la «claridad» en este debate está, quizás, reforzado por aparentes contradicciones, inherentes al uso de términos manoseados por Cicerón y Quintiliano. En el tratamiento que aquél hace de las virtudes elocutivas, con lo primero que se define la "claridad" es con el adverbio «plane» y con el adjetivo «dilucidus» (*De oratore*, iii.37-8), lo que implica un valor próximo al de "simplicidad" o "sencillez". Sin embargo, en otro lugar parece Cicerón usar "ilustración" y "adorno" como sinónimos (iii. 152); y las mismas figuras se llaman con frecuencia «lumina» (*Orator*, XXXIX. 134). También en Quintiliano parece que «perspicuitas» significa "facilidad" en un momento dado, de nuevo por el uso del adjetivo «planus» (VIII. ii. 22). Pero, previamente, las figuras de «énfasis» (similares a las técnicas recomendadas por Quevedo más arriba) se asignan, tras cierta vacilación, no a la «perspicuitas», sino al «ornatus» (VIII. ii. II). La claridad, de este modo, se asocia, en diferentes momentos, con dos de sus virtudes elocutivas hermanas, la pureza y el ornato, y esta falta de resolución puede ser percibida de nuevo en el debate vernáculo de España.

Un término que va creciendo en importancia y que también depende de un precedente foráneo es el de «concepto». Porque si «claridad» parece oscilar entre "pureza" y "ornato", entonces «concepto» vacila entre "idea" y "sensación". Hasta hace muy poco tiempo, «concepto» se leía como sinónimo del ingles «conceit». Sin embargo, investigaciones recientes han demostrado que, por una parte, tiene el valor de "concepto" en el sentido usual del termino y, por otra, puede denotar un ejemplo de lenguaje figurativo más ornamental que conceptual. Este último avance parece basarse en la teoría italiana de finales del *Cinquecento* y, en particular, en la obra de Camillo Pellegrino *Del concetto poético* (escrita hacia 1598).[17] Como en el caso de la claridad, la ambigüedad léxica del término en España viene precedida por la incertidumbre de su exposición en otros lugares, y los términos que los críticos españoles reclaman como suyos están ya saturados de significado procedente del debate humanista fuera de España.

Esta afirmación de libertad dentro de la autoridad se refuerza por la creciente referencia, en los inicios del siglo XVII, a los autores latinos nacidos en España. Así Quevedo alaba a Marcial, Lucano, y Séneca como modelos estilísticos y comentadores teóricos en comparación con el relativo abandono de Virgilio y Cicerón. El auge de la Edad de Plata Latina en España tiene resonancia particular, porque se piensa que dicha época muestra la retórica invariable de un temperamento hispánico. Los potenciales excesos de su estilo (verbales y conceptuales) se defienden resueltamente por aquellos que, como Quevedo, se comprometen en teoría a usar un estilo verbal moderado. Aun así, de nuevo, gran parte de este sentido de lo propio tiene sus raíces fuera de España, y el elogio que Quevedo hace del hiperbólico Lucano es, en alguna medida, un gesto de reacción frente a los vituperios proferidos contra el poeta latino por el odiado Julio César Escalígero.

La conciencia de una diferencia española, y el sentimiento de rechazo por parte de los extranjeros para apreciar su calidad, es fundamental para entender al más importante y complejo de los tratados teóricos españoles, la *Agudeza y arte de ingenio* (1648), de Gracián, que permanece injustamente ignorado fuera del mundo hispánico. En su versión final la *Agudeza* es una vasta obra, dividida en dos partes y en sesenta y tres «discursos», y que constituye, nada menos, que una teoría general del discurso literario. Aunque inicialmente parece

---

17 Véase Collard (p. 26) para el papel del texto de Pellegrino en el desarrollo semántico del «concetto».

obra desproporcionada, se mueve con cierta coherencia desde una polémica introducción, hacia una primera y extensa clasificación formal del simple ingenio (o «conceptos» particulares) y un segundo tratamiento más breve del ingenio compuesto («conceptos» múltiples), para concluir con una breve definición de términos. La *Agudeza* es, al mismo tiempo, muy técnica en vocabulario y (a veces) afectivamente idiosincrática en tono, interrumpiendo su rigor preceptivo por la referencia personal ocasional y por un torrente continuo de ejemplos sacados de la poesía, de la prosa y de los sermones. Existe en la *Agudeza* mucha repetición y redundancia, pero esto revela (a pesar del autor) la imposibilidad de reducir la literatura a un único método «científico».

En el prefacio cita con aprobación los modelos latinos de la Edad de Plata ya favorecidos por la opinión de Quevedo unos veinte años antes: Marcial, Séneca, Tácito y Plinio [18]. Y afirma que mientras a los franceses se les reconoce por su erudición, a los italianos por su elocuencia y a los griegos por su inventiva, los españoles son reputados por su ingenio. El primer discurso sitúa este sentido de "unicidad" en un contexto histórico: las generaciones precedentes, aunque capacitadas para la lógica y la retórica, no tenían sensibilidad para el ingenio. Lo admiraban en epigramas, pero no lo observaban ni examinaban, y mucho menos definían sus características. Resulta arduo, se queja Gracián, empezar desde cero («inventar»), mientras que es fácil continuar aquellas tradiciones ya asentadas. Sin embargo, este intento de inventar «ex nihilo», que es la única estrategia (piensa Gracián) con que puede afrontarse el problema para analizar el estatus del genio español, se ve comprometido desde el principio por su necesaria ligazón con la retórica clásica, que ha excluido o marginado el ingenio español. En el prefacio, de nuevo, Gracián utiliza la metáfora de la familia para describir la relación entre las artes tradicionales y su propia teoría innovadora. Los «conceptos» han surgido a menudo en el pasado pero, como niños huérfanos, han sido confiados a una madre inadecuada, la elocuencia retórica, que no podría haberlos alumbrado.

La imagen de la familia tiende a sugerir, en contra de las intenciones declaradas del autor, el estatus relativo de los términos implicados.

---

18 Ed. Evaristo Correa Calderón (Madrid, 1969), I. 45-7.

Como Gracián afirma un poco más adelante, el ingenio es un sistema secundario, que toma las figuras de la retórica como la materia primaria de la que crea sus propias estructuras distintivas. La innovación se basa, por tanto, en la tradición que busca rechazar. La principal división de la *Agudeza* (aquella que se establece entre el ingenio simple y el compuesto) reduplica la distinción retórica convencional entre las figuras «in verbis singulis» y las figuras «in verbis conjunctis». Ciertamente, gran parte del léxico de Gracián se deriva de la lógica y de la retórica. Utiliza términos tradicionales como los de «anfibología», «equívoco» y «paronomasia», así como sus propias clasificaciones, e incluso términos tan neutrales aparentemente como «sujeto» y «término» parecen usarse en el sentido lógico de "sujeto" y "predicado". Incluso la tan conocida definición de Gracián del «concepto» como «un acto del intelecto que expresa la relación entre objetos», se prefigura en el *Acutezze* de Matteo Peregrini de 1639.[19] El ideal gracianesco de penetrar en el intelecto español es algo semejante al de Peregrini o del de un teórico italiano posterior, Tesauro. No parece probable que la *Agudeza* sea un plagio de la *Acutezze*, de modo significativo. Es más importante reconocer que, en el mismo intento por establecer una teoría española del discurso autónoma y peculiar, Gracián coincidió inadvertidamente con desarrollos contemporáneos fuera de España.

Lo que es más, como en los casos de la «claridad» y del «concepto», los términos privilegiados en la teoría española, «agudeza» e «ingenio», están precedidos (como sus equivalentes italianos) por un origen latino indeterminado. En el tratamiento que Quintiliano da a la oración el «acutum» es una cualidad ingeniosa producida, sin embargo, por el uso adecuado del ornato (VIII. iii. 49). Y en su estudio del orador, la abundancia de «ingenium» es, por una parte, subsidiaria de las demás virtudes del juicio y de la prudencia («iudicium», «consilium») y, por otra, es superior a los ejercicios prácticos y a la imitación de modelos mediante la cual aquellos que carecen de «ingenium» buscan suplir esta deficiencia (X. i. 29; X. ii. 12). El «ingenium» es, entonces, excesivo, peligrosamente inestable y volátil;

---

19 Para la dependencia de Góngora con respecto a la lógica escolástica y a los conceptistas italianos, véase M. J. Woods, «Gracián, Peregrini, and the Theory of Topics», *MLR*, 63 (1968), 854-63.

y es también esencial, un don natural que el esfuerzo humano no puede reproducir. Gracián subraya la divina perfección del ingenio en su panegírico inicial: es el sustento del espíritu. Y su propuesta de un don genético español reproduce e intensifica, tal vez, la concepción romana del «ingenium» como cualidad natural o innata. No obstante, es rasgo típicamente español el que Gracián elogie, por encima de todo, la variedad de la «agudeza», su múltiple diversidad. Las sutilezas de la inteligencia fecunda son mucho más numerosas que las estrellas en el cielo o las flores en el campo (p. 56).

Pero lo que es abundancia para los españoles resulta exceso para otros. En una carta bien conocida de 1662, Jean Chapelain ataca a los españoles por su falta de «sentido» y por su apego a las «agudezas»: una imaginación hiperactiva ahoga las facultades del juicio. Por ello reitera la triada de Quintiliano con un reparo preceptivo: el «ingenium» debe estar subordinado al «iudicium» y al «consilium». Adrien Baillet, en 1685, hace derivar la extravagancia española del temperamento judío y moro heredado por los contemporáneos cristianos, un argumento que fue, como no es difícil de entender, más popular fuera que dentro de España. [20] Sin embargo, este supuesto exceso de ingenio no necesita ser atribuido a espurias influencias orientales. Porque, como acabamos de ver, durante más de un siglo el crecimiento de una poética retoricista en España se había visto profundamente comprometido por un conocimiento de esa tradición europea, de la que ella misma se veía excluida. Marc Fumaroli ha propuesto recientemente una historia oculta de las apologéticas vernáculas en Francia, en las cuales contrasta la naturalidad de la lengua materna, tal y como es elogiada por Vaugelas y otros, con el orgulloso imperialismo del «patrius sermo» promovido por Port Royal. [21] Semejante división no parece que sea útil para el caso de España en un periodo un poco anterior. Porque mientras existe una preocupación generalizada por las deficiencias de la cultura española, existe también una afirmación intransigente de que la riqueza de la lengua castellana la hace igualmente adecuada tanto para la simplicidad natural del discurso privado como para la gravedad heroica de la proclama pública. De aquí se deriva la persistencia del

---

20 Tanto Chapelain como Baillet son citados por Collard (pp. 91-3).
21 Véase «L'Apologétique de la langue française classique», *Rhetorica*, 2.2 (1984), 139-61.

recurso (desde Herrera a Gracián) al problema de la abundancia, la multiplicidad o el exceso. Porque una rica diversidad retórica nació de una angustiosa toma de conciencia de la diferencia.

El gran diccionario del siglo XVIII, de *Autoridades,* define «excesso» como «la porción o parte que sobra... y que va más allá de la regulación y del orden natural de cualquier cosa». La retórica del exceso en el Siglo de Oro revela hasta qué punto España supera (aunque siempre permaneciendo dentro) la cultura europea, con respecto a la cual parece que todavía se siente a un tiempo sometida y desheredada. Pero también nos recuerda que lo «natural» es un término estratégico y no esencial en el discurso retórico o preceptivo, que varía de acuerdo con el tiempo y el espacio. Ciertamente, la naturaleza invocada por los teóricos con el fin de sustentar su discurso expone a menudo las asunciones culturales de dicho discurso a la mirada crítica del lector.

1.2. LENGUAJE Y VISIÓN

El *Diálogo de la lengua*

Volveré a la cuestión del lenguaje «natural» al final del capitulo, a propósito de otra obra mucho más temprana: el *Diálogo de la lengua* de Juan de Valdés. Sin embargo, de la discusión anterior se deducen tres importantes problemas que merecen un examen más demorado; son los de la imitación, la interpretación y el lenguaje.[22] Trataré sobre cada uno de ellos por separado.

El problema de la imitación se centra en el estatus del objeto poético. Como es bien conocido, el término «imitación» se usa para significar tanto la representación de la naturaleza como la reelaboración de textos previos.[23] En el primer caso se entiende generalmente que se trata de un proceso simple o primario. Pero, como hemos visto en relación al emblema de la osa y su cachorro, la naturaleza no siempre se percibe como estéticamente neutra; antes bien,

---

22 En los capítulos iniciales de *The Cornucopian Text* Terence Cave trata estos puntos con referencia a Erasmo y a los humanistas franceses.
23 Véase Bernard Weinberg, *A History of Literary Criticism in the Italian Renaissance* (Chicago, 1961), 60, 483.

produce dentro de sí misma una especie de artesanía ejemplar y autosuficiente. Pero si la naturaleza sirve a veces como modelo de un orden cuasi-artístico preexistente, otras se toma como ejemplo perfecto del desorden incontrolado. Así Pedro Mejía, autor de una miscelánea muy popular, la *Silva de varia lección* (1540), justifica la estructura aleatoria de su colección apelando a la agradable variedad de plantas y árboles que se encuentran en la «selva».[24] Las frecuentes afirmaciones de los teóricos de que el arte sirve para suplir las deficiencias de la naturaleza tienden también a complicar la imitación primaria. Cuando Sánchez de Lima intenta definir el arte (la facultad que determina la cualidad de la imitación), no puede hacerlo sin incorporar la misma palabra «arte» dentro de su definición (p. 12), lo que no es simplemente un ejemplo del razonamiento descuidado de un estudioso menor; más bien delata una cierta inseguridad acerca de las posiciones relativas de la capacidad poética y de la facultad natural en el proceso artístico.

La imitación de autores es aún más problemática. En este caso, mediante el proceso conocido como homología, el término que una vez fue secundario (la primera copia que el poeta hace de la naturaleza) se convierte ahora en primario (el modelo sobre el que el segundo poeta trabaja). La homología es bastante similar a la figura de la metalepsis que encontrábamos en la *Introducción*. Ambas proporcionan la oportunidad para una cadena de substituciones indefinida de términos, en la cual cada uno de ellos suplanta al siguiente. La propia teoría crítica proporciona un claro ejemplo de cómo actúa la homología. Así, la retórica y la poética tradicionales toman el discurso o el texto como su objeto; pero los nuevos manuales de ingenio del siglo XVII se apoderan de las artes tradicionales como «materia» para su «forma» dominante. Este proceso se repite en el siglo XX, cuando los presuntos metalenguajes de la Semiótica o la Mitología son rápidamente suplantados por nuevas teorías que cuestionan su autoridad.[25] Por lo tanto, la teoría crítica (como la imitación) no tiene ni un origen sencillo ni un final definitivo.

Quizás el más sutil tratamiento de la imitación sea el de López

---

24 Citado por R.O. Jones en *A Literary History of Spain: The Golden Age: Prose and Poetry* (London and New York, 1971), 15.
25 Para la relación entre homología, mitología y semiótica véase el ensayo final en la obra de Barthes *Mythologies* (París, 1957), «Le Mythe, aujourd'hui», 191-247 (pp. 195-202).

Pinciano, quien lucha por acomodar el precepto aristotélico a una conciencia pragmática de la diversidad de las formas literarias. Para El Pinciano, la imitación es, primeramente, una facultad humana innata: incluso los bebés aprenden mediante la imitación de sus mayores. De la misma manera, los sastres y los zapateros hacen prendas de vestir que imitan o reproducen las partes del cuerpo humano que pretenden cubrir (i. 196). El Pinciano distingue entre una imitación primaria y otra secundaria. El poeta que lleva a cabo la primera es un «retratador»; el que realiza la segunda es un «simple pintor» (i. 197). Un crítico moderno sugeriría que el primer proceso es natural, no así el segundo.[26] Pero si, como El Pinciano ya ha dicho, toda acción humana es una especie de imitación, entonces cualquier representación de la misma debe ser secundaria y en cierta medida deficiente. Lo que es más, la frecuencia con la que El Pinciano recurre en su propia obra a la autoridad textual antes que a la natural tiende a debilitar la suposición de que la primera deba ser inferior a la segunda. La propia distinción y el valor que debemos darle no están en modo alguno claros.

Cuando El Pinciano trata del poema dramático, parece que el estatus del objeto cambia una vez más. Se pregunta si la obra que nosotros vemos realizada tuvo realmente lugar tal y como la vemos. La respuesta, por supuesto, es que no. En este caso, El Pinciano reserva el nombre de imitación para la representación de un acto («obra») que no tuvo lugar, pero que podría haberlo tenido (ii. 308). El dramaturgo no tiene un objeto pre-existente en el mundo; es suficiente que su imitación satisfaga las condiciones de verosimilitud. Aquí, entonces, la misma condición del objeto es que no existe en la naturaleza: el objeto real de la poesía en general es desplazado por el objeto virtual del teatro. Sin embargo, en su discusión sobre el teatro, El Pinciano invoca con frecuencia la naturaleza, no como principio de posibilidad (aquello que podría suceder), sino como principio de propiedad (aquello que debería existir y existe). Por ejemplo, dice que los gestos de los actores deben ser nobles y de acuerdo con la naturaleza (iii. 286-8). Parece existir aquí un conflicto entre la doble apetencia de variedad y fidelidad. Mediante la suplantación de la necesaria abundancia de invención el poeta, inevitablemente, se dis-

26 Véase Sanford Shepard, *El Pinciano y las teorías literarias del siglo de oro* (Madrid, 1962), 49.

tancia de las nociones literalistas de la imitación. Esta objeción puede parecer insignificante a los lectores modernos. Pero El Pinciano es muy sensible a la acusación de que el teatro es falso, incluso pernicioso, porque no tiene un simple origen en el mundo. No le ayuda su definición general de la poesía o de la escritura imaginativa: afirma que el teatro no está sujeto a una única disciplina y que abarca todo lo que hay en el mundo (i. 234). Esta expansión ilimitada enriquece el ámbito de la poética, pero pone en peligro su estabilidad. ¿Cómo puede el teórico abarcar un objeto infinito?

El concepto que tiene El Pinciano de la interpretación también es problemático. En la retórica hay cuatro modos diferentes de leer un texto, conocidos tradicionalmente como histórico, alegórico, topológico y anagógico (ver Jiménez Patón, p. 352-3). De este modo se le ofrece al lector una cierta libertad de acción dentro de unos límites bien definidos. Al Pinciano le preocupa la ruptura potencial de esta transmisión o producción del significado. Así, distingue entre tres clases de oscuridad. La primera se deriva de la discreción del poeta, cuando éste censura información que no debería llegar a ser de conocimiento público, como por ejemplo la identidad de la dama a la que él escribe. La segunda se deriva del uso que el poeta hace de la alegoría, cuando disfraza una idea mediante el uso de un lenguaje oscuro, con lo cual puede lucir más al ser descubierta por el lector. La tercera se produce cuando el poeta confunde sus palabras de tal manera que veta el entendimiento por parte del lector (ii. 162). Se elogian las dos primeras formas de oscuridad; la tercera debe ser evitada. El problema de esta división es que fracasa en su intento por reconciliar los roles antagonistas del escritor y del lector. El objetivo último de la poética retoricista de El Pinciano debe ser la adecuada comunicación del mensaje por parte del poeta a su público. Pero esto depende de la definición que se haga de «público». La discreción y la alegoría mejoran la recepción del mensaje por parte de un público instruido. Por otra parte, los goces sutiles del significado oculto se perderán ante ese tipo de público vulgar previsto en general por los aristotélicos. A pesar de la confianza de la afirmación de El Pinciano, no puede existir un punto verificable en el que la «buena» oscuridad se convierta en «mala». Cuando la alegoría se pone al servicio de una imitación elevada, el acto de la interpretación se mantiene en una especie de perpetua suspensión entre el poeta y el lector; ambos son necesarios para el proceso, pero la misión de cada uno de ellos no se puede definir rigurosamente.

En otro lugar, El Pinciano muestra su temor de que el lenguaje hinchado o afectado pueda obstruir el proceso de la comunicación. En la sección de los tropos cita tres ejemplos que deben evitarse. Una persona, deseando elogiar a un albañil, exclamó que podría poner techo a las torres más altas sin despegar los pies del suelo. Para El Pinciano, semejante hipérbole sólo sirve para minimizar el objeto que se busca amplificar. Su segundo ejemplo es el de un predicador que, deseando criticar el adulterio, dijo que antes pecaría con dos vírgenes que con una mujer casada. El tercer ejemplo es el de una monja gazmoña que, en lugar de decir «testículos», utilizó un circunloquio tan elaborado que El Pinciano no se atreve a repetirlo (iii. 56-7). Los ejemplos muestran que, cuando se usan de manera impropia, los tropos «oscuros» o los esquemas de la hipérbole o de la perífrasis confunden y no refuerzan la intención del que habla. No se trata con esto de la pluralidad de la interpretación, favorecida por la hermenéutica tradicional, sino de un exceso incontrolado de significado, que da lugar a efectos completamente desviados y, a menudo, cómicos. Pero, como en el caso de la buena y la mala oscuridad, la supuesta distinción entre el lenguaje propio y el impropio no puede tener un estatus fijo o definitivo: El Pinciano apela más bien a un consenso no expreso entre el hablante y el público que en cada momento acceda a la obra. Tal vez sea significativo que dos de los ejemplos se refieran al tema tabú de la sexualidad. Tanto la conducta literaria como la social están sujetas al control convencional o arbitrario conocido como «decoro».

Las referencias de Herrera a la oscuridad (que El Pinciano habría conocido) también suscitan cuestiones concernientes al proceso de interpretación y a la relación del significado con el lenguaje. Así, comentando un soneto de Garcilaso que considera particularmente «brillante», declara, en el espacio de muy pocas líneas, primero, que el significado está «encerrado» en las palabras; segundo, que las palabras son «imágenes» de los pensamientos; y tercero, que la claridad «nace» de las palabras (H-78, p. 342).[27] La relación del lenguaje con el significado es sucesivamente instrumental (la palabra sólo encierra

27 «H» está por Herrera.

al concepto), proporcionada (la palabra refleja directamente el concepto) y genética (las palabras producen un efecto textual). Por supuesto que estos términos son figurativos: Herrera no cree literalmente que las palabras sean cajas que contengan un significado físico, dibujos que reproduzcan pensamientos visuales o madres que den a luz una prole poética. Pero no es suficiente decir que estos modelos hermenéuticos son «simplemente» metafóricos; o que las metáforas están «en» el texto de Herrera. Porque hacer esto es reproducir, sin examinarlas, esas distinciones convencionales entre el lenguaje llano y el figurativo, y entre la forma externa y la sustancia interna, que resultan ellas mismas espinosas por la intermitencia y pluralidad de la propia escritura de Herrera. Como en todo discurso instruido del momento, el peso de la argumentación de Herrera recae en las figuras, que no pueden ser sustraídas de la misma en un intento por dejar desnuda la presunta sustancia del texto. Y, una vez más, nos encontramos frente al problema de la reflexividad. Al escribir sobre el proceso figurativo, Herrera (sin saberlo) incorpora a su argumentación los mismos motivos de luz y de visión, de dentro y fuera, que percibe en la poesía que toma como modelo.

Un tipo similar de retoricismo se hace evidente en las líneas iniciales de las *Anotaciones,* donde Herrera defiende la riqueza de la lengua española y se lamenta de la pobreza de su cultura. Aquí la desnudez del cuerpo lingüístico se cubre con «ornamentos y joyas» (p. 307). Imágenes así sólo pueden leerse dentro de una especie de repertorio retórico en el que el manto del estilo sirve a los propósitos de modestia y de lujo; por ello es imposible decir en qué momento la decoración figurativa deviene superflua. Y cuando Carrillo cita el mismo motivo, la palabra usada para denotar la riqueza del aparejo es «arreo», que significa a un tiempo (decorativos) adornos y (funcionales) jaeces (p. 18). El lenguaje figurativo es una especie de manto; pero, sin él, la montura del poeta pierde dirección y guía.

El otro repertorio de imágenes desarrollado por Herrera está tan difundido que resulta casi imperceptible: es la de la vista y la visión. En la introducción afirma modestamente que puede «ver» poco en la «niebla» de la ignorancia española; y que no arrojará más «luz» sobre el tema elegido por él que la apropiada para sus lectores «de vista cansada y miopes». Por otra parte, ellos corren el riesgo de resultar «cegados» por su erudición. Así como el adorno estilístico esconde y muestra al mismo tiempo, así la luz de la erudición ciega e ilumina a la vez. Pero, una vez más, es insuficiente decir que la metáfora está «en» el texto: es probable que cualquier párrafo de la argumentación de Herrera se apoye en metáforas tan manidas como la de «perspicacia». La figuración es al mismo tiempo superflua e inevitable. Pero si no puede ser separada de la argumentación, revela, a pesar de todo, las suposiciones no expresas de la misma. La primera suposición es que la visión está asociada al orden. Carballo afirma explícitamente que la «ceguera» de los españoles consiste en su obstinada creencia en la vanidad y frivolidad de la poesía. Cuando ésta se supere, se darán cuenta de que la poesía es tan ordenada y coherente como cualquier otra disciplina (pp. 23-4). El poder de este tipo de metáfora inadvertida es que hace pasar a una preferencia estética (el amor por el orden) por el simple acto de una percepción (la capacidad de ver). De este modo la vista implica la noción de maestría, porque afirma la precedencia «natural» del sujeto que dice poseerla: sólo Carballo (o Herrera o López Pinciano) pueden «ver» la verdad. La posición de Gracián es bastante similar, si bien más exagerada. En las líneas primeras de su alocución al lector, describe su propia teoría como «flamante» (al mismo tiempo brillante y novedosa). Y continúa afirmando que aunque algunas de las sutilezas de lo agudo brillan en la retórica, no son sino «vislumbres» del objeto verdadero (i. 45).

El privilegio de la luz, entonces, reside en que, como el propio lenguaje, su omnipresencia la vuelve invisible. La potencia de la luz, de nuevo como la del lenguaje, es que permite la comunicación sin tomar parte activa en ella. De este modo, la «brillantez» poética, muy discutida en el período, es al mismo tiempo una propiedad inherente al poema y una facultad incorporada al mismo por el lector atento. Este es, en particular, el caso de teóricos del siglo XVII como Gracián o el italiano Emanuele Tesauro, que presentan sus teorías del discurso como medios para explorar el mundo. Gracián intenta descubrir la relación entre los objetos; Tesauro adquirir conocimiento de objetos distantes. Sin embargo, para desconcierto de todos, los dos parecen usar «claridad» y «perspicacia» como sinónimos. En ambos, la línea entre la percepción y la interpretación (entre el reconocimiento y la imposición del valor) es, en verdad, muy tenue.

Derrida tiene un famoso ensayo sobre la metáfora en textos filosóficos.[28] En él argumenta que las figuras basadas en el sol, el amanecer o la luz (que, en un juego de palabras, bautiza como «heliotropos») aseguran la persistencia de discursos supuestamente naturales u objetivos como el de la filosofía. Este es también el caso de los textos de los teóricos del Siglo de Oro, que, tal vez, hubieran estado dispuestos a reconocer el estatus figurativo de su propia escritura. La fuerza del argumento de Derrida, sin embargo, reside en su afirmación de que toda escritura es constitutivamente figurativa. De este modo, aunque la contradicción retórica es, tal vez, más evidente en teóricos más tardíos, cuya escritura es notoriamente compleja e intrincada, parece posible que contradicciones similares estén también implícitas en tratados españoles mucho más tempranos. Podemos, por lo tanto, poner a prueba la hipótesis de Derrida de la figuración universal examinando una obra cronológicamente anterior, y que con frecuencia se ha defendido como la más natural y espontánea de su género en el Siglo de Oro: el *Diálogo de la lengua*, de Juan de Valdés, escrito hacia 1535.

Como erasmista que pasó gran parte de su vida en Italia, Valdés es una figura algo marginal. Sin embargo, esta misma marginalidad parece reforzar la sutileza de su análisis de la «diferencia» española y de su peculiar relación con Europa. Por supuesto, no está en modo alguno desgajado de la cultura española: su tratado es en parte una refutación sostenida de su principal predecesor y humanista, Nebrija. Y al lamentar la pobreza del castellano y reivindicar al mismo tiempo su uso como lengua del imperio, Valdés no sólo se anticipa a escritores como Herrera, sino que también se hace eco del propio Nebrija. Por ello Valdés no constituye ni el comienzo del pensamiento lingüístico del Siglo de Oro ni un comentador objetivo del mismo. Aún así su *Diálogo* ha sido a menudo leído por su supuesta originalidad y objetividad. Críticos modernos han alabado la llaneza de estilo, simultáneamente defendida y ejemplificada por Valdés; su abierta preocupación por la primacía de la lengua hablada, y su preferencia por la savia natural de los proverbios vernáculos, así como

---

28 «La Mythologie blanche», en *Marges de la philosophie* (París, 1972), 247-324. Para un comentario sobre este ensayo véase Christopher Norris, *Deconstruction: Theory and Practice* (London and New York: 1982), 82.

su rechazo de la autoridad académica y de los preceptos clásicos.[29] Así, sea cual sea su estatus en vida de su autor, se supone que el *Diálogo* nace para ejemplificar, quizás por vez primera, muchas de aquellas cualidades lingüísticas que se conciben como peculiares de España. Estas virtudes «naturales» de simplicidad y objetividad se han puesto en entredicho por los últimos estudiosos, más atentos a la retórica que sus predecesores.[30] Pero el propósito de mi lectura no es sugerir que el *Diálogo* no posea las cualidades que con tanta frecuencia le han sido atribuidas, sino proponer que dichas cualidades son deconstruidas, en el mismo momento de su exposición, por una retórica sumergida y antitética del exceso o gratuidad lingüística.

Nada más dar comienzo el *Diálogo*, se establece una oposición sencilla entre el lenguaje llano y el retórico, entendido el último como ornamento superfluo. Cuando el letrado italiano Marcio pregunta al personaje de Valdés si está dispuesto a responder a preguntas sobre el idioma castellano, éste le responde con cierta sequedad que no puede entender la pregunta, tan cargada como está de ornato retórico (p. 118). Marcio se ve forzado a repetir su petición. Una segunda distinción se encuentra implícita aquí, entre los excesos inadecuados del italiano y la noble precisión del español. Un poco más tarde, Marcio hace una tercera distinción entre las lenguas nativas y las adquiridas. La lengua materna es mamada naturalmente; las demás se aprenden en los libros y son meramente «pegadizas» (p. 122). El organicismo natural de la lengua primera se contrasta así con el artificio no natural de la segunda. La primera es esencial para el desarrollo humano, la segunda lo previene o inhibe. No resulta sorprendente, por ello, que Valdés privilegie el lenguaje hablado por encima del escrito. La única regla es escribir tal y como se habla; el uso de la pronunciación es la más alta autoridad; el estilo es «natural» cuando hunde sus raíces en el habla (pp. 171, 184, 233). Por ello, Valdés apela a los proverbios como la única fuente de una sabiduría natural y oral.

La abundancia de los refranes españoles refleja, tal vez, el sentido que Valdés tiene de la heterogeneidad de la lengua española, que (incluso en mayor medida que las demás lenguas vernáculas) no puede

---

29 Véase p. ej. Jones, *A Literary History*, pp. 24-6.
30 Véase la Introd. de Cristina Barbolani a su ed. del *Diálogo* (Madrid, 1982), 49-55. Las referencias a los textos de Valdés pertenecen a esta edición.

reducirse al simple precepto (p. 153), y de la abundancia de su léxico, que sólo puede aprenderse mediante un prolongado intercambio con hablantes nativos, incluso con campesinos analfabetos (p. 209). No obstante, esta cornucopia o esta efusión vibrante y natural tiende a volverse contra las distinciones primeras de Valdés. Por ejemplo, Valdés afirma varias veces que el español es «más puro» que el italiano. Sin embargo, de acuerdo con el propio Valdés, su desarrollo es interrumpido y comprometido en cada una de sus etapas: la fuente de la lengua ibérica fue el griego, pero esta noble lengua desapareció de la Península tras la invasión romana. El romance legado por los romanos fue irremediablemente «corrompido» por los godos y, sobre todo, por los árabes (pp. 132-8). Por lo tanto, aunque Valdés argumenta con vehemencia que el castellano esta más cerca del latín que el toscano, y es por ello más perfecto (ver ejemplos en la p. 257), la conciencia —semirreprimida— de la contaminación genealógica de la lengua española vuelve una y otra vez, en imágenes que hablan del declive o de la corrupción desde una plenitud lingüística original. Por supuesto, tales ideas constituyen tópicos de la época. Pero producen curiosas paradojas en las recomendaciones prácticas de Valdés. Así, insiste en reinsertar letras ausentes en palabras españolas allí donde el latín originario las tiene (por ejemplo «cobdicia», no «codicia», del latín «cupiditas») (p. 168). Mediante estas adiciones pretende recuperar las palabras «llenas y plenas», pero, antes bien, lo que hace es llamar nuestra atención sobre las irregularidades y deficiencias en el término de uso supuestamente primario. La heterogeneidad del español y su resistencia a la regularización llegan a parecer una bendición muy confusa. Por ello el arte o la erudición tienden a desplazar al uso en momentos críticos de la argumentación. Si el estilo es natural, basado en el habla, uno debe variar el nivel de su estilo («hacer diferencia») de acuerdo con el tema tratado y la persona a la que uno escribe (p. 223). Y si el estilo español es estimado por su brevedad, tal brevedad no excluye la repetición de palabras cuando la nobleza del sujeto o la elegancia de la dicción se ven en peligro (p. 237). Los críticos que citan la primera parte de estas proposiciones omiten generalmente la segunda, en la que Valdés califica de un modo radical su argumentación mediante un llamamiento enteramente tradicional al decoro.

En ambos casos el modelo básico del lenguaje vacila u oscila imperceptiblemente desde el habla a la escritura. Y en otro lugar la abierta preferencia de Valdés por la autoridad oral se encuentra en clara contradicción con su preferencia igualmente abierta por el uso como árbitro final. Por lo tanto, en varios ejemplos, los refranes citados por Valdés contienen arcaísmos (como «cubil» o «fallar») que, por los mismos criterios que sigue, está obligado a rechazar (pp. 197, 199). El refranero, depositario de la auténtica voz del pueblo español, es tan corrupto y alienante como el resto de la lengua. Por ello, el estatus general de los ejemplos de Valdés se pone en entredicho. Muy a menudo no ilustran aquello que Valdés pretende señalar. Por ejemplo, por un lado es pródigo en citas de lírica tradicional para beneficio de su audiencia italiana (y los italianos, a su vez, le corresponden de vez en cuando con versos españoles que él afirma no conocer). Pero por otro lado Valdés reconoce la idiosincrasia de la dicción poética: la poesía no debe usarse para enseñar español a extranjeros (p. 244).

De este modo, a lo largo del *Diálogo*, existe una especie de corriente subterránea que apunta indirectamente a un saber escondido o reprimido: la inevitabilidad del excedente lingüístico. En ciertos momentos admite Valdés su agrado por los arcaísmos, que desecha en otros lugares: la antigüedad de «ca» ("porque") le produce cierto goce (p. 197). Presta gran atención a los «vocablos equívocos», que considera inapropiados en otras lenguas, pero ornamento adecuado para el castellano (p. 211). Puede no ser accidental que los neologismos que introduciría en el español tengan relación con múltiples registros de dicción («paradoxa», «decoro», «estilo») y abundancia de invención («ingeniar») (pp. 219-22). Cuando Marcio le pregunta si estos préstamos son requeridos para «ornamento» o «necesidad», Valdés replica que lo son por ambas razones (p. 23). Entonces intenta formular el doble estatus de la lengua «ilustrada» a la que aspira, que es al mismo tiempo un substituto y un añadido a ese supuesto auténtico origen de un habla propia o nativa. Cristina Barbolani afirma que Valdés defiende una postura de síntesis, armónica («medietas») entre España e Italia, entre arte y uso (pp. 58, 88-9). Pero la función de ese «suplemento» del que hemos hablado parece, no obstante, mucho más enrevesada y menos gratificante que cualquier simple reconciliación de opuestos.

El estatus de la escritura es, así, imprescindible. La escritura inicia una puesta en escena de la diferencia, de la que el habla es incapaz. Así se explica que, incluso en el género hablado del diálogo, con frecuencia Valdés vuelva a las formas escritas, como base de la pureza lingüística. Por ejemplo, el refrán «Quien no aventura (no ha ventura) no gana» tiene dos significados contradictorios de acuerdo con la presencia o ausencia de la «h» muda. La primera versión dice apropiadamente "Quien no arriesga no gana", mientras que la segunda interpreta erróneamente "Quien no es afortunado no gana" (p. 156). En otro lugar Valdés nos aconseja suprimir la letra «h» de la escritura porque no se pronuncia (p. 175). Aquí, por el contrario, debe ser introducida porque no se pronuncia. Sólo la escritura puede ofrecer la diferencia inexpresa ejemplificada por la muda, aunque persistente, letra «h». De modo similar, sugiere Valdés que donde se produzca una confusión de pronunciación entre «s» y «x», las palabras que deriven del latín tomarán «s», y las que deriven del árabe tomarán «x». Las formas correctas son, de este modo, «sastre» no «saxtre», pero «caxcabel» no «cascabel». La edición moderna sugiere que se trata de una distinción más bien fonética que puramente etimológica (p. 183 n. 144); pero persiste el hecho de que la distinción escrita entre ambas sibilantes no tiene equivalente estable en el español hablado. Si hubiera existido alguno, entonces la confusión no se habría producido. Una vez más la escritura se erige en autoridad por encima del habla, la autoridad abstracta de la filología por encima del ejemplo dinámico del uso. Un problema final es el de las tildes. A veces simplemente reproducen una diferencia en el tono ya presente en el lenguaje hablado («hablo»; «habló»). Pero Valdés también recomienda una tilde redundante en «cõmo» y «mũy» para el propósito del ornato (p. 188). O de nuevo, hacia el final del *Diálogo*, advierte contra la inversión del orden de palabras: la frase «verdad es» puede ser confundida con el sustantivo plural «verdades» (p. 235). Sin embargo, no puede haber tal confusión en la escritura. Una vez más la distinción sólo puede ser reproducida en el habla con dificultad. Como en el caso de la doble negación en español, que obstinadamente mantiene un valor negativo a pesar del precedente latino (p. 236), la escritura a la vez estructura y reduplica las formas de las que depende la lengua. La escritura es el término reprimido desde el principio del *Diálogo*, con su referencia a la plenitud natural de la lengua materna; pero late por detrás como necesario punto de referencia. La propiedad de la letra escrita es su insistencia o adherencia; como la lengua adquirida, es pegadiza.

La más enigmática de las «ilustraciones» de Valdés (y la que más claramente sobrepasa su supuesta función) es la del célebre acertijo que aparece hacia la mitad del libro. Se ofrece sólo como un ejemplo de la sustitución de «r» por «l» cuando un infinitivo va seguido por un pronombre enclítico (esto es, «conocella» en lugar de «conocerla»). Este acertijo está esperando todavía ser resuelto por los críticos, aunque se han propuesto muchas soluciones. Empieza así: «¿Qué es lo que podemos ver con más claridad si no lo tenemos y que no podemos reconocer si lo tenemos?» (p. 178). Yo sugeriría que una respuesta al acertijo podría ser la escritura. Los que están capacitados para escribir (como Valdés) ven «más allá» de su atractivo hacia una Utopía de la voz o de la naturaleza no corrompida por el arte; sólo aquéllos que no tienen la escritura (los analfabetos) se enfrentan a la fuerza plena de su materialidad y de su habilidad para reforzar la diferencia. Pero si la escritura es sólo un «punto ciego» en la teoría lingüística de Valdés, entonces la mismísima visión es otro. El objeto ausente del acertijo (cualquiera que sea) se define sólo por su relación con la vista: es alternativamente visible e invisible. Y Valdés, como los teóricos más tardíos que encontramos en la primera parte del capítulo, envuelve las virtudes estilísticas en términos visuales, como «color». Cuando Valdés tradujo los *Salmos*, las palabras que se vio obligado a añadir al texto para comunicar el sentido del original (pero que no se originaban directamente en él) fueron escritas en tinta de diferente color. Servían para añadir «lustre» o brillo (Barbolani, 47-8). La tinta roja de Valdés es una imagen adecuada para el excedente estilístico, inherente incluso en la más reverente aproximación a la Palabra. Y sugiere, como las imágenes de la ropa y del adorno que se suceden a lo largo de toda la teoría del Siglo de Oro, un concepto elevado de la imitación, que incita al ojo del lector a penetrar su brillante superficie. Citando la frase tan conocida de Barthes, el emplazamiento del deseo erótico está «allí donde el vestido se abre».[31] Y no es casual que el juego intermitente de la presencia y la ausencia (de la visión y la invisibilidad), tan común en los teóricos, deje también su huella en la poesía amorosa del Siglo de Oro.

---

31 *Le Plaisir du texte* (París, 1973), 19.

LA RETÓRICA DE LA PRESENCIA
EN LA POESÍA LÍRICA

2.1. PRESENCIA Y COMUNICACIÓN

Se suele considerar que los tres géneros escritos principales del Siglo de Oro son la poesía lírica, la narrativa picaresca y el teatro en verso. De ellos, es la poesía la que ha gozado de menor fortuna en el extranjero, sin duda por la falta de traducciones adecuadas; aun cuando existe el sentimiento generalizado de que resulta inapropiado traducir el verso lírico. Esto es porque todavía muchos lectores modernos piensan que el poeta «habla», más o menos de un modo directo, de sus sentimientos más íntimos, y por ello nos brinda la oportunidad de una comunicación íntima con su esencia más profunda. Aunque toda esta teoría de la auténtica expresión ha sido puesta en entredicho por la crítica, es raro que se abandone por completo. Además, la excelencia formal típica del soneto –forma preferida de la lírica– tiende a promover una especie de fetichismo lingüístico en el lector. El poema se ve a menudo en la crítica tradicional como un icono verbal, a un tiempo incorrupto por el proceso histórico y empapado de esencia personal. Sin embargo, como ya vimos en el capítulo anterior, el alegato postromántico a favor de la personalidad individual y de la transparencia lingüística no era compartido por los poetas estudiosos del Siglo de Oro, que eran más sensibles a los márgenes necesarios y a los excesos incontrolables del discurso literario. Así pues, cuando los filólogos

de formación lingüística empezaron a ocuparse del análisis de la poesía lírica, su práctica no sólo constituyó un reto implícito hacia la idea
aprendida de que el significado estaba de alguna manera «presente»
en el poema, tal y como el autor lo estaba en su lenguaje; también significó una comprensión de la lírica como código o convención similar
al de la poética renacentista.

En particular un término derivado de la lingüística resulta relevante para mi argumentación en este capítulo: el de «deíctico». Los
deícticos son palabras como los pronombres personales y los adver-
bios de tiempo y de lugar cuyos referentes siempre varían, de acuerdo con el contexto en el que se usan. Producen una sensación de
inmediatez en el lector, de intimidad experiencial. Jonathan Culler
ha llamado la atención sobre el uso de los deícticos en la lírica y su
asociación con la recreación de una voz que habla: «Toda una tradición poética usa deícticos espaciales, temporales y personales para
forzar al lector a construir una «persona» meditativa. El poema se
presenta como el discurso de un hablante que, en el momento de
hablar, se encuentra frente a un escenario particular»... [1] Los deícticos producen el efecto de realidad, de presencia. Y, como luego veremos, se anticipan por términos retóricos que desempeñan la misma
función: los lugares o «loci» asociados a la figura conocida como
«evidentia» o «enargeia». Así, los "yo" y "tú" del poeta lírico, sus
"aquí" y "ahora", son al mismo tiempo constantes del género (inmutables y eternos) y variables (infinitamente móviles y contingentes).

Como vimos en la Introducción, el modelo de discurso al
mismo tiempo implicado y realizado por la retórica clásica se funda
en la necesidad de la comunicación: el retórico toma el objeto de
imitación y trata de transmitirlo a través del medio del lenguaje al
oyente o (más tarde) al lector. [2] La excelencia del discurso está en

1 «Poetics of the Lyric», en *Structuralist Poetics* (London, 1983), 161-88 (p. 167).
2 Para la definición y los objetivos de la retórica véase Heinrich Lausberg, *Manual de
retórica literaria* (Madrid, 1966-8), párr. 32-3, 256-7. Este capítulo surgió a raíz del
artículo de Terence Cave «Enargeia: Erasmus and the Rhetoric of Presence in the
Sixteenth Century», *L'Esprit créateur*, 16. 4 (Winter 1976), 5-19. Para la representación pictórica en la lírica del Siglo de Oro véase Gareth Alban Davies, «Pintura:
Background and Sketch of a Spanish Seventeenth-century Court Genre», *JWCI*, 38
(1975), 288-313. Para un tratamiento de tres poetas españoles bastante diferente del
mío véase Arthur Terry «Thought and Faeling in Three Golden Age Sonnets»,
BHS, 59 (1982), 237-46.

proporción con la eficiencia de esta transmisión. La fuente del discurso (el hablante), su objetivo (la audiencia) y el mensaje que transcurre entre ellos (el lenguaje figurativo) participan todos ellos en un proceso único, al mismo tiempo que retienen, sin embargo, sus identidades separadas. Los tres objetivos tradicionales de la retórica (la producción de placer, provecho y emoción) están subordinados a este propósito general u «officium» de la persuasión. Es precisamente para conseguir un instrumento aún más eficiente de persuasión para lo que los retóricos subordinan las cercanas categorías del tropo y la figura en la clase del "ornatus". La misión retórica, entonces, es esencial y necesariamente pragmática y consciente respecto al relativo estatus de la palabra y del objeto. Unidas de manera intermitente, las dos permanecen esencialmente separadas, como en la generalizada distinción entre las figuras del discurso (modelo verbal) y las figuras del pensamiento (coerción conceptual). En el capítulo anterior sugerí que semejantes relaciones no pueden ser concebidas en términos de una simple oposición. Permanece, sin embargo, el hecho de que la diferencia entre res y verba, por muy oscilante y asimétrica que pueda resultar, puede ser vista como el principio estructural fundamental del arte de la retórica tomado en su conjunto.

La figura conocida como *energeia, evidentia* e *illustratio* parece a primera vista formar un hueco o pliegue en la sofisticada estructura teórica en la que tiene lugar. Se propone crear una imagen creíble que llevará al público a la presencia del objeto mismo. Se intenta que la forma del objeto esté tan expresa en la palabra que sea vista, antes que oída, y el gesto lingüístico del orador provocará emociones apropiadas a esta persuasión gráfica. En su intento por "situar las cosas ante los ojos" (la invariable definición de la figura desde Cicerón a Herrera y más adelante) la energeia persigue lo imposible: la fusión de la palabra y del objeto, del orador y del público en el momento único de la representación. Es una potente y seductora ambición. Sin embargo, los retóricos son muy conscientes de que el lenguaje es de índole inevitablemente mediata, y de que hay intrincadas instrucciones para el uso de la figura. Hay tres modos o *loci* de atención, que corresponden a las clases de los deícticos (de persona, lugar y tiempo); y hay una variedad de medios por los que pueden ser comunicados (la selección del detalle significativo, el uso del tiempo presente del verbo y del apóstrofe). La *energeia* se asocia con el género demostrativo, esto es, el discurso formal usado para alabar o calumniar, y con un contenido tradicional: la naturaleza, la guerra, la catástrofe (ver Lausberg, parr. 810-19). Además, siempre es excesiva. Quintiliano sitúa su *evidentia* por debajo del *ornatus:* como todo el lenguaje figurativo va más allá de la claridad y de la verosimilitud del discurso llano (VIII.iii.61). Así, la *enargeia,* al mismo tiempo, produce una carencia en el discurso no adornado (y, por lo tanto, empobrecido) y forma un exceso verbal, dejando atrás de manera inadecuada las, menos ambiciosas, virtudes elocucionarias. Como veremos, esta lógica de la «suplementariedad» vuelve a aparecer, a menudo desapercibida, tanto en el tratamiento moderno y renacentista de la relación entre el arte y la naturaleza, entre el poema y el mundo. La marginalidad y el desvío de la figura única son, así, sintomáticos de contradicciones más generales implícitas en la poesía lírica y en la crítica literaria.

A pesar de los intentos teóricos por limitar su alcance y por definir su aplicación, la *enargeia* parece corresponder, al menos en su movimiento inicial, a un ingenuo y pasional deseo por la unión del lenguaje y el concepto que trascendería ambos términos y encarnaría una primigenia plenitud lingüística. En otras palabras, una retórica no de la comunicación (relativa y determinada) sino de la presencia (absoluta e integral). Esta nostalgia por la experiencia directa de la naturaleza y del autor todavía prevalece. Como vimos en la Introducción para el caso de Quevedo, las lecturas modernas de la lírica del Siglo de Oro han adolecido desde entonces de semejante prejuicio crítico inintencionado. Lo seductor de la visión ofrecida por la *enargeia* (como ya hemos visto, su acción se expresa siempre en términos visuales) es también demostrado por la atención que recibe de escolares renacentistas como Escalígero y Herrera, que parecen sucumbir momentáneamente a los encantos de lo inmediato en trabajos teóricos cuyo rigor y sofisticación habituales proveen amplio testimonio en otros lugares del artificio y desvío del lenguaje poético como un todo. Con el auge de la *enargeia,* entonces, el objetivo de la persuasión se funde con el ideal de la imitación elevada de un modo que será característico de la retorización de la poética en la segunda mitad del siglo XVI.[3]

3 Véase Bernard Weinberg, *A History of Literary Criticism in the Italian Renaissance,* esp. pp. 804-6.

Mi propósito en este capítulo es sugerir que la *enargeia* tiene una significación particular para nuestra comprensión del tiempo, del espacio y de la identidad personal en la lírica del Siglo de Oro; que los cambios en el relativo prestigio y definición de la figura sugeridos por los teóricos coinciden con desarrollos en la práctica poética en los siglos XVI y XVII; y, finalmente, que los críticos modernos no han reconocido esta retórica de la presencia y, por ello, consecuentemente, han leído mal los poemas en los que ésta se encarnaba. Las oscilaciones y cambios del suplemento apuntan hacia un modelo más sutil de lírica que aquel ofrecido por la "unidad" o "tensión" de los críticos tradicionales.

El estudio más intrincado de la *enargeia* se encuentra no en los tratados españoles que examiné en el capítulo anterior, sino en una obra latina: el *Poetices libri septem* de Julio César Escalígero (Lyons, 1561). No es sólo uno de los más autorizados manuales de su época, de gran influencia en España, como en el resto de Europa; también contiene una extensa y desarrollada discusión acerca de las delicadas relaciones entre naturaleza, imitación y audiencia, tan violentamente transgredidas por las ambiciones gráficas de la evidencia. El tratamiento que da Escalígero a la figura revela las contradicciones inherentes a su acción. Atendiendo a estas contradicciones podemos extraer en forma emergente rasgos de actitud y vueltas de argumentación que volverán a aparecer con varios grados de énfasis a lo largo del próximo siglo. Tradicionalmente, las cuatro virtudes elocucionarias son pureza, claridad, ornato y decoro. Las virtudes de Escalígero (atribuidas tanto al poeta como a su poema) son bastante diferentes: prudencia, eficacia, variedad y dulzura. Es la segunda de estas la que nos interesa. «Efficacia» (explícitamente dada como el equivalente latino del griego «enargeia») se define como el poder del discurso para representar el objeto de manera excelente. Este poder deriva inicialmente no de las palabras, sino de la cosa significada: «aunque parece estar en las palabras está, no obstante, primero de todo, en las cosas mismas» (p. 116). El primer ejemplo de Escalígero es la descripción de Virgilio de la madre de Euríalo cuando recibe la noticia de la muerte de su hijo guerrero. Su expresión es descrita por el poeta como a un tiempo aterrada, confusa y furiosa. Parece que es la combinación gráfica de estas varias emociones lo que satisface los criterios de la eficacia. Pero a veces el poeta vacila y cae en uno de los dos vicios asociados con la eficacia: el exceso llamado afectación, y la deficiencia conocida como languidez, apatía. Para Escalígero, la singular excelencia de Virgilio reside en su moderación. Él ha separado todo el polvo de oro de la arena de sus predecesores: cualquier cosa que se añadiera sería superflua y sin valor; cualquier cosa que se sustrajera sería necesariamente metal precioso. Escalígero hace aquí alusión a la inestabilidad de sus criterios; porque si la eficacia se produce por un cierto apelar al exceso verbal y conceptual (las múltiples emociones en la cara acongojada de la madre), entonces siempre sería posible que se cayese en la afectación. Sólo puede ser definida en términos relativos, no absolutos. Sólo el crítico puede trazar la línea entre lo superfluo apropiado y lo no apropiado. La poesía impropia parece implicar la explotación del poder del escritor sobre el lector: el poeta del exceso (Lucano) amedrenta y engatusa a un público poco dispuesto, y como si fuera un tirano, sería antes temido que querido. Para Escalígero, la eficacia debe ser templada por la prudencia.

A pesar de su llamamiento a la razón y a la moderación, la reacción de Escalígero a los lugares virgilianos que transcribe en la página siguiente es inmediata y desvergonzadamente personal. Cuando Eneas guía a su joven hijo a través del campo de cadáveres de Troya, Escalígero siente que el hombre fuerte es su propio padre y que él mismo es quien está siendo conducido: todo su cuerpo se estremece. Los sufrimientos de Dido le dejan hundido y torturado por el dolor; el valor de Niso (otro joven guerrero, amado por Euríalo) lo transporta al campo de batalla: ¿Quién, pregunta, podría rehusar estar en la presencia de un hombre así? Cuando, como aquí, la eficacia reside en el objeto solo, entonces la comunicación es inmediata y el crítico no tiene nada que hacer: «Yo no soy el intérprete; sea suficiente haber señalado los lugares» (p. 117). Esta presencia gestual está, sin embargo, de alguna manera comprometida por el resto del capítulo en el que la eficacia depende, de manera bastante explícita, de medios verbales: el uso del epíteto, de tropos como la metáfora y la hipérbole o de las figuras recogidas por los retóricos en este sentido (apóstrofe, interrogación, etc). El acento inicial en el poder del objeto "per se" trabaja en contra de semejante artificio, presuponiendo como lo hace la prioridad extra-lingüística del objeto y nuestra inmediata experiencia del mismo. Pero también reside en una compartida concepción de aquella naturaleza cuyos momentos privilegiados se consideran eficaces de manera única. Hemos apuntado que los retóricos clásicos dan "guerra" como un tema apropiado para la "enargeia". Los ejemplos de Escalígero son de índole predominantemente belicosa. Sus hombres son invariablemente heroicos, sus mujeres implacablemente turbadas. A pesar de las negativas de Escalígero, el lector no puede tener acceso a la madre de Euríalo si no es a través del medio lingüístico de los epítetos de Virgilio. Es el conocimiento de esta necesaria mediación o artificio lo que la "enargeia" reprime en el nombre de un orden "natural" de fenómenos humanos aparentemente inmutables que, de hecho, está determinado por el patriarcado. Como la «breve cárcel» del retrato de Quevedo de su dama, "enargeia" no es un espejo plano que refleja lo real en toda su intensidad y particularidad, sino una lente curva o espéculum que sólo reproduce a través de la distorsión.

Mediante el uso que hace del término «representación» parece que Escalígero reconoce la posibilidad de que la presencia en el lenguaje sea siempre de segunda mano. Pero en una lectura más detenida, Escalígero parece anticiparse a críticos españoles más tardíos como Sánchez de Lima al sugerir que la misma naturaleza es también deficiente. Esto está implícito en la detallada atención que Escalígero da a la «efficacia in verbis». Esto está explícito en un capítulo anterior sobre las cuatro virtudes poéticas. Aquí el poeta se parece al pintor que selecciona elementos de la naturaleza, como la forma, la luz y la sombra. Aun así no aprende tanto del mundo natural cuanto compite con él. Aunque la perfección toda reside en la naturaleza, las contingencias de su expresión en el mundo impiden la humana percepción de la misma. El ejemplo que ofrece Escalígero de esta deficiencia de la naturaleza es (no de manera sorprendente) la mujer: ¿se dio alguna vez el caso de una belleza femenina que no dejase nada que desear al juicio discriminatorio del hombre? (p. 113). Así, la naturaleza (como su eterna figura, la mujer) es a un mismo tiempo integral y deficiente, y el arte (como la mirada del hombre) es, a la vez, extrínseco e intrínseco. La "efficacia" de Escalígero, no en menor medida que la "evidentia" de los retóricos, es de índole suplementaria. Sin embargo si Escalígero siente algún desprecio por la naturaleza, la última ambición de su poética es absorberla de manera global. Su «búsqueda de un principio poético entre las ideas que existen fuera del propio poema» debe conducir en último lugar a un contenido que sea universal y a un poeta que sea también historiador, científico natural y geógrafo (ver Weinberg, pp. 750-1). Sugeriré que una creciente atención tanto a la incursión de la poética en la naturaleza como a la relación suplementaria entre las dos es característica del desarrollo de la lírica en el Siglo de Oro. Sin embargo, como veremos, este desarrollo (como tal) es interrumpido y contradictorio; y no podemos tomar a Garcilaso como comienzo "natural" para su progreso, o como "neutral" que sirve para destacar a sus sucesores menos comedidos.

2.2. GARCILASO Y LA VOZ

El uso de ejemplos para desarrollar una argumentación es un método de análisis crítico notoriamente injusto. Dentro de los límites de este capítulo no puede haber una selección "representativa" de ejemplos que podrían hacer justicia a la variedad y al corpus completo de la lírica del Siglo de Oro. Así pues, en este capítulo, como en los siguientes, he decidido que es mejor examinar unos cuantos textos detalladamente, que aludir de pasada a un número mayor, sin someter ninguno a un análisis cuidadoso. He sugerido que la *enargeia* es una figura privilegiada en el discurso poético, y los textos que he elegido son ejemplos de su uso por parte de tres grandes poetas: Garcilaso, Herrera y Góngora. También me referiré brevemente a un cuarto (Lope de Vega) al final del capítulo. Por lo general se considera que en los tres primeros poetas se aprecia algún tipo de evolución. Mi objetivo es cuestionar la naturaleza de este desarrollo tal y como es definido por los teóricos del Siglo de Oro y por los críticos del siglo XX. Cada uno de los poemas trata el tema de la inmortalidad (esto es, la indefinida extensión de la presencia) en el contexto de la hipérbole amorosa o del lamento funerario. Y cada uno de ellos emplea los medios lingüísticos discutidos por Escalígero y por los retóricos para conseguir una expresividad pictórica acentuada. En este proceso de representación los poemas implican necesariamente una concepción particular de ese contrato mimético por el que el poeta se compromete a recrear un objeto en el lenguaje para el placer y beneficio de la audiencia. Es la flexibilidad de este contrato (que puede ser identificado con el "decorum" de los rétores) lo que lo hace tan difícil de examinar, tan reacio al acercamiento crítico.

La vida de Garcilaso de la Vega, tan romántica —casi novelesca—, su amor por Isabel Freire y su temprana muerte, en combate, han prestado fuerza al acercamiento biográfico de los críticos modernos más tradicionales, que tienden a ver la excelencia del poema en la medida en que éste inspira un sentimiento de intimidad entre el poeta y el lector, una sensación del poeta como presencia inmediata o voz que habla.[4] Sin embargo, existen muchas evidencias de que, incluso en el caso de Garcilaso, los lectores del Siglo de Oro tenían poco interés en la biografía sentimental. Las *Anotaciones* de Herrera ofrecen un minucioso análisis de la práctica lingüística de Garcilaso en perjuicio de su motivación amorosa. En el Siglo de Oro, de nuevo, la Égloga Tercera, relativamente «artificial», parece haber sido más popular que la Primera, ostensiblemente más «natural», y por eso mismo más popular hoy en día. Un examen detenido de las estrofas iniciales de la Égloga Tercera sugiere que la «presencia» gestual producida por el poeta no es una auténtica «voz» del hablante, sino más bien un llamamiento a los modos y medios tradicionales de la *enargeia*. Reproduzco aquí las dos primeras estrofas:

> Aquella voluntad honesta y pura
> illustre y hermosíssima María,
> que'n mí de celebrar tu hermosura,
> tu ingenio y tu valor estar solía,
> a despecho y pesar de la ventura
> que por otro camino me desvía,
> está y estará tanto en mí clavada
> quanto del cuerpo el alma acompañada.
>
> Y aun no se me figura que me toca
> aqueste officio solamente'n vida,
> mas con la lengua muerta y fria en la boca
> pienso mover la boz a ti devida;
> libre mi alma de su estrecha roca,
> por el Estygio lago conduzida,
> celebrando t'irá, y aquel sonido
> hará parar las aguas del olvido.[5]

4 Para una refutación de la falacia biográfica véase M.J. Woods, «Rhetoric in Garcilaso's First Eclogue», *MLN*, 84 (1969), 143-56.

5 *Obras completas con comentario*, ed. Elias L. Rivers (Madrid, 1974), 418-20.

El pasaje está escrito en alabanza de la dama (María) a la que el poema está dedicado, como se señala explícitamente mediante el verbo "celebrar". Pertenece, por lo tanto, a la clase demostrativa, aquella que Quintiliano considera como la más apropiada para la *evidentia*. En la primera estrofa el uso del apóstrofe y la insistente alternancia entre la primera y la segunda persona garantizan un nivel de declaración generalizada, aunque aparentemente personal: «Te celebraré hasta que muera». La perspectiva temporal se mueve desde un estado de cosas existente en el pasado ("solía"), hasta la condición presente ("desvía"), hasta la persistencia de dicho estado en el futuro ("está y estará"). Como comentarista, Herrera señala la fuerza demostrativa, gestual, de estas líneas diciendo que el poeta "muestra" la constancia de su voluntad (nota H-763, p. 566). Este sentido de anticipación o prolepsis, de inmediatez extendida o suspendida del sentimiento se afirma de manera desafiante en la estrofa siguiente, cuando el poeta afirma que continuará cantando las excelencias de la dama incluso después de su propia muerte. El llamamiento a la "voz" del poeta como principio trascendente difícilmente podría ser más explícito. Pero, desde luego, el conocimiento del lector inmediatamente hace que tal afirmación sea imposible. El paisaje invocado es distante, metafórico: la roca es el cuerpo del poeta, el lago es el Estigio, de resonancias clásicas, y las aguas del olvido su río gemelo, el Leteo. Aun así, la imagen expresada, si bien general, es de índole gráficamente física. La sintaxis y la dicción son desafiadoramente sencillas, atractivamente "transparentes", aunque elevadas por el uso juicioso de epítetos ("estrecha", "Estygio"). De este modo el poeta recorre los tres modos de la *evidentia* (persona, tiempo y lugar), empleando de manera bastante inconsciente los medios retóricos habituales en semejantes ocasiones (la exclamación, los tiempos de presente, los epítetos). El detalle gráfico de la "muerta y fría lengua" es un buen ejemplo de aquella particularidad de la imagen que los retóricos reivindicaban para estimular las emociones del público con la mayor eficacia. Y no es una coincidencia que, como todos los comentaristas apuntan, sea también una alusión a la muerte de Orfeo en las *Geórgicas* de Virgilio, Libro IV: la autoridad de Garcilaso es realzada de un modo implícito por la asociación con el héroe clásico, supuesto fundador de la lírica. Pero su verso es también dignificado por el eco que hace del gran poeta de Escalígero, el paradigma de la integridad y la moderación. Garcilaso, como Virgilio, sería antes querido que temido, y su poética de la reticencia, sofisticada de un modo natural, no es menos efectiva hoy en cuanto a la poderosa emoción que provoca. Son los deícticos en el poema (personales, temporales, topográficos) los que le dan este sentido de inmediatez y permiten la suspensión transitoria o la disolución de la distancia que separa al poeta de su lector. Y, como en el caso del *Diálogo de la lengua,* de Valdés, encontramos una curiosa inversión de las posiciones relativas del discurso y de la escritura en esta conexión. Porque aunque Garcilaso parece apelar a la "voz" como expresión auténtica, eterna, también sabe que la preservación de esa voz depende de su duplicación por la palabra escrita. El discurso es personal pero transitorio, la escritura alienante, pero eterna.

Lectores menos críticos pueden imaginar (con Escalígero de nuevo) que el poder de la imitación deriva de la cosa expresada, antes que del modo de su expresión. Después de todo, es creencia común que el amor es históricamente indiferenciado y universalmente aprehensible. Sin embargo, en este caso es difícil aceptar que la expresión no mediata del sentimiento profundo sea causa de la eficacia del poema. La María a la que va dirigido (quienquiera que pueda ser) no es, con seguridad, la Isabel cuya muerte inspira el poema tomado en su conjunto, y la que siempre se ha considerado como la fuente de la inspiración del poeta.[6] Así pues, la emoción que sentimos en la invocación es un efecto del lenguaje, no de la vida, y de un lenguaje que incluso aquí tiende al exceso. Tamayo, un comentarista de Garcilaso, coetáneo, ataca el detalle conspicuo del que depende la inmediatez del texto, afirmando que resulta excesivo e innecesario decir que la lengua está en la boca. ¿Dónde si no podría estar? (*Anotaciones*, T-148, p.652).[7] El detalle es superfluo y carece de sustancia. Aquí, el ornamento poético se considera redundante, externo al habla llana: el hecho de que la lengua esté en la boca podría darse perfectamente por hecho. El error de Tamayo está en no admitir que es ese exceso lo que precisamente diferencia a la poesía del habla. Lo necesariamente superfluo de la "evidentia" está, así, presente incluso en un pasaje relativamente "desnudo", obra de un poeta habitualmente reticente. En verdad, la "lengua" curio-

6 Véase Rivers (p. 417) para las posibles identificaciones de María.
7 «T» está por Tamayo.

samente enfática de Garcilaso se eleva como un icono peculiarmente adecuado de aquel exceso lingüístico, del que el poeta debe siempre depender para su eficacia. La cuestión suscitada por Tamayo es la misma que suscitó Escalígero en su debate sobre la prudencia y la ostentación: ¿Dónde situaremos el límite? ¿Dónde dibujaremos la frontera?

Quintiliano sugiere que el orador introduce la *evidentia* mediante una fórmula que preparará al público para lo que verá a continuación (véase Lausberg, párr. 814, parte 2a). La fórmula más común, ciertamente la propia definición de la figura, es utilizada por Garcilaso, cuando afirma en un poema que el rápido movimiento de un río parecía estar «pintado ante los ojos». La ambición gráfica común al poeta y al retórico rara vez ha sido más explícita. Sin embargo, irónicamente, este mismo ejemplo es citado por uno de los críticos modernos más distinguidos (Dámáso Alonso) como prueba evidente de la novedad de lo pictórico en Garcilaso. Afirma que la perfecta precisión de la descripción de Garcilaso es totalmente nueva en el período; que dibuja el movimiento para nosotros como lo haría un pintor; y que su habilidad para poner ante nuestros ojos imágenes tales como el complejo movimiento del cabello rubio de una muchacha es de índole cinematográfica. [8] Los efectos tradicionales de la técnica retórica son aquí reasignados a la tecnología moderna. La reacción de Alonso a la luminosidad del poema es tan íntima e intensa como la de Escalígero: dice que la belleza del paisaje alcanza las profundidades de nuestro espíritu (p. 37). Aun así, para Alonso esta representación sensorial es de índole puramente individual y el poeta se experimenta a sí mismo como presencia espacial y temporal: "habla" con nosotros como nuestro contemporáneo, y toma parte en el lenguaje de los tiempos modernos. Por esto reitera Alonso, sin saberlo, los tres modos de la *enargeia:* la persona, el lugar y el tiempo son los tres experimentados como presentes e inmediatos. En la página siguiente se afirma que la producción de la emoción es la meta principal de la escritura moderna. Dice Alonso que la emoción es hoy el último fin de la literatura, un fin que también Garcilaso comparte. Parece que el crítico no se da cuenta de que la producción de la emoción fue también la meta (o una de las metas) de

8 *Cuatro poetas españoles* (Madrid, 1962), 36.

la retórica clásica y de la poética renacentista. Lo que es verdaderamente moderno en la exposición de Alonso es la redistribución de la emoción desde el lector o destino al poeta o remitente. Afirma que lo que nosotros sentimos «detrás» de las palabras es una turbulencia emocional, un reprimido «borboteo» como el de lágrimas que están a punto de derramarse (p. 38). En el capítulo sobre la comedia volveré a este modelo «hidráulico» que considera que el deseo es un líquido a presión, buscando escape en cualquier canal que se le abra. Más importante aquí es apuntar la diferencia entre los críticos renacentistas y los modernos. Por muy conmovido que Escalígero pueda sentirse como lector, nunca proyecta sus sentimientos sobre el poeta que los ha producido. Su conciencia de las complejidades de la lengua poética no le permitirán el fácil fonocentrismo del crítico moderno, en el que la escritura se convierte en voz, y la voz en la expresión inmediata del sentimiento. En último término, el problema que se reprime una vez más es el de la relativa prioridad de la palabra y del objeto. Alonso, como el teórico renacentista, busca el significado del poema fuera del propio texto, pero, a diferencia de Escalígero, no está dispuesto a analizar las relaciones entre el arte y la naturaleza que hacen al objeto poético diferente de su equivalente en el mundo. Y este deliberado impresionismo parece estar fundado en una desconfianza hacia la propia escritura: la emoción poética se identifica con el *pneuma* (el aliento, el espíritu o la inspiración) expelido por el poeta en el momento de la autentica expresión. Se dice que Garcilaso ha prestado a su verso un «hálito» de emoción, un alma (p. 40). [9] Como en el caso de los teóricos del Siglo de Oro que examinamos en el primer capítulo, los argumentos de Alonso se basan en términos metafóricos que no pueden ser sustraídos de su escritura en la búsqueda de una supuesta sustancia original. La ventaja de la crítica "poética" o "impresionista" que Alonso ofrece aquí es que da el mentís a la neutralidad generalmente afirmada para sí misma por semejante escritura: la crítica está tan comprometida por el caprichoso sendero de la figuración como la propia poesía.

9 p. 40. En otro lugar un análisis lingüístico más preciso culmina también con un llamamiento a la presencia atemporal. Véase «Garcilaso y los límites de la estilística», en *La poesía de Garcilaso,* ed. Elias L. Rivers (Barcelona, 1974), 269-84 (p. 284).

El juicio de Alonso acerca de Garcilaso no es inusual. En verdad, es un lugar común de la crítica decir que Garcilaso es el poeta de la «presencia» y que la Égloga Tercera es una desviación artificial desde una plenitud natural. Así, afirma Lapesa en 1948, que la esencia de Garcilaso fue una primigenia inocencia de artificio, una poesía libre de complicación, pero que tenía la fuerza de la emoción contenida. La Égloga Tercera es una «huida» de la vida y una «evasión» de la realidad, experimentadas por el lector como una ausencia de sentimiento personal.[10] Para R.O. Jones (1954), el artificio de la Égloga Tercera es un medio para «distanciar» la emoción.[11] Incluso en el excelente estudio de Darío Fernández Morera vuelve a aparecer la misma oposición. Así, compara él la invocación del Polifemo con la que hay en la Égloga Tercera: «lo que... en Góngora sería un manifiesto poético que no por su vehemencia resulta menos retórico, en Garcilaso es más bien una afirmación de su propia condición personal como poeta».[12] El *poder evocador* de Garcilaso es mayor que el de Góngora: «porque él conjura al mismo tiempo la figura de Orfeo y un paisaje con un río y cavernas. Y en este paisaje donde sus versos de propia alabanza resuenan». (p. 88). Fernández Morera es muy versado en teoría del Siglo de Oro, pero en este punto al menos parece que su argumento es circular: el poeta crea la topografía y la topografía, a su vez, recrea al poeta. La operación que tiene lugar parece inefable y de alguna manera impresionista. Sin embargo, como la poética renacentista nos enseña, el poeta no es tanto un conjurador o un mago, cuanto un artesano que trabaja con medios específicos y determinados. Ésta es la actitud general que revela el libro de Fernández Morera, que se ocupa principalmente de la relación entre Garcilaso y sus predecesores. Por eso resulta de lo más sorprendente que se muestre de acuerdo, al menos hasta cierto punto, con la visión tradicional de Garcilaso como la del poeta de la presencia personal.

Un modelo inesperadamente flexible es proporcionado por Azorín en 1921. Para él, el patrón decorativo de la Égloga Tercera es una «visión plateresca».[13] No hay correlación inmediata entre el paisaje toledano y el ornamento superfluo superpuesto al mismo por el

10 *La trayectoria poética de Garcilaso* (Madrid, 1986), 166.
11 «Garcilaso, poeta del humanismo», en la antología de Rivers, pp. 53-70 (p. 67).
12 *The Lyre and the Oaten Flute: Garcilaso and the Pastoral* (London, 1982), 84.
13 «Garcilaso», en la antología de Rivers, pp. 35-9 (p. 39).

poeta. Sin embargo, deduce Azorín, este exceso lingüístico, externo a la naturaleza, es también necesario y sustancial, sirviendo como lo hace de punto de equilibrio en la balanza entre el arte y la vida. Esta relación suplementaria parece volver a aparecer en la página final del estudio de Elias L. Rivers «The Pastoral Paradox of Natural Art» (1962) (La paradoja pastoral del arte natural).[14] La naturaleza es, una vez más, deficiente: el hombre compensa una carencia en el paisaje mediante la adición de norias. El propio paisaje no existiría sin un poeta-pintor que lo contemplase. El artista forma parte de una suerte de consumo productivo mediante el uso de «materiales naturales, que han sido preparados artificialmente, para expresar una visión de la naturaleza» (p. 144). Sin embargo, si el arte es necesario también aparece como superfluo, algo que aliena la naturaleza, que interpone una ausencia entre el hombre y el mundo, allí donde previamente la estructura mutuamente constitutiva de los dos era la misma condición de su existencia: «Por esto, en la Égloga Tercera, es el arte el que ordena y simplifica la naturaleza, volviéndola inteligible; es un claro sentido de distancia artística lo que convierte el dolor en belleza. Al tiempo que este sueño humanístico consigue su perfecta expresión verbal, el logro poético de Garcilaso es pleno». Parece que se da aquí cierta confusión entre las dos funciones gemelas del arte, que, al mismo tiempo, complementa y aliena la experiencia.[15] Y constituye, con certeza, una tautología afirmar que la lengua de Garcilaso («la expresión verbal») es igual a su contenido (el sueño humanístico) cuando el acceso al último sólo es posible mediante el uso del primero. Rivers hace un llamamiento implícito, como Escalígero al inicio de su capítulo sobre la *efficacia*, a la prioridad y preeminencia del concepto como criterio de excelencia poética. Reivindica aquella presencia de la palabra, la comunidad del pensamiento y la elocución, que es el canto de sirena de los críticos más perspicaces cuando se enfrentan a un poeta superlativo (Virgilio o Garcilaso). Pero, sin embargo y a pesar suyo, alude a la configuración irreconciliable y extrañamente asimétrica que *res* y *verba* tienden a adoptar. Sin embargo, si el poema no debe tomarse como la expresión directa del

14 *MLN*, 77 (1962), 130-44.
15 Se alude a este problema en la nota final de Rivers (pp. 143-4) sobre la competición entre las ideas horacianas y aristotélicas acerca del arte, y la posibilidad de que Garcilaso se anticipe a la resolución de ambas que da Escalígero.

sentimiento personal, esto no significa que sea puramente literario o artístico. Alan K. G. Paterson trata este problema en la conclusión de su estudio de la *ecphrasis* en la Égloga Tercera (la descripción poética de obras de arte visual en Garcilaso). [16] Sugiere que deberíamos ver el poema como el testamento o la última voluntad del poeta antes de su muerte (p. 92). La idea del poema como testamento (al mismo tiempo catálogo de la pasada gloria y anticipación de la muerte futura) combina comunicación y presencia: sólamente dirigiendo su «voz» al lector es como Garcilaso puede continuar hablando más allá de la tumba. La asociación de escritura y muerte, que volverá a aparecer en capítulos posteriores de este libro, es rara vez más explícita que aquí. Así pues, si Garcilaso no consigue una conciencia unificada de sí mismo (una presencia consistente de significado), entonces no deberemos sorprendernos de que también falte en Herrera.

2.3. Herrera y la amplificación

En la amplia trayectoria de la lírica del Siglo de Oro, se considera a menudo que Fernando de Herrera ocupa una posición intermedia. Como teórico, es el más sutil y erudito comentarista de Garcilaso. Como poeta, anticipa mucho de la elaboración lingüística que al principio se pensó se originaba con Góngora. [17] Herrera, llamado «divino» en su propio tiempo, ha gozado de menor fortuna en la era postromántica. Artificio y aprendizaje han sido a menudo considerados excesivos y extrínsecos, meras barreras para esa expresión inmediata de auténtica emoción que se supone es el principio valedero de toda poesía. Incluso defensores recientes de Herrera han dado por buenos semejantes tópicos. [18] Críticos modernos revelan, así, haber malinterpretado aquel término fundamental de la poética renacentista, la amplificación.

16 «Ecphrasis in Garcilaso's "Egloga Tercera"», *MLR*, 72 (1977), 73-92.
17 Véase José Almeida, *La crítica literaria de Fernando de Herrera*, (Madrid, 1976), esp. pp. 110-11.
18 Véase Violeta Montori de Gutiérrez, *Ideas estéticas y poesía de Fernando de Herrera* (Miami, 1977), para una afirmación de la fundamental «sinceridad» de Herrera y de la naturaleza meramente instrumental de su erudición (p. 169). Para una lectura retórica de los poemas seleccionados, véase M.J. Woods, «Herrera's Voices», en *Medieval and Renaissance Studies on Spanish and Portuguese in Honour of P.E. Russell* (Oxford, 1981), 121-32.

Toman el término en el sentido no de una elevación de la dicción para la comunicación de la emoción, sino como una hinchazón hueca del lenguaje con el solo propósito de una mera ostentación. Este (inconsciente) prejuicio crítico tiene un fuerte efecto en las lecturas que se hacen de un poeta como Herrera, cuyo verso tiende a una creciente pictoridad o luminosidad. Como apunta Oreste Macrí, las cuidadosas revisiones hechas durante años al soneto reproducido más abajo revelan una progresiva intensificación de la imaginería relacionada con el color y los metales preciosos.[19] El soneto es bastante parecido al poema de Quevedo que examinamos en la Introducción: es un retrato estilizado de la dama del poeta. Herrera celebra a la mujer apelando a las fuerzas universales y eternas del cosmos (el sol, el viento, la luna, las estrellas) y afirmando que la dama los excede a todos en belleza tanto como en crueldad. Su género (el demostrativo) y su estructura retórica (apostrófica) se corresponden a las recomendadas por los retóricos para la utilización de la *evidentia*. He aquí el soneto:

> Roxo sol, que con hacha luminosa
> coloras el purpureo i alto cielo,
> hallaste tal belleza en todo el suelo,
> qu'iguále a mi serena Luz dichosa?
>
> Aura suave, blanda i amorosa,
> que nos halagas con tu fresco buelo;
> cuando se cubre del dorado velo
> mi Luz, tocaste trença más hermosa?
>
> Luna, onor de la noche, ilustre coro
> de las errantes lumbres, i fixadas,
> consideraste tales dos estrellas?
>
> Sol puro, Aura, Luna, llamas d'oro,
> oistes vos mis penas nunca usadas?
> vistes Luz más ingrata a mis querellas?

Como en el caso de Garcilaso, el apelativo directo («tú»), los verbos en tiempo presente y la general aunque vívida topografía implican

19 *Fernando de Herrera* (Madrid, 1959), 487. Arthur Terry reproduce tres versiones completas de este soneto en su *Anthology of Spanish Poetry, 1500-1700*, Part I (Oxford, 1965), 104-5. Mi texto procede de la *Obra poética*, ed. José Manuel Blecua (Madrid, 1975), núm. 116.

los modos personal, temporal y espaciales de la *enargeia*. Pero, a diferencia de Garcilaso, Herrera es tanto un crítico como un poeta, y sabemos que es plenamente consciente del efecto que su lenguaje produce. En las *Anotaciones* alaba a Garcilaso por un pasaje similar en términos que deberían resultarnos ya familiares, diciendo que tal noble «hypotyposis» expresa el objeto de tal modo, que parece que lo vemos más que lo oímos (H-734, p. 559). Como siempre, se dice que lo visual desplaza a lo auditivo. Para Herrera, el mismo apóstrofe participa en esta dialéctica de presencia y ausencia. Define la figura (conocida en latín como «aversio», y en español como «apartamiento») como la que se produce cuando dirigimos nuestra «habla» a una persona ausente, redirigiéndola de su curso derecho y natural hacia otro (H-32, p. 323). Resulta quizás significativo que incluso Herrera, un gran poeta letrado, todavía pensase en términos de discurso oral cuando discute las figuras más gráficas.

El lenguaje expresivo es aquí visto como una distorsión del habla llana, como una perversión no natural de su curso. Sin embargo resulta bastante claro que el poema de Herrera, mucho más que el de Garcilaso, está plagado de ornamento «plateresco» y no tiene ninguna pretensión de simplicidad «natural». Teoría y práctica parecen contradecirse mutuamente. Sin embargo, el supuesto carácter funcional de esos ornamentos desplegados en el soneto se clarifica cuando se leen las *Anotaciones*. Así, el poeta Herrera usa el encabalgamiento y el asíndeton: «ilustre coro /de las errantes lumbres»; «Sol puro, Aura, Luna, llamas d'oro». Pero el crítico Herrera nos dice que cuando estas figuras aparecen en Garcilaso, la primera se usa para recuperar la grandeza del latín épico y la segunda para decir algo con fuerza, vehemencia y rapidez, con furia, ímpetu, amplificación y nobleza (H-1, p. 309; H-22, p. 321). Así, el lenguaje proporciona el poder eficiente que (por implicación) ya no puede ser confiado a la fuerza persuasoria del propio objeto. La repetición en el soneto puede estar también pensada para sobrellevar una fuerza particular. Herrera afirma que usamos la repetición para los grandes efectos, porque significa la perpetuidad de la representación (H-618, p. 529). La duplicación verbal es, de este modo, utilizada en un intento por asegurar la presencia extendida indefinidamente del objeto. La cuestión de si este tipo de amplificación puede lograr semejante misión no se plantea.

El propio Escalígero, apóstol de la mediocridad, se halla a menudo implicado en la frecuente preocupación de Herrera por el exceso lingüístico en sus formas varias. A veces, Herrera sigue a su predecesor en las virtudes de la discriminación y la modestia: la mezcla «no natural» de las lenguas, el ataque al «lascivo» Catulo, la alabanza de la misma prudencia (H-132, 187, 344). Volveré a esta cuestión de la prudencia en la conclusión. Pero, en otro momento, Herrera va más lejos que Escalígero, aunque todavía lo cite como autoridad: es el caso de la definición de hipérbole (otra de las figuras usadas en el soneto anterior), en la que Herrera cita a Escalígero para autorizar que la hipérbole significa exceso y redundancia, y que se produce cuando alabamos una cosa más de lo que requiere su propia naturaleza (H-84, p. 346). Debe notarse que Herrera todavía da por hecho que el valor o estatus del objeto es extralingüístico. Pero la diferencia de tono entre Escalígero y Herrera es muy marcada. La frase de Escalígero es claramente proscriptiva, ya que ataca la verborrea redundante que implica la figura. Pero la traducción que hace Herrera de «hipérbole» es neutra ("engrandecimiento" o amplificación) y su tono es indulgente. La *res* puede inflarse con los *verba* cuando el poeta lo cree necesario. Asimismo cita Herrera a Escalígero (en el capítulo sobre la *efficacia*) en defensa de otro tipo de duplicidad, el *hendiadys* o uso de dos palabras para representar una misma cosa. En casos como estos, la eficacia consigue rara vez templarse por la prudencia, y el poeta cobra alientos para dirigir a su lector y transformar su materia de un modo que Escalígero no habría permitido. La ambigua dependencia de Herrera de Escalígero es típica del curso de la preceptiva española que vimos en el capítulo anterior: la innovación nativa tiene buen cuidado de enraizarse en la autoridad extranjera.

El rasgo del exceso lingüístico más llamativo, el que resulta más exagerado en el soneto, y que hace que el crítico Herrera se comprometa aún más con Escalígero, es el adjetivo, porque posee por su misma naturaleza una tendencia peligrosa a convertirse en superfluo. R. D. F. Pring-Mill ha demostrado que Herrera en su discurso sobre el epíteto [20] se sirve por extenso del capítulo de Escalígero sobre la

20 «Escalígero y Herrera: Citas y plagios de los *Poetices Libri septem* en Las anotaciones», *Actas del segundo congreso internacional de hispanistas* (Nimega, 1967), 489-98 (p. 496).

eficacia. Los epítetos de Garcilaso son, como ya sugerí antes, relativamente discretos y escasos en número. Los de Herrera son abundantes, pero de ninguna manera indiscriminados. Así, en la primera estrofa de nuestro soneto, Herrera cambia los adjetivos en sus sucesivas revisiones. Mediante este proceso, el poeta intenta incrementar la potencia de su imitación. La discusión del teórico sobre esta técnica trata, como tantas veces, sobre la relativa prioridad de la palabra y de la cosa, y sobre la posibilidad del lenguaje superfluo. Comienza Escalígero por defender, de manera característica, que aquellos que piensan que el epíteto se da sólo en la elocución están equivocados: también está en el propio objeto, como cuando decimos de un hombre que es leal o justo. El ejemplo clásico (citado más adelante) es, por supuesto, el del «pius Aeneas». A la inversa, el epíteto está en el habla cuando el poeta lo usa para un propósito específico: la amplificación, la disminución, la perífrasis. Un ejemplo de la última podría ser cuando el poeta llama a un "hombre fuerte" «hombre de fuerza maravillosa» (p. 118). Estos ejemplos vuelven a aparecer en Herrera, y merece la pena señalar que, como en el caso de la *eficacia* en su conjunto, la plenitud «natural» invocada es en sí misma un artefacto cultural, basado en nociones heredadas del macho y de la hembra: los hombres son esencialmente (y no accidentalmente) fuertes, leales y justos, y las elaboraciones verbales del poeta no pueden afectar esta verdad fundamental. Según es el caso tan a menudo, los ejemplos presentados como «naturales» están ya «preñados» de significación cultural. También adopta Herrera la división que Escalígero hace de los epítetos de acuerdo con el tiempo pasado, presente o futuro: así «miserrima Dido», referido al futuro suicidio, «sitúa las cosas delante de nuestros ojos». Ambos críticos trazan una distinción entre los epítetos necesarios e innecesarios; los últimos, gratuitos en la disposición verbal; los primeros, que implican causa lógica o justificación. Sin embargo Herrera, a diferencia de Escalígero, defiende explícitamente el uso de epítetos redundantes en la poesía: todos sabemos que la nieve es blanca, o que el sol es dorado, pero en poesía tal exceso produce «gracia». Un descuido de la pluma (o quizás un fallo de la memoria) resulta relevante aquí. Escalígero elogia la fuerza de la metáfora «ferreum pectus», "pecho de hierro". Pero Herrera alaba la eficacia de la metonimia «ferreus ensis», "espada de hierro". Una vez más el ejemplo sugiere una comprehensión de la retórica como lucha violenta entre los hombres. Quizás es más importante que Herrera parezca más dispuesto a permitir el uso redundante injustificado por cambio conceptual. La causa de su ansiedad parece ser una sensación creciente de la insuficiencia de las palabras para comunicar las cosas que pretenden representar. Los epítetos deben usarse, dice Herrera, cuando buscamos fuerza y significado en los nombres de las cosas y no podemos encontrarlos (H-82, p. 344). El lenguaje llano es ahora sentido como carente de la fuerza que el poeta busca comunicar, y el propio término deber ser amplificado por las palabras que se le añaden (*adjecta*).

El acceso inmediato de Escalígero al contenido a través del lenguaje, su (si bien intermitente) fe en la eficacia sustancial de las propias cosas, es reemplazado, en parte, por una creciente conciencia del lenguaje como algo deficiente o incapaz, que requiere la hábil asistencia del retórico para restaurar su potencia perdida. Y esta sensación de deficiencia vuelve una y otra vez en pasajes clave de la estética de Herrera. Sin embargo, así como el epíteto es a la vez apropiado y redundante, así también el estatus de esta deficiencia permanece sin decidir, estando alternativa y simultáneamente presente y ausente. Ya hemos apuntado alguno de estos pasajes en el capítulo precedente. Por ejemplo, en sus observaciones iniciales afirma Herrera que la lengua española no sufre de pobreza o de carencias, sino que es, al contrario, plena y abundante, provista de todos los ornamentos y joyas que pueden hacerla noble y estimada (p. 307). Sin embargo, en la misma frase sugiere que una preocupación excesiva por los asuntos de estado ha dejado a la lengua española ignorante o desnuda de la propiedad literaria y ha sido la causa de que la poesía languidezca en una oscuridad ignorante. De este modo, la erudición de Herrera llena un vacío en un castellano necesitado y, al mismo tiempo, constituye un exceso con respecto a una lengua ya autosuficiente e integral. Es suplementaria. De la misma manera, en la primera nota sobre el soneto, se nos dice que el contenido debería ser tratado en un lenguaje llano para parecer «apropiado» y «nativo» (H-1, p. 308). Sin embargo, el lenguaje llano resulta precario y requiere el arte del poeta para recuperar su plenitud. El artificio, una vez más, es, al mismo tiempo, esencial y excesivo, intrínseco y extrínseco. Esto conduce una vez más a la manoseada cuestión de la «claridad». En un tercer pasaje leemos que la *claridad* pertenece a la esencia y que no debe verse comprometida: si no se da la claridad, entonces toda la gracia y belleza también se pierden (H-78, p.342). Sin embargo, la oscuridad debe también ser elogiada, siempre que se produzca *in re* antes que *in verbis:* la oscuridad que procede del sujeto o del significado oculto es elogiada y altamente valorada por los *cognoscenti;* pero no debería hacerse más difícil mediante la oscuridad verbal: la oscuridad conceptual es suficiente. La distinción entre la "buena" y la "mala" oscuridad es bastante similar a la que más tarde establecería López Pinciano. Y, como vimos en el capítulo anterior, la elusiva diferencia entre la dificultad verbal y la conceptual será un tópico de la controversia sobre Góngora cuarenta años más tarde.

Parece que estamos bastante lejos de la transparencia de la dicción y del contenido que, en Escalígero, asegura el más alto grado de eficacia. Sin embargo, como ya he sugerido, esta reflexiva, recíproca lógica en la que los opuestos "habitan" unos en otros se prefigura en el juicio de Escalígero sobre la naturaleza como, a la vez, fuente original y expresión imperfecta del arte con el que se le obliga a competir. Así pues, la amplificación de Herrera, su elaboración sensorial, no pueden ser «redundantes» en el sentido usual del término. Bernard Weinberg afirma de los teóricos italianos de la década de 1570 que «de una manera creciente, los escritores ven como uno de los componentes necesarios de la imitación una suerte de elevado y vívido retrato que apela a los sentidos más que al intelecto» (*History,* p. 633). También para Herrera, que escribía en el mismo periodo, lo pictórico-gráfico es una necesidad, llena una ausencia percibida en el tejido textual que ya no puede ser confiada al prestigio de una naturaleza inmutable y de un lenguaje moderado y prudente. Como en Quintiliano y en Garcilaso los medios lingüísticos que producen la *enargeia* son el suplemento esencial por el que la propia presencia es figurada. Herrera es como la osa en el emblema de Covarrubias: por mucho que lama y lime su progenie poética, afirma que está llevando a cabo una función más natural que artística. La amplificación de Herrera produce a la vez presencia y ausencia: comunica el objeto poético al lector de manera más vívida, al tiempo que debilita nuestra sensación del poeta como una voz individual, que habla. Cuanto más se consigue que la dama cósmica resplandezca en el minúsculo y convexo espejo del soneto de Herrera, tanto

más el propio poeta (amante de la dama, autor del poema) es excluido del mismo espacio textual. Como veremos, este problema se
intensifica mucho en Góngora.

2.4. GÓNGORA Y LA AUSENCIA

Si Garcilaso ha sido considerado por críticos tradicionalistas
como el poeta de la presencia íntima y Herrera como una voz
«genuina», distanciada, no obstante, por una excesiva erudición,
entonces Luis de Góngora ha sido con frecuencia leído como el
poeta del vacío mismo, de la absoluta e incomprometida ausencia.
En su influyente estudio sobre la controversia de las *Soledades* y de la
"poesía nueva", Menéndez y Pelayo defiende (con Jáuregui y otros
críticos del siglo XVII) que el error de Góngora no reside en la extra-
ñeza de sus ideas, sino más bien en la bajeza y la vacuidad de sus
palabras. [21] Este juicio depende, por supuesto, de la presunción
(común a todas las épocas) de que "res" y "verba" pueden separar-
se sin perjudicarlos, y que el contenido debe preceder a la expresión
linguística. El crítico es así libre de mirar «detrás» de las palabras del
poeta. Para Menéndez y Pelayo, el poema de Góngora carece de la
sensación de interioridad esencial para la excelencia de la poesía y
se reduce a una mera sombra. Afirma que no tiene contenido, ni
poesía interna, ni emociones, ni ideas. Es mera apariencia, totalmente desprovisto de «alma». La carencia de pensamiento y de contenido se asocian aquí a la falta de emoción, suponiéndose que, como
en Escalígero, un objeto de imitación suficientemente prestigioso con-
moverá al lector sin recurrir a la ayuda adicional y comprometida del
lenguaje. Góngora intenta remediar una falta de contenido con una
dicción superflua. Menéndez y Pelayo afirma que, con el lenguaje
extravagante, Góngora intenta llenar la ausencia de todo, incluso su
habilidad previa para describir la naturaleza. La ausencia material
parece aquí anterior al exceso lingüístico que busca llenarla, y sugeriré en mi conclusión que una conciencia del origen como ausencia
es la "causa" eficiente o instrumental de cualquier retórica de la presencia. Por supuesto, sería fácil atacar la supuesta ingenuidad de un

21 *Historia de las ideas estéticas en España* (Santander, 1947), ii, 329.

crítico que lamenta que un poeta carezca de «alma». Más importante es tratar de descubrir por qué el crítico se siente defraudado por el poeta. Parece probable que no coincidan en los términos que cada uno presta a su propia versión del contrato mimético.

La imagen de Góngora como el poeta de la ausencia personal persiste incluso después de su rehabilitación en 1927. En 1961 escribía Dámaso Alonso que Góngora no es ya «nuestro poeta». Hoy en día los escritores buscan la reproducción inmediata de la naturaleza y la comunicación directa de la emoción: si por ellos fuera, ofrecerían vida sin ningún intermediario y conmoverían el corazón humano con cualquier material que les viniera a las manos. [22] Así como Alonso había atribuido el carácter pictórico de Garcilaso a un temperamento singularmente moderno, asimismo aquí se apropia del objetivo tradicional de la retórica para un único momento del siglo XX. Cronológicamente distantes de Góngora, que permanece prisionero del siglo XVII, también estamos espacialmente alejados de él, «más cercanos» a Fray Luis, San Juan o Quevedo. Góngora es un gran artista, pero no puede conmover a los lectores en la medida en que éstos son capaces de emociones morales (p. 250). El concepto de «emoción moral» es oscuro; pero delata la frustración sentida incluso por el lector más sensible cuando parece que un poeta se hace ausente del texto. No obstante, la separación de Dámaso Alonso entre arte y sentimiento habría resultado, a mi parecer, ininteligible para el teórico o el poeta renacentista, para quienes era precisamente lo artístico lo que posibilitaba la afortunada comunicación de la emoción. Si Góngora consiguió lo primero (el arte), entonces lo segundo (la emoción) debería haber sido la consecuencia esperada.

Los puntos de vista de Dámáso Alonso son recogidos y desarrollados por otros críticos. Para Fernando Lázaro Carreter, en 1966, el exceso verbal de Góngora deviene deficiencia personal o ausencia: existe un hueco o vacío en aquellos lugares en los que intentamos acceder a él como hombre. [23] La «magnificiencia» de Góngora excluye, así, aquella ilusión de intimidad buscada por el crítico que tiene predisposición psicológica. Aunque críticos así son, por lo general, fieles al criterio de la intención del autor, rara vez dejan de preguntarse

---

22 *Góngora y el «Polifemo»* (Madrid, 1961), 250.
23 *Estilo barroco y personalidad creadora* (Salamanca, 1966), 143.

si el escritor que produjo versos tan complejos e intrincados podría haber tenido la intención de ofrecer al lector una descripción simple o directa de sí mismo. El punto de vista de Emilio Orozco Díaz es ligeramente diferente. Sugiere, en 1969, que el arte de Góngora no es sólo el de una alienación natural, el de un puro esteticismo «alejado» de la vida real.[24] Por debajo de la superficie del lenguaje del poeta subyace la materia orgánica de la experiencia vivida: la vida «late» incluso debajo de las metáforas más artificiales de Góngora. Sin embargo, las propias metáforas de Orozco Díaz son contradictorias. Si el arte está por encima de la vida, también está fuera de ella: Orozco defiende que el arte envuelve la vida, pero no la ahoga. Citando al propio Góngora, Orozco llama al texto poético «corteza». Esta sugerencia de una interioridad natural, orgánica, negada a Góngora por críticos como Dámaso Alonso, se apoya en el «pneuma», la ocupación metafísica de la materia por la inspiración o aliento del poeta. Orozco defiende que el contenido de Góngora tiembla y nos hace temblar a nosotros cuando está inspirado por el alma del auténtico poeta. Como en el caso de Menéndez y Pelayo, sería fácil poner en tela de juicio semejante crítica. Lo que resulta más interesante es apuntar qué efectos metafísicos de este tipo pueden ser producidos incluso por un poeta tan «difícil» y oscuro como Góngora.

Así pues, para algunos lectores del siglo XX Góngora consigue un efecto de «presencia», mientras que para otros esto no es así. Sin embargo, esta confusión no resulta sorprendente, cuando consideramos que aquellos rasgos lingüísticos extravagantes que los críticos modernos tienden a encontrar «distanciadores» son, precisamente, aquellas técnicas que los teóricos renacentistas recomendaban para la consecución de la inmediatez gráfica, y que fueron empleadas para este mismo propósito por poetas españoles desde Garcilaso en adelante. Podría argüirse que Garcilaso y Herrera están tan «ausentes» de su poesía como Góngora. Pero esto no significaría negar que la poesía de Góngora es diferente a la de sus predecesores, sino, más bien, retomar la sugerencia de Dámaso Alonso de que la novedad de Góngora es de cantidad, más que de cualidad. Elementos ya presentes en las obras precedentes se acumulan y se concentran en la obra de Góngora. Para Alonso, el gongorismo encierra toda una

24 *En torno a las «Soledades» de Góngora* (Granada, 1969), 38.

tradición literaria: es la síntesis e intensificación de la lírica renacentista.[25] La diferencia entre Góngora y sus predecesores no es, por
tanto, absoluta, sino relativa.

La tendencia a la acumulación en Góngora es apuntada por críticos de su misma época. Sin embargo, la polémica del siglo XVII, a
pesar de toda su pedantería y convencionalidad, revela a veces un
acercamiento más complejo que el de los críticos modernos, quienes
son al mismo tiempo rígidamente prescriptivos y fluidamente impre-
sionistas. En el capítulo anterior mencioné una contribución al debate sobre el gongorismo, los *Discursos apologéticos* de Pedro Díaz de
Rivas. Los cuatro grandes cargos hechos contra Góngora (y refuta-
dos por Rivas) implican todos un lenguaje superfluo: el exceso de
palabras raras, de tropos y de hipérbatos, y la oscuridad estilística
que resulta como consecuencia del uso de estos recursos verbales
(*Documentos gongorinos*, p. 35). En cada caso la defensa se basa, como
en Herrera, en la necesidad del uso. En la lista de cargos menores,
el final es la propia redundancia. La respuesta de Díaz es la siguiente: afirma que Góngora no es redundante en su lenguaje, sino brillante y ornamental, rivalizando de esta manera con los más nobles
poetas y oradores en su fertilidad, abundancia y «pintura» (p. 65). El
catálogo que Díaz hace de los nombres, como aquel que hizo Menéndez Pelayo, revela esas asunciones normalmente inexpresadas y esas
equivalencias que constituyen la base de cualquier estética. Si una vez
lo superfluo lingüístico llevó a la oscuridad, ahora es brillante y decorativo. La abundancia y el carácter pictórico se yuxtaponen, indicán-
dose así que, como en Quintiliano, la «evidentia» es siempre excesiva. La justificación final de Díaz para la redundancia es el ejemplo
autorizado de escritores anteriores. La imitación del arte antes que de
la naturaleza que veíamos apuntar en Escalígero y desarrollarse en
Herrera es aquí dominante sin género de duda. El exceso gráfico de
Góngora se configura, entonces, como un elemento necesario y cons-
titutivo de su arte, el producto natural de un proceso continuado de
elaboración lingüística. Como en el caso de Luis Carrillo, el ornamento poético es para Góngora decorativo y funcional al mismo tiempo. Es un «arreo»: algo que cubre al desnudo animal poético y que,
al mismo tiempo, lo lleva allí donde el poeta quiere.

---

25 *La lengua poética de Góngora* (Madrid, 1935), 219-20.

Una lógica (o ilógica) bastante similar de lo suplementario aparece en el prólogo de Salcedo Coronel a su comentario sobre las *Soledades*. Admite que muchos han atacado a Góngora por su oscuridad, y no es que él defienda la oscuridad como positiva; pero debe ser elogiada en Góngora, porque Góngora ha «ilustrado» la lengua con expresiones, tropos y figuras nunca usados por poetas castellanos.[26] La oscuridad no puede ser buena, pero tampoco puede ser mala en algunos casos. Ciertamente, conduce, paradójicamente, a ilustrar la lengua, a suplir una deficiencia no satisfecha por poetas previos. Y como tan a menudo sucede en el discurso crítico, el llamamiento al uso de metáforas medio borradas basadas en la luz y en la oscuridad es persuasivo pero inconsistente desde un punto de vista lógico. El giro peculiar de la argumentación nos recuerda al que se produjo en Herrera muchos años antes a propósito del mismo tema. Parece que el hueco que se percibe en la cultura literaria española permanece constante a pesar de la mucha erudición poética (excesiva y esencial al mismo tiempo) que busca cerrarlo. La mayoría de los críticos modernos han tendido a alabar la naturaleza y la claridad y a denunciar el arte y la oscuridad, sin examinar las pre-concepciones implícitas en cada una de las parejas de términos. Se cree que los primeros aseguran y los segundos debilitan aquel sentido íntimo de lo «real» que se supone es el objetivo del poeta. En el Siglo de Oro, por otra parte, los términos críticos son peligrosamente volátiles. Van de un extremo a otro del paradigma, de manera creciente a medida que pasa el tiempo. Esta inestabilidad deriva en último lugar de la sempiterna rivalidad entre arte y naturaleza, del énfasis oscilante sujeto a dos «bienes» gemelos irreconciliables. Así pues, si Góngora escoge el arte y no la naturaleza como objeto de su imitación, eso no significa que esté «distanciándose» o «ausentándose» de lo real. Más bien confirma la sugerencia que hice en el capítulo anterior, en relación con López Pinciano, de que cualquier imitación simple o primaria de la naturaleza es imposible.

Todas estas cuestiones pueden parecer abstractas, pero no son teoría pura. Se introducen directamente en el poema, como veremos en el análisis del soneto que aparece líneas abajo. Como los poemas que seleccioné de Garcilaso y Herrera, es una canción en alabanza

---

26 *Soledades... comentadas* (Madrid, 1636), fo. ++ r-v.

de una dama, en este caso se trata de la reina Margarita de Austria (muerta en 1611). El poeta pretende inmortalizar su recuerdo dirigiéndose a su tumba.

> Máquina funeral, que desta vida
> nos decís la mudanza, estando queda;
> pira, no de aromática arboleda,
> si a más gloriosa Fénix construida;
>
> bajel en cuya gabia esclarecida
> estrellas, hijas de otra mejor Leda,
> serenan la Fortuna, de su rueda
> la volubilidad reconocida,
>
> farol luciente sois que solicita
> la razón, entre escollos naufragante,
> al puerto; y a pesar de lo luciente,
>
> obscura concha de una Margarita
> que, rubí en caridad, en fe diamante,
> renace a nuevo Sol en nuevo Oriente. [27]

Los versos iniciales ejemplifican aquella cualidad de movimiento detenido que los retóricos atribuyen a la «enargeia»: la tumba es estática, pero proclama, sin embargo, la movilidad incesante de la vida mortal. Los repetidos apóstrofes, los tiempos presentes y los pronombres personales, y la esquemática y abstracta topografía se combinan para producir los tres modos de la inmediatez de un modo totalmente tradicional. Sin embargo, existe una intensificación y una acumulación extremas de los medios elevados, que ya vimos desarrollados de alguna manera menos acusada en Herrera: el hipérbaton, el encabalgamiento, el vocabulario «luminoso» y la epítesis. Los comentarios sobre este poema sugieren al mismo tiempo la amplitud y la especificidad de la referencia al mundo natural implícitas en la poesía de la época. Por ejemplo, las «estrellas» en el mástil alegórico del barco (esto es, las velas de la tumba) son a una vez el fuego de San Telmo, y Cástor y Pólux, símbolos cristianos y paganos respectivamente de protección meteorológica en tiempo tormentoso. [28]

27 Texto de los *Sonetos completos,* ed. Biruté Ciplijauskaité (Madrid, 1969), no. 138.
28 *Obras... comentadas,* ii (Madrid, 1649), 722.

En su densidad, alcance y condensación el poema podría ser visto como «máquina» maravillosa que busca detener el tiempo y abarcar el mundo con la brillante materialidad de su presencia lingüística. Como la Égloga Tercera de Garcilaso (pero de un modo bastante diferente), el soneto puede verse como un testamento: un gesto poético que busca en vano suplir la ausencia siempre renovada por la muerte. Y como el soneto de Quevedo que examinamos en la Introducción, el poema de Góngora utiliza la figura de la metalepsis: las velas reales se convierten en estrellas figuradas, y esas estrellas, a su vez, devienen héroes míticos. Pero, una vez más, la cadena de la sustitución o del desplazamiento no ofrece salida a la condición de la vida mortal. Así como la rueda de la fortuna debe finalmente descansar, así el propio poema encuentra su final y su origen en la extinción del individuo.

En los tercetos, luz y oscuridad se hacen coincidir cuando se compara la tumba con una concha que guarda dentro una perla. El comentarista explica que la concha es oscura por la tristeza de la muerte, pero brillante por la certeza de la vida eterna que va a llegar. La condición esencial de los contrarios (esto es, la imposibilidad de que ambos ocupen el mismo espacio) es así deliberadamente violada en la expresión poética de esta paradoja. [29] Hemos visto esta connivencia de luz y sombra (de claridad y oscuridad) en las defensas teóricas de Góngora; pero ni es peculiar de esta controversia local ni, ciertamente, de España. En los trabajos críticos de Torquato Tasso la oscuridad de un ornamento crecientemente amanerado había ya sido considerada como valor positivo y como el suplemento necesario para un lenguaje heroico insuficiente. Tasso defiende su propio estilo «extraño» o «nómada» diciendo que si parece que un texto pierde en claridad, eso resulta parecido a esa oscuridad que incrementa la nobleza ("l'onore") mediante la sombra ("l'orrore"), no sólo en los templos, sino también en los bosques. [30] El valor negativo de la oscuridad tiene aquí el efecto positivo de la gravedad, y la claridad y la naturaleza no están ya asociadas mecánicamente. La oscuridad que ahora se precia en el arte es percibida

29 Véanse las *Anotaciones*, donde Herrera cita la definición de Hipócrates de los contrarios como cosas que no pueden estar juntas (H-409, p. 469).
30 Citado por Ezio Raimondi en «Poesía della retórica», en *Retórica e crítica letteraria* (Bologna, 1978), 123-50 (p. 149).

como constitutiva del propio mundo, y las nobles sombras del templo (obra humana) son igualmente características del bosque (fenómeno de la naturaleza). Mientras los fines tradicionales continúan siendo los mismos, las distinciones en las que se apoyan se hacen cada vez más borrosas. Como en la *Silva* de Pedro Mejía, los bosques poéticos de Tasso y de Góngora toman la naturaleza como ejemplo no del orden, sino del desorden proliferante.

El propio Góngora, desde luego, es el más grande poeta español del mundo natural. Y así como luz y oscuridad se mezclan en el soneto, así también naturaleza y cultura se desplazan una a otra en el claroscuro de las *Soledades*. Como los críticos han apuntado a menudo, las virtudes «naturales» del campo son alabadas en la medida en que remedan las delicias «artificiales» de la ciudad. [31] Yo sugeriría, entonces, que lo que encontramos en la trayectoria de Góngora no es un absentismo progresivo, efecto y causa de un irresponsable exceso de palabras, sino más bien el relleno o suplemento lingüístico de una naturaleza que, cada vez más, se considera que carece de sustancia. Este proceso se relaciona con el deseo de los poetas de elevar la lírica «mediocre» al estatus heroico de la épica de Tasso, apelando a las «elevadas» figuras que tienden a producir brillantez expresiva. En Herrera, recordémoslo, esta función es la que precisamente se defiende para mecanismos como el encabalgamiento. Así pues, la creciente elaboración lingüística es, a una vez, extratextual e intratextual: refleja concepciones variables de la relación entre el poema y el mundo, y entre un poema y otro.

De acuerdo con Anthony Easthope, el momento fundacional de la poesía renacentista inglesa tiene lugar cuando intenta reprimir toda evidencia de materialidad lingüística (el exceso fonético y semántico) y hace de la imitación de una voz que habla la más elevada meta de la lírica. Para Easthope, esta tendencia se acentúa en el siglo XVII, cuando encontramos en la poética un llamamiento explícito a una transparencia lingüística como la meta ideal del poeta. [32] Easthope deduce que ese ideal no es usual antes del siglo XVII. Como hemos visto, desde luego este no es el caso de España. En realidad, el movimiento hacia una creciente transparencia es precisamente el contrario

---

31 Véase p. ej. M.J. Woods, *The Poet and the Natural World on the Age of Góngora* (Oxford, 1978), esp. pp. 156-72.
32 *Poetry as Discourse* (London , 1983), 110-21.

al que hemos caracterizado en este capítulo. El estudio de Easthope plantea la posibilidad, sin embargo, de que la práctica de Góngora (que intensifica en gran medida la sensación que tiene el lector de la densidad y la materialidad del lenguaje) pueda ser más arcaica que innovadora. Es en el romance medieval donde Easthope encuentra un excedente similar de la enunciación sobre el enunciado y del significante sobre el significado (pp. 88-93). Tal vez no sea accidental que Góngora, también, se sintiera atraído por la forma del romance, aunque de un modo altamente sofisticado y consciente. Para Easthope, la aparente impersonalidad del romance (su falta de preocupación por la imitación de la voz del individuo) deja al descubierto contradicciones en la subjetividad, normalmente reprimidas por la lírica posterior: nuestro sentido de la totalidad o integración se basa en disyunciones discursivas e ideológicas, abiertamente mostradas en la textura interrumpida y fragmentaria de muchos versos medievales. Es posible leer la ausencia de Góngora, en este sentido, como una negativa a esa totalidad «imaginaria» en la que los seres humanos se apoyan para sentirse ellos mismos. Esto no es sugerir que Góngora tuviera la intención de comunicar tal conocimiento al lector. Consiste más bien en afirmar que la reflexividad de su poesía (su tendencia a considerarse a sí misma como constructo literario) niega a los lectores la afirmación halagüeña de sí mismos que con tanta frecuencia buscan en el «espejo» del arte.

2.5. LA LÍRICA COMO SUPLEMENTO

La lírica en el Siglo de Oro no evoluciona desde la presencia a la ausencia. Su desarrollo es más bien suplementario: el poeta busca acrecentar la vieja poesía y sustituirla al mismo tiempo por la nueva. Tal y como Escalígero lo proyectó en el siglo anterior, el arte de la poética se expande durante este periodo para abarcar el cuerpo total de las ciencias humanas y naturales. Ya en sus anotaciones a Garcilaso, Herrera trata temas aparentemente tan superfluos como la historia de la artillería; y en sus comentarios sobre Góngora, Salcedo Coronel se presenta a sí mismo como geógrafo, astrónomo e historiador. Las fronteras entre las disciplinas se van difuminando paulatinamente. Igualmente, la propia poesía

revela un mayor compromiso con la particularidad del mundo externo, relacionada estéticamente con la búsqueda del detalle expresivo
asociado con la "evidentia". Así, en el soneto de Herrera las "estrellas" representan los cuerpos celestes en general, pero en Góngora
denotan de manera bastante específica el efecto meteorológico que
los marineros conocen como fuego de San Telmo. El paisaje pobla-
do de las *Soledades,* con sus conejos, cabras y curiosos monstruos
marinos (algo inconcebible en Garcilaso) constituye un caso similar.
Sin embargo, el descubrimiento de la especificidad de los fenómenos
de la naturaleza es también la revelación de su carácter fundamentalmente comprometido y determinado, de su necesaria connivencia
con el arte o la cultura. Esta contradicción (la prominencia, aun a
pesar de su insuficiencia, de la naturaleza) se ve confirmada por el
manifiesto del gusto del siglo XVII de Emanuele Tesauro, el *Cannocchiale aristotelico* (Turín, 1670). En la sección sobre figuras "armóni-
cas" o fonéticas cita Tesauro la recreación de la canción del ruise-
ñor que hace Mario Bettino. Comienza así:

> Tiùu, tiùu, tiùu, tiùu, tiùu;
> Zpè tiù zquà;
> Quorrror pipì
> Tío, tío, tío, tío, tìx... [33]

Y así en adelante. Aquí el arte reproduce la inmediatez sensorial del
sonido natural mediante un modo de imitación aparentemente inmediato. Sin embargo, a pesar de las negativas de Tesauro, el lenguaje
auténticamente "natural" del pájaro o de la bestia se revela aquí
como un imposible. Porque es literalmente incomprensible: ininteligible para los humanos y no acotado por las prácticas significadoras de
su cultura. El canto del pájaro (cuando es copiado por el humano) es
un puro exceso fonético. La anécdota que aparece en la página
siguiente es bastante diferente. Tesauro relata cómo un contemporáneo suyo español ha fabricado una lengua artificial, de cuero, que
puede moverse a imitación del órgano natural. De esta manera enseña a los niños mudos a hablar, supliendo así a sus pacientes, con la
ayuda del arte, de esas palabras que les han sido negadas por una

---

33 Véase la edición facsimilar (Bad Homburg, 1968), 167.

naturaleza deficiente. La fría lengua de Garcilaso, recordémoslo, fue considerada redundante de un modo no natural por uno de sus comentaristas. La lengua de cuero de Tesauro, por otra parte, es totalmente artificial, un ejemplo maravilloso de esa ingenuidad humana que ahora desplaza completamente la voz intermitente y falible de la naturaleza y algo muy análogo a una poesía que, de manera total, suplanta a esa naturaleza en la que, sin embargo, continúa sentando las bases de su derecho a la legitimidad. Como la tinta roja con la que Juan de Valdés, en su traducción de los Salmos, escribía las palabras que no tenían equivalente hebreo, la lengua de cuero se levanta como un icono de la ausencia originaria.

La prioridad del lenguaje sobre el contenido es, entonces, la condición esencial y que posibilita el discurso literario, un factor habitualmente reprimido por muchos críticos, especialmente en los tiempos modernos.[34] La literatura se distingue por un excedente de valor fonético y semántico, y la imitación tiende inevitablemente a desplazar su supuesto objeto u original. La verdadera preocupación del crítico es el estatus variable de los medios lingüísticos y del objeto dentro de este exceso. Cuando los medios son discretos (como en Garcilaso), el lenguaje se ofrece como transparente y facilita la ficción del acceso inmediato al autor. Cuando son más enfáticos (como en Góngora), entonces el propio lenguaje es, provisionalmente al menos, desautomatizado, y su función representativa no puede darse ya más por hecho. El conocimiento de un origen ausente (la imposibilidad de que el autor habite en sus palabras) es así ocultada por el discurso "natural" y acentuada por el discurso "artificial". Una vez más, lo redundante tiene un efecto positivo al señalar el carácter necesario de la escritura tomada como un todo. Por otra parte, la creciente elaboración verbal puede ser experimentada por un lector reticente como la intolerable imposición de un lenguaje opaco por parte de un autor tiránico. Parece que la virulencia de los ataques contra Góngora, pasados y presentes, corroboraría este hecho. Como ya advirtió Escalígero, el poeta del exceso es más temido que amado, el estilo "natural" provoca una respuesta más afectuosa porque es

---

34 Una posible excepción a esta regla es el Formalismo, con su énfasis en la literariedad que la distingue del lenguaje común. Para una crítica a la relación entre la prioridad textual y la significación, véase Terry Eagleton, *Criticism and Ideology* (London, 1978), 78-9.

provocada de forma menos obvia. No es casual que los ejemplos (tomados de Escalígero) que da Herrera de epítetos "in re" e "in verbis" sean "un hombre fuerte" y "un hombre de fuerza maravillosa". La habilidad retórica es una lucha continua por el dominio, punto éste implícitamente reconocido en los ejemplos de la "efficacia" que da Escalígero: la madre desconsolada y el soldado viril. Góngora ostenta su potencia verbal frente al lector, mientras que Garcilaso quiere ocultarla dentro de la suave superficie de su cuerpo textual. Ambos caminan en la cuerda floja poética entre la ostentación y la languidez, aunque sus definiciones respectivas de estos términos habrían sido bastante diferentes. Sin embargo, si Garcilaso es más prudente que Góngora, no por eso resulta menos artificial.

Sin embargo, como veremos en el capítulo sobre el teatro, la virtud de la prudencia es tan compleja como la de la eficacia. En su capítulo sobre la prudencia Escalígero empieza por definir esta virtud como la anticipación de la circunstancia futura. Su primer ejemplo (típico en él) es el de un comandante militar que guía a sus tropas de tal modo que asegura la victoria, incluso si su preparación no tiene precedente en campañas previas (p. 113). La transferencia de este modelo al poeta es más compleja. Al principio Escalígero continúa la definición tradicional de decoro: el poeta prudente puede representar cualquier afecto (incluyendo la "lascivia") siempre que lo haga en el momento y el lugar precisos. Continúa advirtiendo que así como la imitación debería permanecer cercana a su objeto, así la constancia debería ser la compañera de la imitación. Sin embargo, ¿qué sucede si el poeta busca imitar un objeto inconstante? Los ejemplos de Escalígero son los ligurios (notorios mentirosos) y las mujeres (conocidas por su mutabilidad). Los primeros, dice, son pulpos (quizás por su multiplicidad); las segundas son camaleones (sin duda porque no se puede confiar en ellas). Escalígero resuelve el problema que ha suscitado afirmando que el poeta prudente debería ser constante incluso en su representación de la inconstancia. Pero lo que parece más importante es que este pasaje no es la conclusión, bastante superficial por otro lado, sino el sentido de ansiosa sospecha que sugiere con respecto al carácter volátil del mundo fuera de la concepción tradicional del decoro literario: ciertas realidades (los ligurios, las mujeres) no se someten a la imitación ordenada. Parece posible, entonces, que el creciente exotismo y extravagancia de la lírica posterior a Escalígero refleje una conciencia entre los poetas de que no hay adecuación apropiada entre poesía y naturaleza; que, en verdad, cuanto más intenta la poesía reproducir la múltiple diversidad del mundo, tanto más debe reconocer su fracaso al hacerlo. El espacio de las *Soledades*, por ejemplo, radicalmente engañoso y oscilante, señala un punto en el que los ligurios y las mujeres están en completo control.

Puede muy bien ser verdad entonces que, a medida que la lírica del Siglo de Oro se desarrolla, el arte, hasta cierto punto, sobrepasa a la naturaleza, el ornamento a la llaneza, la oscuridad a la claridad, y los "verba" a la "res". Sin embargo, las distinciones son problemáticas y las características finales ya aparecen en Garcilaso y Escalígero. La misma terminología parece recurrente en críticos de todos los tiempos. Sin embargo, la mayor sofisticación de algunos lectores del Siglo de Oro se basa en su rechazo (o incapacidad) para prestar un valor restrictivo o privativo a una mitad del paradigma. Para ellos, cada uno de los términos puede ser bueno y malo simultáneamente, y ninguno puede estar totalmente ausente o totalmente presente. Así pues, la lógica de la poética, como tal, debe ser copulativa (adicional) y no disyuntiva (alternativa). Como ya hemos visto, los opuestos tradicionales definen el campo de la investigación crítica y de la práctica poética, pero proporcionan un modelo deficiente para ambas. Porque lo que se pierde es el suplemento del artificio o de la factura poética, ese valor del exceso otorgado al poema por el poeta que es, al mismo tiempo, esencial y extrínseco, y que sirve para distinguir la poesía del habla común, cuya materia lingüística comparte. El motivo escondido de la "enargeia" o "evidentia" puede, en verdad, ser el intento por aplazar la muerte mediante el refuerzo, en palabras de Herrera, de una "perpetuidad de la representación". Si esto es así, entonces los poemas tratados en este capítulo pueden ser considerados ejemplos de esta función. Pero una lectura atenta de la teoría del Siglo de Oro, aun con sus preconcepciones bastante diferentes a las de los críticos modernos, nos enfrentan con verdades que podemos preferir ignorar: que la poesía nunca es inmediata; que la relación entre el autor, el texto y el lector es inevitablemente parcial y determinada; que la retórica de la presencia a la que aspiran los poetas y que anhelan los lectores es negada en el mismo momento de su proposición por la multiplicidad de intentos que se hacen por teorizarla y ponerla en práctica.

He subrayado el hecho de que el desarrollo esbozado, desde Garcilaso a Herrera y a Góngora, es necesariamente discontinuo e intermitente. Pero se mantiene, sin embargo, sobremanera esquemático. Si introducimos a un cuarto poeta en el esquema, el efecto se descabala en buena medida. Lope de Vega nació cincuenta años después de Garcilaso, pero, incluso en mayor medida que su predecesor, es considerado por muchos como el que ofrece la "voz" más auténtica y natural de la lírica del Siglo de Oro. No obstante, un estudio reciente ha demostrado que esta consideración tradicional de Lope es errónea y que sus sonetos revelan contradicciones lingüísticas y psicológicas similares a las que he señalado en los otros poetas. Para Mary Gaylord Randel, la espontaneidad ostentosa de Lope no es, en modo alguno, "inmediata". Por ejemplo, Lope desnuda su alma frente al lector, pero sólo puede hacerlo tomando prestadas las palabras. Su llamamiento a la sinceridad personal se contradice con la conciencia artística de sus versos y, de este modo, produce el preocupante oxímoron de una "confesión imitativa".[35] Igualmente, Lope se muestra muy receloso del lenguaje figurativo (que él asocia con la adulteración de la lengua apropiada) y, al mismo tiempo, totalmente consciente del poder viril de la metáfora (el acto de la apropiación) (pp. 229-31). Esta vacilación lingüística reduce a Lope, padre orgulloso de un abundante caudal poético, al estatus de adulterador o padrastro. No puede dominar los textos que ha producido, que prueban ser de modo vergonzoso fragmentarios y discontinuos. Lo que es más, esta indeterminación se reproduce en el lector: "Nuestras contorsiones críticas parecen destinadas a remedar las acrobacias textuales de su poética personal, que nos mantiene suspendidos junto con sus "poemas-hijos" en medio del aire, en un incesante oscilar hacia delante y hacia atrás, entre el hombre y sus máscaras» (p. 246).

La incapacidad de Lope para conseguir (o su falta de disposición para comunicar) una personalidad integrada, auténtica, es, por lo tanto, similar al de otros poetas que ya hemos examinado. Asimismo, se confirma la verdad del "dictum", tan a menudo repetido por Lacan, de que "el deseo es deseo de (o para) el Otro". La cuestión planteada por el poeta lírico no es la de "¿Qué es lo que quiero?",

---

35 «Proper Language and the Language as Property: The Personal Poetics of Lope's *Rimas»*, *MLN*, 101 (1986), 220-46 (p. 224).

sino la de "¿Qué quieren (el lector, la persona a la que me dirijo, el poeta modelo) de mí?" Las rigurosas convenciones impuestas por la lírica renacentista y la sensación de presión ejercida por las obras de los grandes maestros de épocas anteriores ayudan a explicar la aparente paradoja de que el género en el que la presencia-hacia-uno-mismo se cultiva es, también, aquel en el que la alienación de uno mismo no puede ser reprimida. Difícilmente podría ser de otra manera, cuando las formas de la más íntima subjetividad están dictadas por la autoridad externa. Así pues, los "aquí y ahora" del poeta deberían ser leídos como un «siempre ya»; la experiencia amatoria es un territorio completamente familiar, trazado incesantemente por generaciones anteriores; su deíctico es impotente o hueco. Y éste es, en particular, el caso de España donde, como ya vimos en el capítulo anterior, existe una incesante ansiedad con respecto a la relación entre la cultura nacional y la importada, ansiedad que todavía se siente hoy en día. En la introducción a la antología de lírica tradicional española, Dámaso Alonso afirma que Garcilaso es el primer poeta europeo moderno y que Lope es el primer poeta en Europa que fusiona vida y obra en una unión experiencial.[36] El deseo de Alonso es, todavía, "deseo del Otro": la cuestión que él se plantea no es "¿Qué quiere España de sus poetas?", sino "¿Qué quiere Europa de los poetas españoles?". Pero esta ansiosa sustitución de cuestiones está asociada con una sensación de extremidad o marginalidad que es, al menos en alguna medida, autoimpuesta. Alonso afirma que (con la excepción de Garcilaso) el genio de la lírica española reside en su "desasosiego", incluso en su frenesí (p. xvi). Así pues, para Alonso, la lírica española está, al mismo tiempo, dentro y fuera de la tradición europea: ejemplifica cualidades internacionales (modernidad, autenticidad), pero también encierra peculiaridades nacionales (extremosidad, demencia). Su estatus, una vez más, es suplementario. Sin embargo, la cuestión que debe plantearse ahora es la de cómo los críticos reaccionan ante un género que España, ciertamente, puede reclamar como propio: la novela picaresca.

---

36 *Antología de la poesía española: Lírica de tipo tradicional,* ed. con José Manuel Blecua (Madrid, 1969), pp. xiv-xv.

LA RETÓRICA DE LA REPRESENTACIÓN
EN LA NARRATIVA PICARESCA

3.1. Lo pictórico y la representación

Los problemas que suscita la narrativa picaresca son, a un mismo tiempo, opuestos e iguales a los que suscitaba la poesía lírica. Por una parte, la picaresca niega al lector aquella ecuación directa de voz y persona que le ofrecía la lírica: el «yo» del narrador no puede ser identificado con el «yo» del autor. Ciertamente, como veremos, una característica que distingue a la picaresca es que llama la atención hacia esta división fundamental dentro del sujeto que habla (o, más propiamente, que escribe). Por otra parte, la misma transparencia de esta división permite por parte del lector un nuevo tipo de identificación, y promueve en el texto una nueva clase de presencia. Nos inclinamos a creer, no que Alemán o Quevedo «hablen» directamente al lector (como a menudo se piensa que hacían Garcilaso o Lope), sino que ambos se preocupan por la reproducción de sujetos hablantes coherentes e integrados, análogos a sus supuestos equivalentes del mundo real. La percepción de la presencia en el texto (de un hablante al que el lector tiene acceso inmediato) oscila, así, del registro de la experiencia al de la representación, de la vida al arte. Pero acercamientos críticos a ambos géneros comparten una misma predisposición hacia la intuición directa de lo «real» en la escritura, así como un mismo deseo de someter la propia voluntad a ese imaginario señuelo.

Como es bien sabido, la teoría renacentista (siguiendo la autoridad clásica) presta escasa atención a la prosa narrativa: las tradiciones aristotélica y horaciana se preocupan, principalmente, de la lírica y el verso dramático. La oportunidad de apelar a teorías modernas sobre la escritura y la representación es, pues, mayor en este capítulo que en el anterior. Pero, como espero demostrar, las concepciones retóricas sobre la escritura y la lectura son tan evidentes en la picaresca como en la lírica, y la búsqueda de la crítica moderna de un lenguaje natural que esté en proporción con la experiencia humana está, también, abocada a la frustración. Otro enlace entre los dos géneros es el hecho de que la narrativa picaresca tienda hacia el exceso y la proliferación. De acuerdo con la opinión crítica heredada, el *Lazarillo*, pequeño en escala y modesto en medios, da paso al *Guzmán,* muy «hinchado» en cuanto a la narrativa y al comentario, y al *Buscón,* con su registro hiperbólico y su extrema complejidad lingüística. Más aún, el vasto corpus de la narrativa picaresca producido en España (tanto por el número de obras como por la extensión de las mismas) es sólo comparable con la literatura crítica que se ha acumulado a su alrededor. La abundancia y variedad de esta literatura «secundaria» no sólo demuestra la importancia del género para un público moderno, sino que también sugiere que la narrativa picaresca presenta contradicciones o problemas que continúan sin resolverse y que, en verdad, pueden resultar insolubles.

El objetivo principal de este capítulo es proponer que la mayoría de las aproximaciones críticas, sea cual sea su supuesta base (histórica, lingüística, psicológica), se fundamentan en ciertas preconcepciones faltas de examen, que conciernen a la naturaleza de la representación en la literatura; y que esas preconcepciones se derivan, a menudo, de lo que llamaré «lo pictórico» o «pictorialismo»: es decir, un llamamiento, explícito o no, a las artes visuales o a la imaginación visual como modelo privilegiado de escritura. Propondré un modelo revisado de la representación literaria que, a diferencia de lo pictórico, no suprime las contradicciones inherentes a la picaresca, reduciendo falsamente las obras a una continuidad estética que puede ser consumida sin esfuerzo por el lector moderno, pero que más bien incorporan esas mismas contradicciones dentro del marco de su argumentación. Así pues, mi acercamiento será, necesariamente, teórico y, en cierto modo, de índole abstracta, sin que por eso, espero, se convierta en algo de vocabulario muy técnico. Los textos primarios se ven ya muy acrecentados por la crítica. Puede haber llegado el momento para un tratamiento más amplio de la propia empresa crítica.

La posición que adoptaré aquí, como en todo momento, será ampliamente antihumanística: es decir, estoy en contra del mito del «Hombre» como padre fundador del texto y como sujeto integrado y activo dentro de esa sociedad que se supone va a reflejar el texto. En este punto parto para mi aproximación general de direcciones de la teoría crítica moderna, particularmente de Francia, que, en último término derivan de Marx, Freud y Saussure. Semejante postura puede ser acusada de anacronismo. Pero si esto es así, los críticos «humanistas» son igualmente anacrónicos. Porque los ideales que abrigan no pertenecen ni al Renacimiento ni a nuestra propia época. Antes bien, derivan de un particular momento histórico (la mitad del siglo XIX) y de la forma literaria más caracteristica del mismo (la novela «clásica» o «balzaciana»). Aunque muchos críticos proclaman su adhesión a las convenciones literarias del Siglo de Oro, los conceptos críticos que manejan y los valores estéticos que proponen (sugiriendo por una parte una «unidad» o «integridad» primigenia y, por otra, una «ambigüedad» o «tensión» resuelta con ingenio por el autor) resultan consistentes con el «humanismo» heredado del siglo XIX. Por esto, las herramientas de los estudiosos previos son, necesariamente, objeto de mi propia investigación crítica, y no pueden servir como el instrumento para mi propia lectura de los textos. La lectura que haré intentará revelar y explotar las necesarias precondiciones de la escritura. Y sugeriré que esta estrategia de revelación radical, este rechazo (o incapacidad) para esconder la labor o el proceso de escribir, es, en sí mismo, una característica definitoria de la picaresca como género.

Mi tarea se hace más urgente por la reciente aparición en inglés, en edición revisada y ampliada, de un influyente estudio publicado primero en español: *The Spanish Picaresque Novel and the Point of View (La novela picaresca española y el punto de vista)*, de Francisco Rico (Cambridge, 1984).[1] Se trata de un estudio ejemplar en numerosos sentidos. El profesor Rico presta mucha atención a las circunstancias históricas

1 La traducción inglesa es de Charles Davis en colaboración con Harry Sieber.

de la escritura y a las técnicas formales mediante las cuales los escritores representan a un sujeto que habla y la visión que tiene del mundo. Y, a diferencia de otros críticos menores, no presta especial privilegio al modo «realista» con la sugerencia de que sea «naturalmente» superior a otros modos como la fantasía o la alegoría. Sin embargo, el constante llamamiento a lo pictórico en su estudio tiene ciertas consecuencias generales que están propagadas en la literatura crítica tomada en su conjunto. Por una parte, se piensa que el autor (a través del narrador) ofrece un «retrato» ilusionista de, al menos, un aspecto de lo «real» mismo, por muy parcial o relativo que pueda ser. Por otra parte, este representar el mundo «como un pintor» conduce al crítico a buscar simetría estructural en la trama y unidad psicológica tanto en el personaje como en el autor: la perspectiva se identifica y justifica por la intención autorial. La acentuación del punto de vista, es decir, del individuo como origen de la visión y del discurso, presupone así tanto un objeto concreto y empíricamente verificable «más allá» (lo real como fundamento de las prácticas sociales) como un sujeto coherente y unificado «en el aquí» (el «Hombre» como fuente de experiencia psíquica). Además, existe un movimiento generalizado desde lo puramente formal o estético a lo abiertamente moral o prescriptivo: así, el *Lazarillo* y el *Guzmán* son ejemplos más «afortunados» de la picaresca que el *Buscón,* al no poseer este último esa perspectiva coherente y unificada que el crítico ha discernido en los primeros.

Lo que omite hacer el profesor Rico es realizar un informe crítico del propio «punto de vista». Este es invariablemente presentado como benevolente: unificador, valedero y auténtico. Sin embargo, la apropiación del conocimiento y de la sensación que implica un único punto de vista podrían ser igualmente considerados como insidiosos y opresivos en su refuerzo de la jerarquía y en su despiadada exclusión del desvío. La propia incapacidad de Rico para dirigirse al *Buscón* es un ejemplo de esto. Lo que es más, el «punto de vista» no es un fenómeno natural y universal, sino, más bien, un producto específico e histórico: en el sentido moderno, la «perspectiva» es, por supuesto, desconocida en las artes visuales de la Europa medieval o del lejano Oriente. Lo mismo puede ser cierto con respecto a su equivalente en la narrativa. Si, como sugiere Rico, el «punto de vista» surge contemporáneamente con la narrativa picaresca, entonces resulta tal vez imprudente usarlo en cualquier intento por investigar ese mismo género en el que tan profundamente se implica.

La tesis del profesor Rico se apoya, en último lugar, en la posibilidad de una oposición simple entre el sujeto y el objeto; y de la operación directa del primero con el segundo: el escritor reproduce el mundo en el texto, y el texto, a su vez, reproduce el significado del escritor en el lector. Como veremos en muchos otros críticos, se dice que las contradicciones y discontinuidades en el texto refuerzan tanto la representación ilusionista del personaje como el modelo intencionalista de la creación literaria. Por ejemplo: si las acciones de Guzmanillo y los sermones de Guzmán son inconsistentes, es porque Mateo Alemán pretendió con esta contradicción reforzar nuestra sensación de verosimilitud psicológica de su personaje. Cualesquiera que sean las complejidades de este proceso, el dominio del personaje sobre el entorno y del autor sobre el texto permanece, en opinión de Rico, incuestionable.

Un crítico británico ha tratado, también, de ofrecer un análisis de la prosa del Siglo de Oro cuyo punto de arranque es el de la percepción visual. En dos artículos, R. D. F. Pring-Mill ofrece una lectura interesante, aunque incompleta, del desarrollo de la picaresca y de otros géneros en España.[2] Pring-Mill se refiere alternativamente a la «pintura» y a la «representación», y no parece distinguir entre ambas. Comienza el primer artículo con la simple observación de que «un realismo absoluto es insostenible», y de que toda representación está sujeta a un doble compromiso. El primer compromiso se establece entre nuestra percepción caótica del mundo y el proceso de interpretación mediante el cual la reducimos al orden; el segundo es entre los motivos del escritor y las convenciones dentro de las que debe trabajar. Defiende Pring-Mill que los géneros no naturalistas (que llamaría él «no fotográficos»), como la escritura pastoril o la mística, no son una fuga de lo real, sino más bien un intento por representar el mundo como si se creyese que «realmente» estuviera bajo la superficie del fenómeno sensual (pp. 20-1). La tensión entre la esencia y la apariencia que delatan escritores como éstos conduce a

---

2 «Spanish Golden Age Prose and the Depiction of Reality», *ASSQJ*, 32-3 (1959), 20-31; «Some Techniques of Representation in the *Sueños* and the *Criticón*», *BHS*, 45 (1968), 270-84.

un creciente refuerzo de los recursos de la representación fotográfica, que culmina en los «retratos» desintegrados del *Buscón* y en los «dibujos» incompatibles de los *Sueños* (p. 280). En el segundo artículo defiende Pring-Mill que la verosimilitud fotográfica es un mero señuelo. Cita a Wellek y a Warren cuando dice que no existe una simple oposición entre realidad e ilusión, sólo se da una variedad de modos diferentes en cada una (p. 270). Así pues, si Quevedo «descarta la composición naturalista de la pintura» (p. 279), es con el fin de permitir una reintegración de la «realidad» que se logra en el plano del intelecto, no de la impresión sensorial. Igualmente, las técnicas «emblemáticas» de Gracián son incompatibles con el realismo fotográfico. Pero el *Criticón* «todavía oscila ante nosotros en la página, deslizándose hacia detrás y hacia delante entre los dos planos de visión (la esencia y la apariencia), aunque proporcionando constantemente «signos» para que el ojo que discierne «lea» (p. 284). De este modo, incluso la escritura más antinaturalista no está, en modo alguno, divorciada de lo real.

El estudio de Pring-Mill está sin terminar: presenta sus artículos como el primer boceto de un libro que nunca apareció. Pero ofrece, sin embargo, algunas intuiciones interesantes, que se derivan, sin duda alguna, de la familiaridad del crítico con la retórica. A diferencia de Rico, Pring-Mill no tiene interés en establecer un individuo unificado en el centro del mundo ficcional, sea éste el autor, el protagonista o el lector. Más bien da por hecho que los modos de la representación son múltiples en cualquier momento histórico. Y de nuevo a diferencia de Rico, Pring-Mill tiende a referirse no al «punto de vista», sino al «ojo». Evidentemente, existen problemas en la trasposición de un modelo «ocular» de la percepción desde el mundo de los fenómenos al mundo de la ficción, problemas que no son realmente examinados por Pring-Mill. Pero su, tal vez inintencionada, abstracción del ojo o de la mirada de un testigo particular e individual lo libera de alguno de los prejuicios de otros críticos pictorialistas, que tienden a presentar la visión como criterio natural y fijo de la verosimilitud. Por consiguiente, puede Pring-Mill finalizar su primer artículo afirmando que puede llegar un momento en que el *Criticón* sea tan valorado como el *Quijote:* la predisposición moderna hacia el realismo fotográfico es tan convencional como el recelo del siglo XVII hacia lo que considera una representación puramente superficial del mundo. Allí donde Rico acentúa la relatividad de los puntos de vista, sin llegar al examen del problema de la percepción misma, Pring-Mill subraya la pluralidad de los modos de representación y, de este modo (implícitamente) pone en cuestión el prestigio de la visión como principio universal. Sin embargo, parece improbable que Pring-Mill hubiera emprendido una crítica del pictorialismo y del humanismo convencional que subyace al primero, incluso si hubiera tenido acceso a los teóricos que yo mismo citaré. Su preocupación por la representación como fenómeno histórico variable no llega tan lejos como para cuestionar las fuerzas sociales y subjetivas que producen al Hombre como constructo cultural.

Mi propio punto de partida es más difícil: una retórica de la representación. Con semejante término me refiero a un complejo de relaciones sobrepuestas necesariamente implicadas en la producción de la narrativa. Las tres relaciones principales son las que se establecen entre el individuo y el mundo tal y como es presentado en el texto; entre el escritor y el lector tal y como se implican en el texto; y entre la práctica de la escritura y aquellas prácticas no discursivas necesariamente excluidas del texto. Se corresponden con las tres disciplinas o áreas de estudio (la psicología, la narratología y la política) que investigaré en conexión con las tres obras en las que se centra Rico (el *Lazarillo*, el *Guzmán* y el *Buscón*). Sin embargo, a diferencia de otros críticos, las relaciones que esbozo no son teleológicas sino reflexivas; es decir, que operan no en una dirección (del sujeto al objeto), sino en ambas direcciones simultáneamente, y, así, cuestionan el estatus de ambos términos. De este modo, la subjetividad (la sensación de ser un individuo) es producida por la interacción con el mundo, y no está en manera alguna separada de él ni es tampoco anterior al mismo. Igualmente, el acto de la escritura no se localiza únicamente en el autor, sino que sólo puede ser completado por el lector al que implícitamente va dirigido. Finalmente, la literatura no «refleja» o «retrata» simplemente una realidad social determinada externa a ella, sino que, más bien, participa en esas prácticas sociales a través de las cuales se produce una sensación de lo «real».

Estas relaciones serán demostradas en lo que queda de este estudio. Pero son insuficientes en sí mismas. Lo que también se requiere es una crítica de ese pictorialismo que parece inseparable de nuestra percepción de lo «real» en el arte, y que condiciona nuestro sentido de la «estética» en general. Jacques Derrida ha realizado recientemente una crítica semejante en su obra *La Verité en peinture*.[3] Mientras que las implicaciones de esta obra son muy amplias, su relevancia para mi propia tesis reside en la propuesta que hace de un principio básico de representación que no sólo disuelve los aspectos unitarios y funcionalistas del «punto de vista», sino que, también, resulta peculiarmente apropiado para el estudio de la picaresca. Ese principio es el «marco». En las artes visuales, se considera por lo general que el marco es extrínseco y subordinado a la imagen que encierra: no representa nada y no soporta un valor conceptual ni sensorial. Sin embargo, también es intrínseco y necesario para el proceso de la representación. Sin el marco la imagen estaría físicamente sin delimitar y sería artísticamente inmotivada, en proporción al propio mundo. La imagen es deficiente: carece de finalidad, en los dos sentidos de «completitud» y «propósito», y esta ausencia sólo puede ser suplida por el marco. Además, el marco, a diferencia de la imagen, es material o concreto. Sin embargo, una condición de la representación (al menos para el espectador del siglo XIX) es que no debe hacer ostentación de su materialidad o llamar la atención hacia su propia presencia. Derrida cita a Kant, para quien el «marco dorado» es un ejemplo primario de lo «no estético», de lo que desvirtúa la representación artística y debe ser excluido de la misma (p. 62). La relación que guarda la imagen con respecto al marco en la pintura es, así pues, reflexiva y recíproca: cada uno de ellos determina y es a su vez determinado por el otro. Esta relación puede ser traspuesta, también, a la narrativa picaresca del siguiente modo: el texto ofrece al lector una «pintura» de la sociedad contemporánea que no ha dejado de conmover y deleitar en todas las épocas. Pero, además, presentan un intento muy importante por limitar o enmarcar esta imagen proliferante mediante una representación interna de las condiciones necesarias de la propia narrativa: el narrador se dirige constantemente al lector, específico o general; pone de manifiesto las supuestas causas de su narración y los efectos que espera va a causar ésta; llama la atención sobre el proceso de narrar y sobre su relación con el didactismo. La picaresca es un cuento enmarcado. Y esta

---

3 Publicado en París, 1978. En los párrafos que siguen parafraseo y simplifico en gran medida «Le Parergon» (pp. 44-95).

internalización de las condiciones de la narrativa ha gozado de una variada recepción crítica. La conciencia de estos mecanismos de enmarque no es, de ninguna manera, nueva. Pero yo sugeriría que una atención más cuidadosa a dichos mecanismos no sólo nos recuerda que toda representación (tanto en la narrativa como en la pintura) se ve necesariamente comprometida por restricciones formales y materiales; también tiende a suspender o subvertir algunas de las más importantes fuentes de la controversia crítica con respecto a la picaresca como género, que retomaré en las páginas finales de este libro. En primer lugar, la cuestión del origen y del propósito (del comienzo y del final): ni el marco ni la imagen preceden el uno al otro, sino que ambos se producen conjuntamente. En segundo lugar, el problema de la jerarquía y de la precedencia: el material «secundario» o «extrínseco» puede llegar a ser tan esencial como el que normalmente se incluye dentro de la convención crítica de «relevancia». Elementos generalmente considerados en los márgenes del discurso o de la sociedad pueden dar la clave para sus respectivos sistemas tomados en su conjunto. Para Derrida, el marco es la forma primaria de lo que va a llamar (siguiendo a Kant una vez más) el «parergon»: el término aparentemente secundario y subordinado que, de hecho, resulta esencial para el funcionamiento de cualquier práctica.

Lo significativo del texto de Derrida es, entonces, que nos ofrece la oportunidad de reconsiderar la relación entre el lenguaje y la visión sin necesidad de someternos al señuelo de la presencia o «enargeia». Pero, como siempre, la dificultad de la escritura de Derrida hace que parafrasearla sea una tarea delicada. El mismo título del libro, tomado de Cézanne, abre las puertas a un juego infinito del significado: cuando un pintor promete «decir» la verdad en su pintura, ¿qué quiere decir esto? La verdad de Cézanne sólo se hallará dentro de la pintura de la que, no obstante, se afirma que va a hablar (p. 13). De este modo, el problema peculiarmente reflexivo de la estética es el hecho de que el discurso sobre la belleza es, además, una discursividad dentro de la belleza. Resulta, por lo tanto, imposible usar términos tales como «parergon» como si fueran instrumentos (externos) que sirven para revelar los secretos (internos) de la obra de arte, porque el texto de Derrida no dice en ningún momento que esté «fuera» de los círculos hermenéuticos de los que habla. La primera parte de *La Vérité en peinture* se llama «Passe-partout». Es típico de Derrida que use este término no en su sentido general de «llave maestra», sino en su sentido específico de «montadura flexible de fondo separable». El «passe-partout» no es, en sentido estricto, un marco. Más bien es un marco dentro del marco, que toma un espacio variable entre el borde interior del marco propiamente dicho y el borde exterior de la propia pintura (p. 17). Se alude, así, a lo inadecuado de esas oposiciones binarias (pintura y marco; fondo y figura; forma y contenido) que descuidan o reprimen la asimetría necesaria de la relación entre el lenguaje y la visión: los bordes internos del «passe-partout» son a menudo biselados, cortados en ángulo oblicuo (p. 18). La acción del «parergon», podríamos añadir, es igualmente oblicua.

La principal cuestión suscitada por este discurso sobre el marco es la siguiente: «¿Qué es extrínseco a la obra de arte?». Como sucede a menudo en las lecturas de Derrida, los ejemplos ofrecidos por el autor que sirve como modelo (en este caso Kant) sirven sólo para socavar la coherencia de la argumentación del autor. Hemos visto que un ejemplo del «parergon» es el marco que rodea a una pintura. Los otros dos son las vestiduras que cubren las estatuas y los pilares adjuntos a las fachadas de los edificios (p. 62). En los capítulos anteriores vimos que la ropa es el ejemplo tradicional del ornamento en la poética, y que sirve, como Derrida apunta para el caso de la escultura (p. 66), tanto para decorar como para esconder el cuerpo desnudo. Del mismo modo, no resulta inmediatamente evidente para el espectador si un pilar realiza una función estructural u ornamental en un edificio. Argumenta Derrida que es precisamente la dificultad de sustraer estos elementos «externos» de cualquier sustancia «interna» (por su misma cercanía a la obra principal o «ergon») que los define como «parerga». Llenan una carencia en el «ergon», una carencia de «fuera» (p. 69). De acuerdo con Derrida, la cuestión última suscitada por tales ejemplos es la de cómo podemos explicar la «energeia» (sic), la fuerza vital del efecto estético (p. 83). No podemos hacerlo proponiendo nuevos marcos para el objeto representado, ni buscando la (imposible) abolición del marco (p. 85). Parece que en un momento dado Derrida hace alusión a una alternativa en un fragmento que habla de una «teoría sobre los rodillos»(p. 62). Pero más tarde revela que tal imagen es tomada, una vez más, de Kant, quien la usa como metáfora para los ejemplos insertados por el filosofo con el fin de ayudar a los débiles mentales a entender su argumento (p. 91). Los ejemplos tienen, así, el curioso estatus de rodillos, pues soportan el cuerpo del texto y permiten, además, que éste se mueva hacia delante. Pero esta sensación de una carencia en el texto filosófico se funda también en el propio sentido estético. En una parte posterior de su obra, Derrida trata en extensión dos ejemplos curiosos más, dados por Kant. El primero es el de un tulipán salvaje. La esencia de su belleza deriva de una «finalité sans fin» (p. 97), una organización coherente de medios que es, no obstante, completamente gratuita en cuanto al efecto. El segundo ejemplo es el de un hacha prehistórica que ha perdido su mango (p. 101). Este objeto es la prueba de una finalidad que ha llegado a su final: no puede ya realizar la operación para la que fue creado y es, por tanto, aestético. Derrida glosa los ejemplos de la siguiente manera: la belleza está determinada por la limpieza del corte que separa el objeto de cualquier propósito especifico. El objeto artístico no debe mostrar ninguna huella del proceso por el que fue escindido de lo real. Así pues, el arte no es simplemente redundante o carencial: debe mostrar la carencia como pura e inmotivada (p. 107). Si se considera al tulipán por su función biológica de reproducción pierde su calidad estética; pero si el implemento de piedra es visto ignorándose su función original, entonces gana el estatus de arte que previamente se le denegó. Volveré a esta distinción entre la ruptura pura y la impura en la conclusión de este capítulo, cuando trate de la diferencia entre las novelas picarescas canónicas y otra valorada como un poco marginal, *La pícara Justina*.

El texto de Derrida se preocupa por la estética en general; pero de seguro que no es casual que las imágenes que «ilustran» la discusión sobre el «parergon» se deriven de fuentes de los siglos XVI y XVII: diseños para dinteles ornamentales, fachadas arquitectónicas y «cartouches» decorativos. Porque todas las cuestiones que trata son específicamente históricas. El «marco dorado» es secundario, inferior y excesivo para Kant, pero tal vez no para espectadores y pensadores de otras épocas. Ciertamente, la evidencia de la historicidad del marco es proporcionada por las ilustraciones que se hicieron para las primeras ediciones de las propias novelas picarescas. De este modo, dos de las ediciones originales del *Lazarillo* (1554) representan en su frontispicio personajes de la narración: se muestra a Lázaro con el ciego y con el buldero, respectivamente. [4] Pero en ambos casos los personajes están encerrados dentro de una marco denso y elaborado, frecuentemente omitido en las reproducciones modernas. El frontispicio para la obra de López de Úbeda, *La pícara Justina* (1607) es también muy conocido. Muestra un número de personajes de la picaresca a bordo de un barco emblemático, que es remolcado por Lazarillo en una barca. Lleva un marco más delgado pero no por eso menos prominente, dentro del cual se representa una variedad de objetos asociados con el género: comida, instrumentos musicales, etc. Este «ajuar de la vida picaresca» tiene como finalidad encerrar y delimitar el espacio de la representación. Sin embargo, las ilustraciones a una edición tardía del *Buscón* de Quevedo (1699) son bastante diferentes. [5] No son, en absoluto, ilusionistas: sucesivos episodios son representados dentro del mismo dibujo. Pero el propio marco ha desaparecido por completo, y la imagen puede presentarse a sí misma como ilimitada y no mediata, como si ofreciera al espectador acceso inmediato a las escenas representadas.

Puede ser que esta progresiva desaparición del marco se corresponda, en alguna medida, con el auge de un sistema de representación literaria que aspira al «realismo», suprime el «marco» narrativo y, de este modo, parece que se escribe a sí misma. La picaresca podría, entonces, ser vista como un punto medio en esta transición. El paso «desde la mímesis aristotélica al realismo burgués» es un proyecto demasiado grande para ocuparnos de él ahora. [6] Es suficiente sugerir que mientras la primera presta la misma atención a los medios, la materia y el objeto de imitación, el último se concentra sólo en el objeto. Más relevantes para nuestro propósito son los modos por los que los críticos modernos (como los novelistas realistas antes que ellos) tienden a esconder el esfuerzo empleado en la asimilación de los textos renacentistas y a presentar las cualidades unitarias y pictóricas que han proyectado sobre el texto como la naturaleza intrínseca e inmutable del propio texto. Podemos ahora delinear este esfuerzo invisible o autoborrador en acercamientos críticos al *Lazarillo de Tormes*.

4 Reimpreso más recientemente en la ed. de Antonio Rey Hazas (Madrid, 1984), 50.
5 Reimpreso en A.A. Parker, *Literature and the Delinquent: The Picaresque Novel in Spain and Europe 1599-1753* (Edinburgh, 1967).
6 Véase el artículo así titulado de J. Bruck en *Poetics*, II (1982), 189-202.

3.2. EL *LAZARILLO* Y LA SUBJETIVIDAD

Cualquier lectura del *Lazarillo* sugerirá dos áreas de inseguridad o de posible desacuerdo. La primera es formal: ¿Cuál es el significado (si es que existe alguno) de la desproporción tan evidente entre la longitud de los tres primeros «tratados» y la brevedad del resto; y cuál la que se da entre el minucioso detallismo de la primera mitad y la extrema condensación de la segunda? La segunda cuestión es epistemológica: ¿Qué valor (si es que existe alguno) podemos atribuir a la disyunción que se da entre lo que dice el personaje y lo que dice el narrador? Como veremos, ambas cuestiones se convierten en una sola en los trabajos de los críticos modernos que buscan descubrir tanto la continuidad artística como la psicológica por debajo de lo que consideran una mera fragmentación «superficial» de los registros estéticos y conceptuales del texto.

No resulta sorprendente, por lo tanto, que el artículo que se ha considerado como «el fundamento de toda crítica seria», en lengua inglesa, sobre el *Lazarillo* sea el de F. Courtney Tarr «Literary and Artistic Unity in the *Lazarillo de Tormes*» (1927).[7] En opinión de críticos pictorialistas, quizás sea la unidad el logro más prestigioso, lo que rara vez se pone en cuestión. Empieza Tarr atacando a los críticos de la generación previa (como Chandler y Bonilla) que vieron en el *Lazarillo* «una obra pobre de sustancia e incluso sin terminar» (p. 404). Por el contrario, propone una «continuidad inconfundible» que comienza en los tres primeros tratados, basada inicialmente en el tema o la motivación (el hambre creciente de Lazarillo), y que más tarde se localiza en la intención de guiar y en la creciente habilidad de un autor desconocido: «un plan definido y un firme madurar en la habilidad artística por parte del autor» (p. 412).

En esta concepción la fuerza unificadora del autor es absoluta, pero de alguna manera contradictoria: al mismo tiempo completa un modelo preexistente, con una seguridad que no le supone ningún esfuerzo, y se eleva, al hacer esto, hasta la «madurez» artística del realismo. En otras palabras, el texto refleja su invariable intención y,

---

7 La evaluación es obra de A. D. Deyermond en *Lazarillo de Tormes* (London, 1975), 102; el artículo se encuentra en *PMLA*, 42 (1927), 404-21.

al mismo tiempo, reproduce su variable pericia. El debate se va haciendo progresivamente circular: si el cuarto tratado es breve se debe a «que es una representación adecuada del inquieto fraile» (p. 413). Al fraile se le dedica poco espacio porque carece de relevancia narrativa (o viceversa). La propia brevedad e inferioridad de los últimos tratados es «proyectada» por el autor para encarecer la relativa superioridad de los tres primeros (p. 421). Se resuelve así la inconsistencia formal y se reduce a una integridad inconsútil y «estética», herméticamente cerrada a la práctica social e implacablemente vigilada por la intención autorial.

Críticos posteriores dan por hecho la «unidad» del *Lazarillo*, aunque el modo de justificarla pueda variar de unos a otros. Así, Claudio Guillén (1957) resuelve las «aparentes» discontinuidades de la narrativa apelando a su estatus de «relación», es decir, de historia contada por un individuo.[8] El narrador se proyecta en el tiempo, y habiendo conseguido una integridad o presencia personal en el tercer tratado, resulta «natural» que desaparezca discretamente de una autorepresentación que ya ha logrado su propósito. La «unidad» del *Lazarillo* es, así, acumulativa y progresiva, y sólo puede ser percibida en el movimiento diacrónico del tiempo o del relato, no en el momento sincrónico de la imagen o representación. Raymond S. Willis es más puramente pictorialista (1959), y reduce un relato dinámico a una serie de tablas simétricas.[9] Así, los tratados 4, 5 y 6 forman un «tríptico»: «un gran panel central con dos más pequeños a cada lado que se equilibran, o reflejan netamente uno en otro en longitud, tiempo y estilo»(p. 277). O, de nuevo, la posición de Lázaro al final del relato es la «inversa» de la que tuvo con el escudero, habiendo dado el texto un giro de 180 grados sobre el suave «gozne» del quinto tratado, algo redundante en la crítica temprana, pero que ahora se esgrime como esencial (p. 279). Aquí la diferencia deviene simetría, y la simetría unidad, en un ingenioso

---

8 «La disposición temporal del *Lazarillo de Tormes*», *HR*, 25 (1957), 264-79. Para una crítica reciente sobre la «relación» de Lázaro y sus peligros para el lector, véase M.J. Woods, «Pitfalls for the Moralizer in *Lazarillo de Tormes*», *MLR*, 74 (1979), 580-98. Para una nueva teoría sobre las posibles circunstancias de la «relación» y sus consecuencias para el lector, véase Robert Archer, «The Fictional Context of *Lazarillo de Tormes*», *MLR*, 80 (1985), 340-50.

9 «Lazarillo and the Pardoner: The Artistic Necessity of the Fifth *Tractado*», *HR*, 27 (1959), 267-79.

movimiento de racionalización pictorialista. Para Bruce W. Wardropper (1961), el *Lazarillo* está también dominado por un tipo de inversión asimétrica, en el sentido en que «retrata» las inversiones morales de su sujeto.[10] En 1975 Howard Mancing se hace eco de estos puntos, al revisar el gráfico de Willis que liga el simultáneo ascenso de las fortunas materiales de *Lazarillo* y el declive de su estatus moral, y propone la «dicotomía subir/bajar» como un «sucinto y completo marco dentro del que la vida entera de Lázaro se desenvuelve».[11] Estos esquemas simétricos se imponen, por supuesto, de manera retrospectiva. No se ven alterados por el proceso, con frecuencia desorientador, de la lectura del texto, pero asumen un trascendental «punto de vista» desde el cual todos sus momentos divergentes y conflictivos pueden ser distribuidos y clasificados sin peligro. Parece que el rol del crítico es el de construir, mediante una cuidadosa selección, un paradigma ideal que explicará y corregirá el deficiente e inconveniente sintagma material que es el propio proceso narrativo.

Por supuesto, críticos paradigmáticos no ofrecen este pictorialismo como una representación directa de lo real: maestros como Bataillon y Castro han advertido contra estas ingenuidades hace mucho tiempo.[12] Pero el vigor con el que defienden las virtudes plásticas de la unidad y la simetría se corresponde con la certeza con que buscan resolver las inconsistencias del relato subordinándolas a las figuras del narrador y del autor. Esta reducción se consigue gracias a la presuposición de una situación «real» exterior y anterior al propio texto, con respecto a la cual el texto es un reflejo, de alguna manera necesario, pero deficiente. Por ejemplo, los críticos han especulado mucho sobre la naturaleza exacta de la relación entre Lázaro y el Vuestra Merced al que escribe, y apelan al «caso, pleito» mencionado en el Prólogo como motivo y explicación, al mismo tiempo, de los detalles del relato que parecen excesivos y subordinados. O, de nuevo, los críticos han ofrecido una variedad de lecturas

---

10 «El trastorno de la moral en el *Lazarillo*», *NRFH*, 15 (1961), 441-7 (p. 441).
11 «The Deceptiveness of *Lazarillo de Tormes*», *PMLA*, 90 (1975), 426-32 (p. 430).
12 Véase Marcel Bataillon, *Défense et illustration du sens littéral*, comunicación presidencial de la MHRA (Leeds, 1967), 18-19; *Pícaros y picaresca: La pícara Justina* (Madrid, 1969), 203, 214. Américo Castro, «El *Lazarillo de Tormes*» (publicado por primera vez en 1948), en *Hacia Cervantes* (Madrid, 1967), 143-9 (p. 143).

del tratado final, cada una de las cuales compite por el estatus de
genuina «verdad»: Lázaro es la víctima inocente de un estado cruelmente arbitrario; el desilusionado sujeto resignado a un «status quo»
sobre el que tiene poco control; el cínico malevolente que triunfa al
procurar una posición inmoral pero ventajosa. Elegir cualquiera de
estas interpretaciones como la única «real» es presuponer el interés
del autor en la representación ilusionista del personaje, en la creación de un narrador tri-dimensional con una psique única, unificada y auténtica. Pero, al mismo tiempo, afirmar, con otros críticos,
que el *Lazarillo* es, simplemente, un texto «abierto», el producto del
intento (afortunado) de su autor por reproducir una ambigüedad
moral y evaluativa, es sustentar lo que podría llamarse un «relativismo dogmático». Es decir, el libertario libre juego del texto es, de
hecho, reemplazado y «enmarcado» por la supuesta perspectiva del
autor, que invariablemente trasciende e invalida las inferiores y
subordinadas proposiciones de las voces que crea. Para Rico, las
vicisitudes de Lázaro nos dicen que «no hay valores, sólo vidas-indi-
viduos» (p. 29). Pero esta supuesta negación de valor trascendente
es, de hecho, una propuesta del propio individuo unitario como
principio valedero, la «piedra de toque» por la que lo propiamente
real adquiere significancia. Se propone, así, una subjetividad fija e
incuestionable como el «equivalente universal» del narratario y del
relato, la regla de oro por la que todo valor en la economía ficcional es reforzado. El supuesto carácter engañoso del *Lazarillo* está
invariablemente sujeto a una rigurosa reducción por parte del crítico humanista, y el marco narrativo irónico es confiadamente reclu-
tado para el propósito ilusionista.

Sin embargo, hay insinuaciones en la crítica de que la subjetividad
en el *Lazarillo* no puede darse por hecha, de que su estatus es más radicalmente precario y discontinuo de lo que los relativistas podrían suponer. Así, Castro había sugerido en 1948 (en un estudio en el que de
manera explícita se niega al *Lazarillo* el estatus de «pintura» o «dibujo» de lo real), que la apariencia de intimidad inmediata que sentimos
hacia Lázaro narrador es ilusoria, y que su identidad como personaje
está fundada en la negación: no en el sujeto de la acción, sino el
objeto de la atención de sus maestros, y su esencia social no está tan
formada como deformada. El narratario pone en ejecución, no la integración de un punto de vista o una posición del sujeto coherentes, sino,

antes bien, su aniquilación. [13] Para Guillén, Lázaro, como héroe existencial, se crea a sí mismo en la lucha con el tiempo y con el mundo. Pero este supuesto «triunfo de la voluntad» encuentra una fuente radicalmente ambigua en el tiempo, siendo su posición integrada y elusiva a la vez, presente y ausente. [14] La identidad de Lázaro no tiene unidad esencial, no tiene origen primario. Para Stephen Gilman (1966), el único momento de una presencia integrada en la carrera de Lázaro es la «utopía sepulcral» de su primera noche con el escudero, cuando se ovilla a los pies de su amo como un perro de piedra sobre un sarcófago. De este modo, el logro de Lázaro de una existencia independiente no alcanza su plenitud, sino que se predica de un vacío: la inevitable y omnipotente ausencia que es la propia muerte, y que se revela a través del propio acto del relato. [15]

Un modelo revisado de la subjetividad en la novela se ofrece en un estudio muy amplio: el de Harry Sieber «Languaje and Society in La vida de Lazarillo de Tormes» (Baltimore, 1978). A pesar de su título, el profesor Sieber se preocupa por el lenguaje como práctica semiótica antes que social, como un sistema simbólico de alguna manera separado de las especificidades de la determinación histórica. Así, se considera que el primer tratado representa la iniciación en un «lenguaje» de ceguera o represión; el segundo, una sujeción al discurso «sacramental» de la Iglesia; el tercero como una confrontación con el secular y visible «lenguaje» del código del honor (p. xii). Lázaro aprende, en primer lugar, a constituir su propia «realidad» a través del discurso, y después a suprimirla mediante la autocensura. Pero, a diferencia del «punto de vista», aquí el lenguaje no es sitio de unificación para el individuo. La lección de Lázaro en silencio se basa en una primera división intrínseca a la práctica del relato o de la fabulación que todavía constituye nuestra esencia social: «ese espacio entre Lázaro como sujeto que narra (que escribe) y como producto final de su relato (que se escribe a sí mismo)» (p. x). El sujeto que habla no es nunca el mismo que el que es hablado: en términos lingüísticos, «énonciation» (la enunciación) y «énoncé» (el enunciado) no pueden converger.

---

13 «El *Lazarillo de Tormes*», pp. 146-7.
14 «La disposición temporal», p. 277.
15 «The Death of Lazarillo de Tormes», *PMLA*, 81 (1966), 149-66 (p. 166).

Un ejemplo dentro de la narrativa de esta básica desunión del lenguaje y del ser podría ser el episodio de «¡Madre, coco!» del primer tratado: el hermanastro del Lazarillo no puede reconocer que su propio color es idéntico al de su padre negro. Críticos anteriores han debatido sobre la relativa precedencia o jerarquía de discursos en esta escena y así han producido un significado que, si bien variable, es específico. El llanto del niño es invalidado por el comentario sentencioso del Lazarillo: «¡Cuánta gente en el mundo no pueden verse tal y como son en realidad!». Pero se considera que esta misma opinión está igualmente subordinada a la perspectiva global del autor, dentro de la cual Lázaro no puede reconocer las inconsistencias de su propia posición. Además, los lectores que pueden reírse del niño o del narrador y que se niegan a considerar la posibilidad de su propia ceguera selectiva, también pueden estar sujetos a la mirada tranquilamente irónica del autor. Tres o cuatro perspectivas son, de este modo, puestas en juego, cada una de las cuales es distinta y se halla subordinada a la superior: actor, narrador/lector, autor. El propio problema de la subjetividad, de la coherencia o integridad de cada uno de estos «puntos de vista», es simplemente descartado.

El acercamiento del profesor Sieber es bastante diferente. Él considera esta escena como una representación de la etapa del espejo familiar desde el psicoanálisis (pp. 2-6). El recién nacido existe en un estado de inmediatez narcisista y autoplacentera, incapaz de distinguir entre sí mismo y el mundo. Su reflejo en el espejo o en la proyección hacia un objeto externo precipita el primer escenario de apropiada subjetividad: la autopercepción es, al mismo tiempo, sujeto y objeto (lo mismo y lo otro). Sin embargo, esta identificación es, más propiamente, un «falso reconocimiento»: la imagen o el objeto es y no es, al mismo tiempo, lo propio. Más particularmente, en la escena precedente, la madre blanca es la «imagen de una criatura similar a través de la cual la integración tiene lugar», mientras que el padre negro es el «objeto de la exclusión», el tercer término que quiebra la trasferencia narcisista del escenario del espejo (p. 5). La escena pone en ejecución el momento de la iniciación en lo «simbólico», es decir, el mundo cruel y ajeno de la diferenciación social articulado a través del lenguaje (p. 6).[16]

16 Véase Jacques Lacan, «Le Stade du miroir comme formateur de la fonction du Je», en *Écrits*, I (París, 1966), 89-97.

Esta teoría tiene dos consecuencias. En primer lugar, la subjetividad se une muy estrechamente a la representación, a la figuración de lo propio en el lenguaje. En segundo lugar, si la subjetividad tiene un origen, éste no está en la unidad, sino en la división y en la dispersión. Así pues, podemos extender la sugerencia de Sieber afirmando que si Lazarillo como personaje logra una cierta dimensión de identidad, es a través de la proyección y del falso reconocimiento de sí mismo en los objetos con los que se encuentra y desea. Su preocupación por la ropa, a menudo señalada, es un ejemplo de esto. Pero esta primera división no se representa sólo en el plano narrativo como la experiencia varia y a menudo contradictoria de un protagonista ficcional; también es reproducida por el relato en la textura inconsistente de su proceso representativo. Como muchos críticos han señalado, el primer tratado es el más colectivo en cuanto a estilo, en su llamamiento a motivos folklóricos expresados en términos tradicionales. El tercero es el más «original» en cuanto a su representación naturalista del lugar, el *diálogo*, y de un nuevo tipo literario (el escudero). Los demás tratados ocupan una posición intermedia entre estos extremos. De este modo, la posición (o posiciones) desde la que el autor escribe es curiosamente móvil y contingente, y el lector se enfrenta como una pluralidad de códigos de representación que se excluyen mutuamente, con un «collage» de fragmentos heterogéneos. Así, el *Lazarillo* es, en la obra de Maurice Molho, un «cento», un álbum lingüístico de recortes.[17] Para Bruce Wardropper (de nuevo), el *Lazarillo* presenta el «lado sórdido de la vida», en los dos sentidos (de la palabra inglesa «seamy»), de los bajos fondos y de la moral invertida (p. 441). Pero yo sugeriría que esto también revela el «revés» de la subjetividad y de la ficción: en su ignorancia de la consistencia, nosotros lo asociamos con el realismo «clásico», descubre los mecanismos de la identidad y del relato, las «costuras» (inglés: «seams») del ropaje psicológico y literario que son reprimidas de modo convencional.

Pero si el origen de la conciencia de uno mismo está en la división, entonces la condición de su persistencia está en la sujeción. Las relaciones «imaginarias» por las que el niño se constituye se duplican en el compromiso del individuo con la sociedad tomada en su

---

17 *Introducción al pensamiento picaresco* (Salamanca, 1972), 29.

conjunto.[18] Y la sujeción, como la división, «habla» y «es hablada» en el Lazarillo. Está representada en la pasividad de la carrera del personaje, en su rol habitual como receptor más que iniciador de la acción, desde el momento en el que es arrojado a la conciencia por el primer golpe del ciego. Los objetos de su identificación o falso reconocimiento (como la ropa, una vez más) son prescritos por valores sociales que le preceden y le envuelven. Y estas identificaciones no son tanto una representación distorsionada de un estado «real», como podría suponer un empirista, sino, más bien, las verdaderas relaciones de una sociedad tal y como es percibida por sus sujetos. Así pues, la cuestión de hasta qué punto Lázaro es «realmente» consciente de su posición no se puede, estrictamente, responder, porque (como el proceso narrativo revela) la misma condición de la identidad social es su negativa de acceso a lo «real», su prohibición penetrante de auténtico conocimiento de uno mismo.

En una introducción a su ensayo sobre la etapa del espejo, Lacan alude a este punto cuando afirma que lo único real que puede encontrarse en el proceso primario es «lo imposible», y que cualquier mecanismo («appareil») de lo real que podamos atribuir al sujeto es un espejismo (*Ecrits*, i. 82-3). También advierte contra la identificación de la etapa del espejo con la capacidad física para ver: incluso un ciego atravesará el mismo proceso, en la medida en que se sepa objeto de una mirada (p. 85). Y, si examinamos más atentamente el ensayo de Lacan, notaremos que, a pesar del aparente privilegio concedido al acto de ver, socava en todo momento las presuposiciones de los críticos pictorialistas (y humanistas). Por ejemplo, comienza Lacan por afirmar, de un modo bastante explícito, que su teoría se opone completamente a cualquier filosofía basada en el «cogito» (la autonomía activa del pensamiento y la percepción humanos) (p. 89). Y si defiende que la etapa del espejo es una «identificación», entonces su definición del término está muy alejada de la «identidad» de los humanistas: la identificación es la transformación que se produce en los sujetos cuando aceptan su imagen (p. 90). Esta transformación sitúa al ego en una linea de «ficción» o discordancia que nunca puede

---

18 Para la puesta en práctica del psicoanálisis de Lacan en la práctica social véase Louis Althusser, «Ideology and Ideological State Apparatuses», en *Lenin and Philosophy*, trad. Ben Brewster (London, 1971).

ser resuelta por el individuo. Es más, la misma permanencia de nuestra sensación de nosotros mismos es una prueba de nuestra alienación (p. 91). El desarrollo del sujeto es un «drama»: cogido desde el principio por el cebo de la imagen espacial, el niño continúa experimentando fantasías de un cuerpo fragmentado, antes de asumir finalmente una rígida totalidad, una «armadura» de «identidad» alienada (p. 93). De este modo, el «stade du miroir» (traducido invariablemente como «etapa») es también un «estadio» o «arena» (p. 94), en el que imágenes en conflicto luchan por el control. Cuando, como debe ser, el yo especular se convierte en lo propio social, entonces la alienación se vuelve paranoica: siguiendo el deseo del otro, los sujetos forman sus objetos sólo en la medida en que esos objetos se conforman con los deseos rivales de otras personas (p. 95).

Incluso en esta etapa primera de su obra, el pensamiento de Lacan resulta muy denso e intrincado: como el «parergon» de Derrida, lo imaginario de Lacan no responde a una definición simple. Pero no es difícil ver por qué lo imaginario ha resultado tan popular entre los críticos literarios: las mismas referencias de Lacan a la «ficción» y al «teatro» parece que nos alientan a coger prestados los términos que él utiliza. Resulta tentador relacionar esta descripción de la evolución del sujeto con la trayectoria de Lázaro como personaje de ficción. La mayoría de los puntos parecen coincidir. Ya he mencionado la imposibilidad del acceso a un conocimiento auténtico de lo real. La inconsistencia de la trayectoria de Lázaro (la manera en que cambia con cada amo) sugiere también que la historia es una secuencia de «identificaciones», de imágenes de sí mismo asumidas por el personaje que transforman su propia esencia. El modo en que esta primera fragmentación se fija o coagula dentro del rígido armazón de la identidad social también está claro en la historia, como es el caso de la naturaleza alienante de esta identidad, que impide al personaje satisfacer sus necesidades al mismo tiempo que afirma haberlo hecho. La psique de Lázaro es un campo de batalla, desgarrado entre el deseo y la Ley, y su experiencia adulta es paranoica en el sentido técnico de Lacan: el único conocimiento del mundo al que él da crédito es el que le dictan los demás. No es simplemente que el éxito social se compre al coste del fracaso personal, sino que Lázaro no tiene espacio personal, no tiene auténtico deseo que no esté comprometido por la alienación.

Como ya he dicho, es muy tentador hacer semejantes lecturas de personajes literarios. Pero si lo imaginario forma la base misma de la mente humana, resulta, quizás, más aplicable para un análisis del proceso de lectura que de los personajes dentro del texto. La gran mayoría de la crítica sobre el *Lazarillo* muestra la disposición con que los lectores se rinden al espejismo de lo real, y la urgencia de su deseo por asumir la imagen del otro. Como en el caso de las fantasías del cuerpo que tiene el niño, la desintegración y la fragmentación dan paso a una espuria, aunque seductora, unidad: tanto el personaje como la obra asumen una «presencia» sustancial que les son prestadas por los mismos lectores. Este proceso no es pacífico; al contrario, toma la forma de una batalla en la arena crítica, en la que los lectores luchan por construir una identidad textual que será ratificada y reconocida por sus colegas críticos. Porque, como en el caso de Lázaro, una vez más, si la satisfacción de sus necesidades no es confirmada por los demás, entonces no existe ninguna satisfacción en absoluto.

Lacan llama a la imagen especular umbral del mundo visible. Como el *parergon* de Derrida, toma su lugar dentro o en el mismo márgen de la representación. Volveré a la etapa del espejo y a la más tardía elaboración de lo simbólico que hace Lacan en el capítulo sobre la comedia. Pero el concepto de «identificación» en el sentido que le da Lacan tiene particular significancia en el *Lazarillo*. La ironía central es que es la percepción de Lázaro de sí mismo como agente libre capaz de una acción autónoma la que resulta la más ilusoria de estas sutiles e interiorizadas representaciones de sí mismo. Porque él es el destinatario, no sólo de la acción, sino también, y en primer término, de la inspección. Él no es el sujeto, sino el objeto del «punto de vista», y no de una perspectiva no personal y auténtica como la que proponía Rico, sino de otra generalizada y perniciosa, la condición y el instrumento del poder. La causa que nos es dada para el proceso narrativo tomado en su conjunto es la de la vigilancia: la situación doméstica de Lázaro es observada por otros y él se ve obligado a dar un informe de la misma. Así pues, el sujeto hablante está determinado por su relación con el poder y su expresión es un gesto reactivo a la amenaza de la alteridad. De este modo, si borramos las implicaciones del proceso narrativo y las contradicciones del relato apelando a la intención del autor, sólo reproducimos la trayectoria de la propia sujeción de Lázaro, mediante la interiorización de la autoridad externa como mecanismo censor y principio valedero al mismo tiempo. El «marco» representativo del *Lazarillo* (su manifiesta preocupación por el origen y el propósito de su propia enunciacion) debería leerse no de manera ilusionística, como auxilio necesario (aunque auto-borrador) para la descripción de un coherente, si bien complejo, individuo, sino que debería leerse de manera crítica, como el indicador (inintencionado) de la relación contingente y reflexiva entre el yo y el mundo y del estatus deficiente del sujeto social. Esta lectura «crítica» no reside en el espacio narrativo, en la especulación sobre la «verdad» relativa de proposiciones ficcionales que deben, finalmente, permanecer sin respuesta. Se desvía hacia atrás hacia nosotros mismos. Pero no existe en el texto un «reflejo» directo del lector. La historia no es «acerca de» nosotros.[19] Al contrario, nos recuerda de un modo ejemplar la naturaleza provisional de toda representación, del falso reconocimiento como el origen ausente desde el que se deriva toda sensación de uno mismo.

Esta inconsistencia del proceso narrativo puede ser históricamente específica; lo trataré este problema en términos sociales o políticos con respecto al *Buscón*. Pero un único aspecto del *Lazarillo* resulta esencial aquí, y es el de su anonimato. Los críticos han tratado siempre de identificar a un autor particular y reducir de este modo el texto a una autoridad original. Continúa empero siendo un texto cuyo autor, como señala Harry Sieber (p. 97), ha rehusado su paternidad. La misma posición ambivalente del autor es testimonio de los orígenes de la subjetividad. El *Lazarillo* es producido por las combinadas fuerzas negativas y positivas del poder y del conocimiento: como texto desheredado revela al mismo tiempo (como el personaje representado dentro del mismo) el temor a la vigilancia y la urgencia por servir de testigo. Porque es la potencial imposición de la censura lo que produce la exposición parcial de la identidad.[20] Resulta muy apropiado, entonces, que el nacimiento de una subjetividad moderna fuese marcado por semejante texto marginal, desprovisto de origen o distinción fijos, y cuyo valor no es reconocido en su primera aparición. Pero también resulta significativo que la representación del individuo

---

19 Como afirma Deyermond en la conclusión a su *Lazarillo de Tormes* (p. 98).
20 Para el papel de la vigilancia, el testimonio y la confesión en la creación del individuo moderno, véase Michel Foucault, *Surveiller et punir: Naissance de la prison* (Paris, 1975), *passim*.

en esta ficción esté basada no en el sujeto que habla, sino en el que escribe, un dato subrayable que asumirá su mayor importancia en el caso del «homo scribens»: Guzmán de Alfarache.

3.3. EL *GUZMÁN DE ALFARACHE* Y LA ESCRITURA

El *Guzmán* se preocupa, explícitamente, si bien de una manera intermitente, por el proceso mismo de la representación. La obra en su conjunto está «enmarcada» por dos conocidas anécdotas que tratan diferentes aspectos del problema. [21] En la primera, dos artistas son requeridos por un cliente para que hagan un retrato de su caballo favorito. Mientras el primero reduce su pintura al animal en sí, el segundo llena el espacio pictórico sobrante con un paisaje y otros detalles. A pesar de que el segundo pintor afirma haber «ilustrado» y «enriquecido» el tema principal mediante estos adornos, el cliente elige la primera y más sencilla versión: él no ha pedido el material «que sobra». Esta historia suscita, así, el problema de la relevancia pictórica o integración: ¿Qué es intrínseco a la representación y que es extrínseco? ¿Qué debería ser incluido y qué excluido de los límites constrictivos, pero necesarios, del marco? La cuestión de lo superfluo (que he sugerido como característica de la picaresca como género) será una preocupación constante en el *Guzmán*. Pero el autor también suscita, tal vez de manera inconsciente, el problema de la dirección o de la audiencia: el artista no trabaja en el vacío, sino que, más bien, «dirige» su obra a un público históricamente determinado. En otras palabras, tanto la pintura como el texto son «dialógicos»: la producción artística está originalmente implicada y finalmente completada por el consumo activo del testigo. La fuente y la meta del mensaje artístico (en la medida en que podemos distinguirlas) no son contrarias ni unitarias, sino reflexivas y constitutivas una de otra. Y la «relevancia» narrativa es el campo de batalla en el que ambas fuerzas se encuentran.

La segunda anécdota es la de un espectador enfrentado a una pintura que está puesta boca abajo. No puede decir qué representa hasta que se le dé la vuelta. El problema aquí reside en la interpretación

---

21 En la ed. de Francisco Rico (Barcelona, 1983), II. i (pp. 107-9) y II. iii. 9 (pp. 892-3).

del mensaje pictórico: la percepción convencional, nos dice Alemán, está distorsionada por la inversión. En particular, su protagonista no logra reconocer su posición ostensible (la «cumbre de miserias») como las profundidades de lo depravado de las que la gracia y el arrepentimiento podrían salvarle. Pero la cuestión hermenéutica general permanece para el lector: dadas las constricciones del ilusionismo narrativo, ¿cómo interpretamos nosotros la acción, cómo leemos la «pintura» que nos ofrecen narrador y autor? El mismo estatus «marginal» de estas anécdotas dramatiza la cuestión que suscitan. Situadas delante y detrás de la acción propiamente dicha, asumen al mismo tiempo la precedencia y la finalidad implicadas por sus posiciones respectivas y niegan la autoridad que parecen poseer por su propia exclusión de la misma acción. El pictorialismo es, al mismo tiempo, intrínseco y tangencial a la trayectoria del *Guzmán* y a la empresa emprendida por Alemán.

Estas dos cuestiones de la integración y de la interpretación han despertado el mayor interés por parte de los críticos modernos. Pero, como en el caso del *Lazarillo*, los dos campos (formal y evaluativo) tienden a coincidir. Porque si el crítico busca, como veremos, establecer la «relevancia» narrativa de los interludios didácticos en el *Guzmán*, esto lo hace reasignándolos a un narrador ilusionísticamente «integrado», cuyo testimonio (paradójicamente) es validado por su supuesta falta de fiabilidad. La continuidad estética y la física son, así, resguardadas de las precarias inestabilidades del proceso de la representación.

La historia crítica del *Guzmán* es bien conocida. Los lectores y traductores de los siglos XVIII y XIX sucumben ante la supuesta «pintura» de la sociedad contemporánea que ofrece, al mismo tiempo que excluyen o extirpan el «marco» narrativo, radicalmente diferente en tono a la historia que encierra. Los comentarios de *Guzmán* sobre la acción y los apóstrofes al lector se consideran subordinados y superfluos con respecto al cuerpo principal de la trama. Los críticos del siglo XX reivindican la «necesidad» de los elementos didácticos, apelando a las virtudes pictóricas o esquemáticas ya «descubiertas» en el *Lazarillo*: unidad, simetría, inversión. Así pues, se considera que la reflexión moral y la acción inmoral se complementan una a otra en virtud de su misma contrariedad. Como en el *Lazarillo*, la contradicción es resuelta por la intención del autor y por la «persona» narrativa integrada. Para

A. A. Parker, Alemán explota las oposiciones polares del pecador y del penitente para dramatizar el dogma católico que se propone demostrar. La narrativa ilusionista es, de este modo, el vehículo para la «verdad» universal (*Literature*, pp. 21-23). Para Francisco Rico, todas las inconsistencias son resueltas por la igualdad y la unidad ejemplares por las que el narrador y lo narrado se juntan en el momento esencial e inevitable de la (genuina) conversión (*Point of View*, p. 45). Cada momento del relato (cruel o amable; activo o reflexivo; tierno o sentencioso) encuentra su lugar orgánico y «natural» en esta perspectiva flexiblemente acomodaticia, aunque rígidamente unificadora.

La cuestión de la jerarquía o de la precedencia es muy debatida: si el *Guzmán* es una ficción moralizadora, entonces su acción primaria se ve interrumpida por la reflexión secundaria; si es un sermón ficcionalizado, entonces sus supuestos morales esenciales están salpicados de burlas intrusas en la trama. En general, los críticos han defendido la prioridad de lo uno o de lo otro. Sin embargo, tal prescripción parece innecesaria, ya que el propio Alemán parece sugerir en su obra la dependencia mutua de ambos términos. Así pues, en un momento dado se describe la ficción como la suave fruta del melón que sólo puede conseguirse a través de la áspera piel de didactismo que la rodea; y, en otro momento, es el «oro» que recubre la píldora de moralidad que yace invisible y original por debajo del mismo (pp. 92, 490). En estas dos metáforas conflictivas, los términos de «dentro», «fuera» (intrínseco y extrínseco) son curiosamente móviles, pudiendo sustituirse uno a otro. Lo cual no quiere decir que estén orgánicamente fundidos uno en otro; simplemente, son inestables.

Como veremos, semejantes contradicciones pueden estar relacionadas con el propio acto de la escritura. Sin embargo, en la última década muchos críticos han rechazado como inadecuadas las unidades morales y de perspectiva de Parker y de Rico, y han subrayado no la coherencia sino las discontinuidades o «fisuras» del texto. Así, Joan Arias ha llamado la atención sobre la contradicción, sin resolver aún, entre el narrador y lo narrado: el regocijo con que el supuestamente reformado esclavo presenta sus malas acciones de cuando era más joven.[22] Pero esta incongruencia es percibida por Arias no como un hueco en el proceso de la representación, sino

---

22 «*Guzmán de Alfarache»: The Unrepentant Narrator* (London, 1977).

como un defecto en el testimonio del propio Guzmán como personaje, «la contradicción entre la realidad que ve a su alrededor y lo que él dice es la realidad» (p. 87). Sin embargo, como Arias admite, la cuestión de nuestro acceso a esta «realidad» es, de alguna manera, problemática, desde el mismo momento en que la primera persona narrativa sólo nos ofrece lo que dice. Guzmán, el narrador «no arrepentido», es, así, reintegrado como personalidad «totalmente acabada», y la supuesta preocupación de Alemán por la descripción ilusionística del personaje y la relativa descripción de la verdad siguen invariables. De este modo, críticos tradicionales y heréticos tienden a converger: para Rico, la moral del Guzmán es «la de uno mismo como medida de todas las cosas» (p. 49); y para Carroll B. Johnson es la de que «el hombre es la criatura a través de la cual los valores existen en el mundo». [23]

Semejantes lecturas, ostensiblemente «objetivas», siguen siendo filosóficamente ingenuas, al mismo tiempo idealistas y empiristas. Idealistas en el sentido de que proponen una subjetividad eterna e invariable («el yo», «el hombre») inmune a los rigores de la historia y que el lector puede someter a escrutinio a través del «medium» de las palabras del autor. (Ya he cuestionado esta creencia con respecto al *Lazarillo*). Son empiristas en el sentido de que suponen un objeto concreto y diferenciado, divorciado de la mirada crítica, aunque libremente accesible a ésta. Es significativo que el profesor Johnson defienda el uso que hace de «mecanismos» críticos del siglo XX (el marxismo y el psicoanálisis) apelando a la astronomía: ahora que los hombres pueden volar a la luna, ya no necesitan examinarla con un anticuado telescopio (p. 9). Pero el texto no es material en el sentido en que lo es un cuerpo celeste, y mucho menos lo es la figura que dentro del mismo representa un espacio psíquico tridimensional que se abrirá al lector para que investigue «dentro».

Si el Guzmán parece contradictorio y discontinuo puede ser, no porque delate el engaño del personaje que representa (o, alternativamente, el diseño sutil e irónico del autor que lo produjo), sino porque reproduce contradicciones en la práctica de la escritura que son, al mismo tiempo, generales a dicha práctica y específicas de una muestra histórica de la misma. Hace casi veinte años que Edmond

23 *Inside «Guzmán de Alfarache»* (Berkeley, 1978), 10.

Cros publicó un denso estudio sobre la relación del *Guzmán* con la práctica contemporánea de la escritura, un estudio cuyas radicales implicaciones los críticos españoles y anglosajones no han logrado reconocer o han decidido descartar. [24] Y no es accidental que este estudio gramatológico descubriese en el *Guzmán,* no la seductora aunque espuria unidad del psicologismo, sino la múltiple elaboración y diferenciación del propio lenguaje literario.

Comienza el profesor Cros no con el autor, sino con la relación del texto con su público. El primer lector del *Guzmán* lo ve no sólo como un espejo, sino también como un teatro del mundo, un espectáculo con Guzmán como el actor versátil, que, al mismo tiempo, reprime el artificio de su producción «tras los escenarios» y los garantiza al reconocer su propio estatus de representación distorsionada y distorsionante («leurre», p. 94). Si este modo de representación resulta excesivo, Cros nos recuerda que, en el siglo XVII, la verosimilitud está asociada con la amplificación, es decir, el uso de un lenguaje lo suficientemente rico para expresar un contenido significativo con la elaboración adecuada (p. 128). Los escritores contemporáneos no alientan una fe ingenua en un lenguaje «transparente» que se corresponda «de manera natural» con el objeto de imitación. Al contrario, apelan al «paraescolasticismo»: el vocabulario técnico y las técnicas derivadas de la retórica y la imitación de los modelos clásicos (p. 161). Este conocimiento es en términos precisos marginal a la cultura intelectual de la época, pero llegará a ser intrínseco al desarrollo de la novela.

Es más, el exceso lingüístico del *Guzmán* puede relacionarse directamente con el prestigio de la retórica como disciplina (p. 179). Cros demuestra detalladamente cómo los «lugares de la invención» (el género y la especie, la parte y el todo, etc.) forman y enmarcan al mismo tiempo el movimiento proliferante de la prosa de Alemán. Cuestiones como éstas pueden parecer técnicas. Sin embargo, la distinción retórica entre, digamos, «lugares» intrínsecos y extrínsecos (es decir, temas derivados directamente del contenido que se está tratando y aquellos basados en la autoridad externa) resulta esencial

---

24 *Protée et le gueux: Recherches sur les origines et la nature du récit picaresque dans «Guzmán de Alfarache»* (Paris, 1967). Gran parte de este material está condensado y simplificado en la obra del mismo autor *Mateo Alemán: Introducción a su vida y obra* (Madrid, 1971).

para que entendamos la dinámica del texto. Porque en Alemán, los lugares «extrínsecos» tienden a invadir y a dominar el espacio narrativo en su conjunto. Externos y subordinados en la disciplina tradicional, devienen internos y dominantes en la «nueva» novela. En particular, el «exemplum» es el lugar privilegiado en el Guzmán, su mismo estatus ejemplar de un género «marginal», inseguro con respecto a su posición en la jerarquía tradicional de la escritura. Porque aunque el exemplum no tiene (por definición) ninguna relación con la res principal o contenido del discurso, también se considera que es más eficaz en la comunicación del sentimiento que los lugares intrínsecos o artificiales por los que se sustituye (p. 185). El uso frecuente, tanto del lugar definición como del tropo metáfora, se debe también a esta peculiar eficacia. En los «sermones» sirven tanto para animar como para circunscribir la narración que se expande sin fin. Pero si la retórica es un «marco» («cadre»), no puede ser separado de la «pintura» que delimita, sino que es esencial para el desarrollo de los elementos heterogéneos del interior, porque sin él éstos no habrían llegado a existir (p. 242).

El marco retórico suspende, así, la teleología: crea un libre, si bien determinado, espacio en el que los habituales cambatientes de la novela (lector y escritor, sujeto y objeto, lenguaje y sociedad) pueden realizarse de una manera, si bien disciplinada, relativamente autónoma. El autor ya no es el único origen del texto, no el narrador su único punto de mira. Porque la anónima, aunque prestigiosa, disciplina precede al primero y relativiza al segundo. Si (como sugiere Cros) las técnicas de la representación son vistas en sí mismas como convencionales, entonces no puede existir acceso directo al escritor que las utiliza o al personaje que es producido por éstas. Lo cual no quiere decir que la retórica produzca el texto: el arte precede a los artistas, pero está a su vez sujeto a la práctica que se hace del mismo.

Pero yo iría más lejos que Cros, y sugeriría que la distinción entre lugares intrínsecos y extrínsecos arroja nueva luz sobre la cuestión de la verdad o interpretación en la ficción de la época. En la teoría retórica, la verdad es investida en la «autoridad» del hablante, en la afirmación «no artificial» que (como en el exemplum o en las citas) no requiere habilidad lingüística para convencer a la audiencia. «Magister dixit» es el lema de Alemán el didáctico, como lo era para las generaciones de escritores educados en la retórica que le precedieron. En el siglo XX, los mecanismos que dan validez a la verdad han cambiado. De acuerdo con el auge de las ciencias naturales (como la astronomía, invocada por Johnson), la verdad se revela no apelando a la autoridad, sino por la demostración de un contexto empíricamente verificable.[25] Es esta epistemología empiricista la que conduce a los críticos modernos a buscar la significancia del *Guzmán* en la coherencia o disparidad de la acción que se representa en su interior. Puede que resulte irónico que el tono didáctico del texto que investigan revele el habitual llamamiento de su autor a la presencia externa de una verdad bastante inmune a esta clase de investigación crítica. En otras palabras, si el registro textual del *Guzmán* parece inconsistente, es porque su autor yuxtapone el testimonio individual y deficiente del personaje con el comentario universal y autorizado del narrador, sin preocuparse por el pictorialismo ilusionístico o la evaluación empírica.

De este modo, el sitio de la unificación (si se necesitase alguno) no está en el autor o en el narrador, sino en el lector. El *Guzmán* contiene en su interior una proyección y una representación constantes y siempre cambiantes del público al que se dirige. Pero la condición del lector muestra ser tan múltiple y fragmentada como la del narrador. Dividido inicialmente y sin compromiso dentro del lector «vulgar» y «discreto», es incesantemente representado a través del relato. Así pues, la misma frase primera expresa el temor de que cierto lógico pedante reprochará al narrador no haber procedido conforme a la manera tradicional desde la «definición» a la «cosa definida». A pesar de un reciente estudio que argumenta lo contrario,[26] el *Guzmán* tiene todas las cualidades del lenguaje escrito, en cuanto a que se opone al oral; aunque su literariedad esté profundamente marcada por la oralidad. En primer lugar, la entrada dubitativa y provisional en el discurso, precedida por múltiples dedicatorias y tasas, una gran cantidad de materia preliminar que busca definir y constringir el errático movimiento de la pluma. En segundo lugar, una calificación

---

25 Para la evolución de la «verdad» desde la expresión autoritativa a la deducción experimental, véase Michel Foucault, *L'Ordre du discours* (Paris, 1971).
26 Véase George Peale, «*Guzmán de Alfarache* como discurso oral», *JHP*, 4 (1979), 25-27. Compárese con Walter J. Ong, *Orality and Literacy: The Technologizing of the Word* (London, 1982).

constante de la expresión, una revisión habitual del progreso del discurso, manifiesto de la manera más llamativa en la proliferación de cláusulas subordinadas. Si el rasgo característico del *Lazarillo* es la parataxis, la inexplicable yuxtaposición de fragmentos narrativos diferenciados, en el caso del *Guzmán* lo es la hypotaxis, el intento de ordenar un cuerpo de ficción y doctrina peligrosamente expansivo reduciéndolo a una jerarquía gramática y evaluativa. En tercer lugar, el amor por la estructura lógica (la proposición y el silogismo), imposible en el discurso oral. Finalmente, una permanente, incluso neurótica, preocupación por el lector como objetivo del mensaje ficcional (una posible incomodidad por las digresiones morales; un deleite inadecuado en las anécdotas inmorales), y también por lo que se refiere al final de la propia narración, que (a diferencia del *Lazarillo*) promete su extensión indefinida en el mismo momento en el que se acerca a su conclusión. Si, en palabras de Walter J. Ong, «la audiencia del escritor es siempre una ficción», [27] entonces el público representado de Alemán se proyecta de manera más relevante y, por esto, más llamativamente ausente que muchos otros anteriores o posteriores. Y esta agónica preocupación por la condición del lector y el consiguiente rechazo a asumir una postura de halagadora, si bien engañosa, intimidad con él, puede relacionarse con el momento histórico en el que escribió Alemán, con la relativa novedad del diálogo representado, novelístico, que él puso en movimiento.

También sugiere el *Guzmán* que la escritura siempre se predica de la ausencia: el lector, a diferencia del oyente, nunca está «aquí». La habitual distancia de Alemán, su autoritarismo didáctico, es producto de su incapacidad para reprimir esa ausencia, y es una característica que no gusta a muchos lectores modernos, acostumbrados a la recreación de una familiaridad democrática entre el novelista y el público. Pero puede que este sentido de la ausencia sea también el origen de la extensión sin fin de la ficción de Alemán. Su proliferación busca «llenar el vacío» entre escritor y lector, posponer la muerte gracias al interminable desplazamiento del incidente narrativo: el lector, como Guzmán, se mueve deseoso pero insatisfecho a lo largo de la cadena metonímica que sólo puede tener una conclusión, por mucho que ésta se posponga. Un emblema contemporáneo muestra

---

27 Véase el artículo del mismo nombre en *PMLA*, 90 (1975), 9-21.

un esqueleto que sostiene un espejo de cara el espectador: la muerte
es la representación última de la vida, y la representación artística
debe de ser siempre deficiente.[28]

Imágenes parecidas de negación radical se encuentran a lo largo
de todo el *Guzmán*, y son signos, no tanto de un «pesimismo» histórico, como de una insistente circularidad lingüística. El propio emblema favorecido por Alemán, la araña que desciende a lo largo de
su tela para matar a una serpiente, es un símbolo apropiado de la
negación indiferenciada, mutuamente reflexiva.[29] Si la célebre «atalaya» del título puede leerse como el signo de una perspectiva moral
activa, es también un icono pasivo de la opresión del lector. La textura del *Guzmán* es desigual: incluso Rico encuentra alguna dificultad
en asimilar las novelas interpoladas en un diseño único y unificador.
El *Guzmán* tiende, así, a llamar la atención sobre el proceso de su
misma escritura. Y, detrás de toda esta heterogeneidad, podemos vislumbrar (como en el caso del *Lazarillo*) no la visión, sino la vigilancia,
la criatura humana como objeto más que como sujeto de la perspectiva. La atalaya, al mismo tiempo anónima y múltiple, escudriña
al lector desde su privilegiado punto de mira. Su persistencia nos
somete y su indiferencia nos sojuzga. Sin embargo, este ejercicio de
poder no es simplemente negativo: produce, como hemos visto, un
amplio espectro de lecturas diferentes, cada una de ellas definida e
individualizada por la invisible autoridad del propio texto. Y es este
efecto positivo de una tiranía textual lo que espero revelar en la última obra que examinaré, el *Buscón* de Quevedo.

Michel Foucault ha sugerido que la atalaya juega un rol crucial
en el desarrollo de la sociedad moderna.[30] Su estudio del «panoptis-
mo» (la tiranía de la visión) comienza con las reglas redactadas para
una ciudad del siglo XVII asolada por la plaga: dividida en diminutas
secciones, sujeta a una constante vigilancia por parte de las fuerzas
del orden, la ciudad de la plaga es el modelo («dispositif») de la sociedad disciplinaria que ya está empezando a formarse (*Surveiller et punir*,
pp. 197-9). En tiempos anteriores, los sujetos marginales (como los
leprosos) eran expulsados de la sociedad; ahora esta simple separación

---

28 En Sebastián de Covarrubias Orozco, *Emblemas morales* (Madrid, 1610), ii. 182.
29 Reproducido y discutido por Cros en *Protée et le gueux* (p. 309).
30 Para el papel de la atalaya en la vigilancia y en la diferenciación del individuo véase
   Foucault sobre el «panopticon» *(Surveiller et punir*, pp. 197-229).

de lo puro y lo impuro se complementa por la minuciosa observación de todos los ciudadanos (p. 200). Para Foucault, el emblema de esta vigilancia es el «panóptico», el modelo arquitectónico diseñado en el siglo XVIII por Jeremy Bentham, que también tiene antecedentes en el siglo anterior. El panóptico consiste en una atalaya central rodeada por una estructura circular en la que son alojados los sujetos. El ejemplo clásico es el de la prisión, pero el modelo es también apropiado para los hospitales, las escuelas o las fabricas. Aquí, la amorfa muchedumbre de tiempos anteriores se convierte en una colección de individuos separados, cada uno de ellos atrapado en la trampa de la visibilidad (p. 202). Mientras que los prisioneros (pacientes, trabajadores) sí saben que pueden ser vistos en sus compartimientos, la presencia del vigilante dentro de la sombría torre no puede ser verificada (p. 203). Así pues, nace una genuina sujeción de una relación «fingida»: puede que no haya nadie dentro de la torre, pero esto no reduce su efecto, porque los que se creen observados internalizan su relación con el poder (pp. 205-6). De este modo, mientras que la ciudad pestilente es el ejemplo de un extraordinario y violento ejercicio de disciplina, el panóptico representa un clima generalizado e inmaterial de vigilancia, en el que la disciplina conduce a la producción de individuos útiles (pp. 209-12). Si la sociedad de la antigüedad era una sociedad del espectáculo, en la que era necesario crear un pequeño número de objetos accesibles a la inspección de la multitud (como la procesión triunfal del emperador o el rito del sacrificio del sacerdote mayor), la naturaleza de la sociedad moderna es bastante opuesta: se hace visible a la multitud para unas pocas personas, o incluso para un único individuo (p. 218). Esta reversión viene, en parte, provocada por los cambios demográficos de la Europa del siglo XVII, en particular por el incremento de la población vagabunda (p. 220). Y un precedente para esta «tecnología de los individuos» (p. 226), también anterior al siglo XVIII, es la Inquisición. Así como el proceso inquisitorial de investigación tiene su contrapartida en el auge de las ciencias empíricas (la minuciosa observación del mundo), así también los códigos de disciplina posteriores se reflejan en el desarrollo de las ciencias humanas (la interrogación sobre el propio Hombre) (p. 227). La principal diferencia entre los dos regímenes es la relación que guardan con el cuerpo: mientras que el antiguo régimen tenía como el mayor castigo la tortura del prisionero hasta producirle la muerte, el arma más potente de la sociedad disciplinaria es una interminable interrogación, un fichero que nunca se cierra (p. 228). El modelo disciplinario, menos descarado y más insidioso que la previa organización del poder, se extiende a través de la sociedad: no debería sorprendernos que las fábricas, las escuelas y los hospitales se parezcan todos a las prisiones.

La relevancia de este esquema para el *Guzmán* no es evidente de modo inmediato. Foucault se interesa por la herencia de la Ilustración y, ciertamente, saca mucho partido de la ironía de que la «luz» de los reformadores se haya convertido en un medio para la represión. Sin embargo, afirma Foucault que el siglo XVIII sólo experimenta una aceleración de tendencias que ya existían antes; y yo mismo argumentaría que Alemán, en su labor como escritor, anticipa muchos de los puntos que señala Foucault. Así, gran parte del análisis del poder que hace Foucault puede relacionarse con Guzmán como personaje. Su posición marginal (como la de los que se desvían en Foucault) es doble o alternativa: a veces, es marcado como el leproso y expulsado de la sociedad; otras, se le permite la entrada pero tiene siempre miedo, como el que porta la plaga, de que su vergüenza invisible sea sacada a la luz por las fuerzas del orden. Como el prisionero del panóptico, es uno más de la multitud, pero completamente separado de sus congéneres, sin conseguir jamás establecer contacto duradero con ninguno de ellos. Está atrapado en la trampa de la visibilidad: a dondequiera que se mueva, será inevitablemente identificado y humillado por la omnisciente mirada del poder. Y si la experiencia de Guzmán es incluso más corporal (por ejemplo, en la recurrencia obsesiva del hambre y de los excrementos), el poder que lo vigila es curiosamente inmaterial y no verificable. Guzmán afirma, como hemos visto, hablar al lector; pero el supuesto motivo de su testimonio (advertirnos del peligro espiritual) es inconsecuente con respecto al detalle obsesivo con que narra sus malas acciones. En último término, la persona a la que se dirige su confesión debe ser Dios, la criatura inmaterial y no verificable por excelencia. Nos viene a la memoria el grabado reproducido por Foucault (no. 20), que muestra a un convicto rezando en una prisión modelo: no podemos estar seguros de si está rezando a la Deidad o al sombrío vigilante que se eleva ante él. De modo similar en el *Guzmán*, el destino del mensaje es incierto. Resulta suficiente saber que la vigilancia conduce (como en el *Lazarillo*) a la confesión cuando se internalizan las relaciones del poder.

Podemos ver el *Guzmán* (como el panóptico) como un laboratorio que sirve para fragmentar o magnificar la productividad humana: en cada minúsculo incidente (en cada celda gráficamente iluminada) el sujeto es «cogido» en una postura que requiere alabanza o reproche, recompensa o castigo. En su papel como testigo, el lector mantiene una posición privilegiada. Se hace visible a la multitud a los ojos de una única persona en un espectáculo de vigilancia: observamos a Guzmán, que es consciente de su propia visibilidad. Como sugerí antes, la mirada del crítico es a menudo inquisitorial: estamos tentados a emitir juicios «empíricos» sobre los «hechos» de Guzmán. Pero también es humanitario: buscamos entender la «verdad» psicológica de su condición. Y así como el testimonio del narrador nunca se termina (el segundo volumen no se escribe), así también la investigación del crítico no tiene fin (las interpretaciones y las hipótesis se multiplican). Esta vigilancia indefinida pone de nuevo en funcionamiento la monotonía interminable del incidente en el *Guzmán:* así como la escuela, el hospital y la prisión son iguales bajo las variaciones superficiales, así la agradable variedad de las aventuras de Guzmán da paso (mucho antes del final) a una agotadora repetición del incidente.

Volveré a la crítica que Foucault hace de la visión en el capítulo sobre Cervantes. Pero debería señalarse aquí que, aunque el panóptico de Foucault (como el parergon de Derrida y lo imaginario de Lacan) se asocia con la facultad de la visión, evita todas las trampas asociadas con el pictorialismo. Y estableciendo una oposición entre la tortura corporal del antiguo régimen y la vigilancia más sutil del estado tecnológico, también sugiere Foucault una manera de distinguir el *Guzmán* del *Buscón:* y es que en el último encontramos, de manera bastante simple, la flagrante y anticuada actuación del poder aristocrático sobre el rebelde cuerpo del que se desvía de la norma.

3.4. EL *BUSCÓN* Y LA POLÍTICA

Como se ha señalado a menudo, la crítica sobre el *Buscón* ha tendido a establecerse en uno de dos campos. Una escuela (en la que se incluye A. A. Parker) ve la obra de Quevedo como una empresa

moralmente seria en la que la verdad del dogma católico se demuestra por las inevitables desventuras de un personaje realista, situado
dentro de un marco reconociblemente «real», si bien dramáticamen-
te intensificado. [31] La otra sigue a Fernando Lázaro, al ver el *Buscón*
como un cómico ejercicio de estética lingüística, una exhibición de
ingenuidad verbal que revela poco o nulo interés tanto por la verosimilitud lógica como por el didactismo ejemplar. [32] Ambas escuelas
pueden considerarse como «pictorialistas» en rasgos que ya he señalado antes: la psicologista, por cuanto se refiere a su predisposición
hacia la representación ilusionística; la estética, por su interés en un
sensualismo «equilibrado» y decorativo. Cada una de ellas estima la
unidad a su manera. La primera, la unidad del personaje a través del
cual el escritor dicta al lector la moral que ha elegido; la segunda, la
continuidad de la expresión por medio de la cual el autor expresa su
invención lingüística invariable. Tal irreflexivo elogio de las supuestas unidad y simetría de la novela aparecen incluso en la lectura reciente, relativamente experimental, que hace Gonzalo Díaz-Migoyo. [33]

La posición de Rico, que disiente de las dos escuelas, les debe,
sin embargo, algo a ambas. El *Buscón* fracasa como novela picaresca,
porque no ofrece una perspectiva coherente ni unificadora que
pueda asignarse a su personaje central. Careciendo tanto de veracidad psicológica como de unidad formal, el uso que Quevedo hace
de las convenciones de la picaresca es redundante y superfluo: técnicas de enmarque residuales, como el intermitente llamamiento al
lector en el prólogo y en el texto, no tienen función necesaria en el
texto. El conspicuo juego de palabras que hace Quevedo, que no
puede ser atribuido al narrador/protagonista, es una intrusión redundante de la voz autorial. En pocas palabras, el *Buscón* es un objeto
sin utilidad y vacuo «como un marco separado de su pintura» (p. 72),
y el exceso verbal de Quevedo, aunque obra de un genial artista, se
ve comprometido por el plagiarismo (p. 81).

Como en los casos del *Lazarillo* y del *Guzmán*, numerosos críticos
han reivindicado la simetría de la trama del Buscón y la unidad de
su forma. Mientras que otros han señalado la naturaleza heterogénea

---

31 Véase *Literature*, pp. 56-72.
32 Véase «Originalidad del *Buscón*» (publicado por primera vez en 1961) en *Estilo barroco y personalidad creadora: Góngora, Quevedo, Lope de Vega* (Salamanca, 1966).
33 *Estructura de la novela: Anatomía de «El buscón»* (Madrid, 1978).

de sus varios componentes: el propio relato de Pablos (con o sin la intervención del autor); la carta de su tío; el soliloquio de personajes como el arbitrista y el noble arruinado; la burlesca proclama contra los poetastros. Porque no puede caber duda de que el lenguaje de Quevedo, con su hipérbole constante y su diversidad múltiple, tiende más al exceso y a la redundancia que el de otros textos previos; y que la divergencia entre autor y narrador (y entre los variados constituyentes del texto) resulta más aparente que en los textos que anteceden al *Buscón*. Sugeriré, en primer lugar, que ese exceso lingüístico y esa discontinuidad narrativa son esenciales para comprender el *Buscón* y el lugar que ocupa dentro del canon de la picaresca; y, en segundo lugar, que estos dos rasgos pueden ser relacionados con cuestiones políticas suscitadas por la narrativa: el estatus de los individuos en la sociedad y su relación con el poder investido en esa sociedad. Es más, puede ser que tanto la escuela moral como la estética que conforman la crítica sobre el *Buscón* representen una retirada ansiosa y liberal con respecto a la ideología aristocrática no comprometida del autor y a su (en apariencia directo) reflejo en el antisemitismo, la misoginia y el desprecio por el inferior en la escala social que aparecen en la novela.

El episodio del «rey de gallos» es un buen ejemplo de la ambivalente respuesta de los críticos a problemas como éstos. Pablos, el rey del carnaval durante ese día, intenta detener la lluvia de verduras que le lanza una chusma enfadada, afirmando que los agresores le han confundido con su madre, que había desfilado a lo largo de las calles como una bruja. Entonces su rocín le arroja sobre un montón de estiércol, la primera de las muchas caídas en la escatología. Si Parker (p. 66) había visto esto como una escena primitiva de la culpa y la alienación, muchos críticos posteriores lo han tomado como evidencia de la falta de interés, por parte de Quevedo, por la continuidad y la verosimilitud, que se subordinan a una cruel y gratuita comedia de clase: no resulta plausible que Pablos revelase sus vergonzantes orígenes en público, a no ser que se viera obligado a hacerlo por Quevedo, el tirano que maneja los títeres. [34]

---

34 Para la ausencia de una distinción clara entre los puntos de vista de Quevedo y de Pablos, véase la introducción de B.W. Ife a su edición del texto, *La vida del buscón llamado Don Pablos* (Oxford, 1977), 13-15.

Críticos de ahora han prestado creciente atención a la «ideología» del *Buscón,* como algo implícito en episodios como el anterior. Constance Rose y Michel y Cécile Cavillac tienden a ver el texto como la reproducción no mediata de los intereses de la clase ortodoxa: Quevedo está determinado a sojuzgar a Pablos, representante lastimosamente depravado de una burguesía luchadora y reprimida.[35] Esta opinión es similar a la que antes dio Marcel Bataillon, para quien el *Buscón* simboliza, simplemente, el estado social en que se encontraba España cuando esta obra fue escrita.[36] Sin embargo, otros críticos han visto contradicciones dentro de esta ideología y las han relacionado, a veces, con los huecos o incongruencias que se perciben en el marco narrativo de la obra. Así, para Richard Bjornson (1977), el antiilusionismo de Quevedo (su rechazo a dar una descripción «realista») es resultado de una ideología de clase baja, que no puede permitir a sus personajes la relativa autonomía de un modo naturalista más liberal.[37] O, para Edwin Williamson, en ese mismo año (1977), el conflicto entre autor y protagonista revela (a pesar del propio Quevedo) la existencia de una ideología dominante y opresiva a la que el autor sólo da voz. El poder político excesivo de Quevedo (o, más bien, el de su clase) da como resultado un lenguaje paralelo excesivo que (paradójicamente), a través de la misma notoriedad de su propia presencia, delata la ausencia de aquello que reprime, la persistencia de deficiencias sociales o materiales que no se dicen o que, incluso, no se pueden decir.[38]

Como en el caso del *Guzmán,* es tal vez Edmond Cros el que proporciona el análisis más sofisticado.[39] Para Cros, el «marco» («cadre») ideológico del *Buscón* es un elemento que ya hemos visto en el episodio carnavalesco del «rey de gallos»: el espacio discursivo convencional dentro del que el valor social es, al mismo tiempo, confirmado e invertido. La inusual prominencia del lenguaje de Quevedo revela el necesario «márgen» del discurso literario, así como su atención hacia

---

35 Véase «Pablos Damnosa Heritas», *RF,* 82 (1970). 94-101; y «A propos du *Buscón* et de *Guzmán de Alfarache»,* BHisp., 75 (1973), 114-31.

36 *Défense et illustration,* p. 30.

37 «Moral Blindness in Quevedo's *El buscón»,* 67 (1976), 50-9.

38 «The Conflict between Author and Protagonist in Quevedo's *Buscón»,* *JHP,* 2 (1977), 45-60.

39 *L'Aristocrate et le carnaval des gueux: Étude sur le «Buscón» de Quevedo* (Montpellier, 1975), véanse pp. 45, 53, 58, 105 y 118.

una clase subordinada revela el estatus esencial, si bien marginal, de su personaje. Lo periférico se convierte en central (y viceversa), en el tratamiento extenso, si bien irónico, de un medio ambiente socialmente insignificante. En el análisis final, sin embargo, el *Buscón* permanece prisionero de su circunstancia histórica, la producción de una única clase en un momento particular de su historia. Más recientemente, Anthony N. Zahareas ha sugerido (1984) que las inconsistencias del *Buscón* permiten al lector desmantelar o historizar la ideología que habla a través de ellas y, al mismo tiempo, promueven una «sutil integración» de la forma, lo cual denota una intención coherente por parte del autor. [40]

Sin embargo, si ya no se cree que las inconsistencias narrativas incrementen el «interés» psicológico de un personaje realista, ¿cómo deben entonces considerarse? Una respuesta podría esbozarse a partir de las alusiones que hay en el ensayo, ya clásico, de Spitzer de 1927. [41] El relato de Quevedo es contradictorio porque Pablos es, al mismo tiempo, activo y pasivo, sujeto y objeto de sumisión. Y esta relación reflexiva es, también, la que se da entre el individuo y la sociedad, y entre el lector y el texto. Pablos está dominado por sus aventuras, así como el lector lo está por la inexorable invención de Quevedo; pero no es tanto una marioneta como el que maneja las marionetas, interrumpiendo y recomenzando el relato según su voluntad, aparentemente. De este modo, Quevedo reproduce en su texto tanto la opresión que sufren los individuos por las restricciones sociales, como su ilusoria libertad de acción dentro de estas constricciones. Y hace esto (inadvertidamente) evitando la identificación del lector con el personaje, presentándonos un «mundo» ficcional excesivo y superfluo que rechaza ser tomado como experiencia «vivida».

Iré más lejos. Si la constante humillación de Pablos y la opresión de la narrativa de Quevedo demuestran una posición fija a la que le confinan la clase y la política del autor, entonces la extrema volatilidad del lenguaje de Quevedo y su evidente falta de habilidad para distinguir entre su propia voz y la de su personaje revelan, no menos

---

40 «The Historial Function of Art and Morality in Quevedo's *Buscón*», *BHS*, 61 (1984), 432-43 (p. 442).

41 «Sobre el arte de Quevedo en el *Buscón*», en *Francisco de Quevedo: El escritor y la crítica*, ed. Gonzalo Sobejano (Madrid, 1978), 123-84. Para una defensa del interés psicológico, véase Ife, p. 29.

decisivamente (si bien inconscientemente) que tanto la escritura como la sociedad son más móviles y menos constrictivas de lo que los opresores lingüísticos y sociales podrían suponer. Los obsesivos juegos de palabras y metáforas de Quevedo no son (o no son sólo) ejemplos de una estética lingüística gratuita. También son testigos de la inherente tendencia libertaria de la escritura, que excede los objetivos conscientes del autor, por muy tiránico que éste pueda ser. De esto resulta la aparente paradoja de que el *Buscón* promueva la libertad a través de la excesiva restricción. Gonzalo Díaz-Migoyo termina su estudio haciendo una comparación entre el *Buscón* y las *Meninas* de Velázquez (p. 166). La obra de Velázquez, deduce él, es una obra abierta o libertaria dentro de la que el espectador puede, «libremente», adoptar la posición que prefiera. Las supuestas cualidades «pictóricas» de Quevedo han llevado a los críticos a producir muchas de estas analogías. [42] Sin embargo, yo sugeriría que lo que ofrecen las *Meninas* es una descripción magistral del espacio ilusionístico adecuado para la representación «clásica»; y que por toda su novedad, impone una única perspectiva o posición del sujeto que el observador debe inevitablemente adoptar. Alude, así, al auge del individuo burgués apartado de su sujeción por un sentido de libertad crecientemente sofisticado (si bien crecientemente ilusorio). [43] El *Buscón*, afirmaría yo, no permite semejante consuelo halagador y familiar. Niega la equiparación de sujeto y objeto (no podemos reconocernos en las vidas que forman el mundo de Quevedo) y hunde el espacio ilusionístico (en el mismo momento en que su potencial está siendo explorado por otros escritores y artistas). Quevedo ejerce su opresión sobre el lector tal y como lo hace con el personaje, gracias a su implacable y obsesiva disciplina.

¿Por qué, entonces, parece que el *Buscón* delata tan fácilmente a las condiciones de su producción, mientras que otras obras no lo hacen? Porque en su abierta opresión y vigilancia del lector y del personaje (bastante más relevantes que en el *Lazarillo* y en el *Guzmán*) reproduce las relaciones sociales del feudalismo en una época de capitalismo incipiente. Hemos visto en el *Lazarillo* una internalización

---

42 Véase e.g. el estudio de James Iffland del «retrato» y la «anatomía» en *Quevedo and the Grotesque*, i (London, 1978), 71-111, 134-74.

43 Mi interpretación de las *Meninas* sigue la de Foucault en *Les Mots et les choses* (Paris, 1966), 31.

de la censura (Lázaro es observado por personajes dentro de la ficción, no por el autor), unida a una naciente interioridad psicológica que será plenamente desarrollada en el realismo burgués. El *Buscón* mira hacia atrás a una época ya anticuada de desnuda opresión por parte de la clase gobernante, y a una literatura más preocupada por la perpetuación de la jerarquía externa que por la exploración de la conciencia interna. La contradicción oculta en el *Buscón* es la de que la práctica literaria que pone en funcionamiento no logra coincidir con la práctica social que, no obstante, afirma representar. No mira hacia delante a la novela, sino atrás a la fantasía alegórica, y, de este modo, sirve de testigo, a través de su mismo conservadurismo, a una verdad que tiene implicaciones radicales: la historicidad de la ficción y de la política. El «fracaso» de Quevedo por lograr el modo realista revela las preconcepciones históricas y literarias inherentes, si bien invisibles, al propio realismo.

En mi análisis sobre el *Lazarillo* sugerí que las relaciones imaginarias por las que el niño está constituido se reproducen en las relaciones del individuo con la sociedad. Esta aplicación del psicoanálisis a la política se deriva de un conocido ensayo de Althusser, reimpreso en *Lenin and Philosophy* (pp. 127-86). Si consideramos más detenidamente este ensayo, veremos que alude a una comprensión más sutil, tanto de la política como de la historia, que el que ha sido ofrecido por los críticos del *Buscón*. Althusser se preocupa por la ideología, un término tan elusivo y contradictorio en el uso que hace de él como el de parergon, el de imaginario o el de panóptico en otros teóricos. Como los demás términos, la ideología se sitúa en el límite o margen del pensamiento humano: la cuestión de si Althusser puede reclamar objetividad científica para su crítica de las relaciones sociales es algo que él mismo se plantea. Comienza, como es típico, admitiendo que puede ser imposible elevar el punto de vista de uno al nivel, no de la producción (la creación de comodidades), sino al de la reproducción (la producción de las condiciones bajo las cuales se producen las comodidades) (p. 128). Sin embargo, es a este nivel de reproducción donde opera la ideología (p. 133). El uso del término «nivel» es bastante deliberado. Como se apresura a señalar Althusser, el modelo tradicional del proceso social ofrecido por el marxismo es de índole topográfica: la infraestructura de la base material soporta la superestructura de la cultura, incluyendo la ideología (p. 135). Para Althusser, las ventajas de este modelo tradicional son que sugiere la relativa autonomía de la cultura con respecto a la producción (la ideología depende de la base, pero está separada de ella); y la recíproca acción de las dos (cada una afecta el modo de operar de la otra). La desventaja del modelo es que sigue siendo metafórico, meramente descriptivo. Aquí sugiere Althusser la posibilidad de un lenguaje neutral, no figurativo, que aspectos posteriores de su teoría tenderían a contradecir. La nueva teoría de Althusser sobre el estado llama la atención, no sobre la abierta tiranía de los Aparatos Represivos del Estado (el servicio militar, las prisiones), sino sobre la acción más sutil de los Aparatos Ideológicos del Estado (la Iglesia, la educación) (pp. 142-5). Las últimas instituciones sirven para reproducir las relaciones de producción (es decir, las condiciones bajo las que es posible la producción). En la sociedad feudal la Iglesia era el AIE dominante, que servía para inculcar aquellos valores de piedad y obediencia que la sociedad requería de sus sujetos; en la sociedad moderna, la educación ha asumido el mismo papel (pp. 152-2).

Hasta este punto, el argumento de Althusser es casi empirista en cuanto al método. Con la introducción de una nueva definición de ideología, sin embargo, el tono cambia. Para Althusser, la ideología no puede ser ya entendida como un sistema de ideas dominante en un grupo social en un momento determinado (p. 158). Por el contrario, afirma que la ideología no tiene historia (aunque esto no significa que no hay historia en ella). Esta distinción, de alguna manera elusiva, es continuada por la definición de ideología como «una «representación» de las relaciones imaginarias de los individuos con respecto a sus condiciones reales de existencia» (p. 162). De este modo, la ideología no es tanto una ilusión cuanto una alusión: alude a la circunstancia histórica pero no se corresponde con ella (p. 167). Así como en Lacan no existe una simple oposición entre lo imaginario y lo real, así tampoco en Althusser existe una simple oposición entre la ideología y la historia. Y, como en Lacan de nuevo, una condición de lo imaginario (de la ideología) es que no existe un espacio «fuera» de él: tanto el escritor como el lector del ensayo de Althusser viven «naturalmente» dentro de la ideología, incluso cuando intentan resistirse al orden dominante (p. 171). Pero, ¿cómo opera esta ideología general? Como lo imaginario, una vez más, conserva su posición a través del otro. Nuestra existencia como sujetos es puramente relacional: si un amigo pregunta «¿Quién hay allí?», debemos responder «¡Soy yo!»; y si un policía grita «¡Eh, tú, el de allí!», siempre sabemos que es a nosotros a quien se está dirigiendo (pp. 172-4). Como el niño que todavía no ha nacido y que será arrojado dentro de una familia particular y obligado a llevar el nombre del padre, siempre somos sujetos, nunca inocentes, de ideología (p. 176). A través de formas más sutiles de llamamiento la ideología cría ilusiones especulares, identificaciones imaginarias cuyo rol es «decirnos» que somos el centro del mundo: por ejemplo, la Sagrada Familia de Cristo se refleja en la santidad garantizada por la familia burguesa (y viceversa) (p. 180).

¿Cómo podría esta teoría suscribir una lectura política del *Buscón*? En primer lugar, sugiere que deberíamos intentar elevar nuestro «punto de vista» al nivel de la reproducción, no de la producción. No deberíamos preguntarnos «¿Cómo refleja el texto la realidad?», sino «¿Qué condiciones permitieron que un texto así se produjese?». Si buscamos evidencia del proceso histórico en la obra, no deberíamos fijarnos en los objetos que Quevedo representa, sino en la misma textura de su escritura. El viejo modelo que asigna la ideología a la superestructura no es muy útil aquí: nos dice que no hay conexión inmediata entre la escritura y la historia, pero no ayuda a analizar las mediaciones que afirma haber identificado. La distinción entre ARE y AIE es más fructífera: el *Buscón* es represivo en el sentido de que sirve como un instrumento vocinglero de la clase aristocrática a la que el mismo Quevedo pertenece; es ideológico en la medida en que sutilmente reconcilia a sus lectores con la «naturalidad» de las relaciones sociales en general. Así pues, cuando Quevedo tiene al advenedizo Pablos mutilado por los criados del aristócrata Don Diego, reafirma «represivamente» la definición tradicional de ideología como un sistema fijo de creencias perteneciente a un clase histórica particular. Pero cuando presta a Don Diego un apellido conocido como común de los conversos de Segovia, reconfirma de manera más sutil la jerarquía social al halagar la sensación inmerecida que el lector tiene de su propia importancia. Así, Quevedo establece su narrativa altamente colorista contra un «campo» aparentemente neutral que está, de hecho, compuesto de diferencias sin examinar (hombres y mujeres; ricos y pobres; cristianos y judíos), cuyo llamamiento es de lo más convincente porque no está estable-cido. De este modo, para Quevedo y para el lector contemporáneo, la ideología no tiene historia: el estado de cosas que describe es eter-no y natural. Pero para esos críticos modernos que reprimen la carga ideológica de Quevedo y ofrecen lecturas psicológicas del *Buscón*, la ideología no tiene historia dentro de ella: como lectores modernos, defienden el acceso inmediato a una naturaleza humana inmutable. Por supuesto, esto no quiere decir que la «visión» de Quevedo sea simplemente falsa o irreal: alude a las mismas circunstancias históri-cas que, tan visiblemente, falla en reproducir. No es ilusión, sino alu-sión. De este modo, la descripción fantástica que hace Quevedo de la pobreza y del hambre reproduce al mismo tiempo la escualidez real de las condiciones históricas de la época y la actitud ideológica a través de la cual la aristocracia las vio. Además, esto implica que existe una íntima conexión entre las dos. Incluso dentro de la ficción Quevedo sugiere que no hay nada «fuera» de la ideología: los inten-tos de Pablos por resistirse a un orden dominante (a diferencia de los nuestros) no son ni siquiera dignificados por la aparición de la acción autónoma; están inevitablemente destinados a fracasar.

Pablos, como el sujeto de la ideología, está siempre constituido por la interpelación: como los otros pícaros, su discurso es el de la confe-sión sonsacada por un amo ausente. La cuestión no suscitada que pro-voca la narrativa es «¿Quién crees que eres?»; y Pablos es obligado a responder, incluso cuando (como a menudo sucede) termina incrimi-nándose a sí mismo. Agobiado por una genealogía espectacularmen-te degradada, Pablos sirve como un ejemplo excesivo y paródico de la alienante imposición de la identidad que sufren todos los indivi-duos. El mundo que se centra en él es una imagen especular del mundo celestial, una Familia no Sagrada que focaliza toda su venali-dad en su descendencia. Pero, otra vez, el proceso es reflexivo. Por-que también nosotros estamos constituidos como sujetos por la pro-pia interpelación de Pablos e, igualmente, como sujetos inmorales. El *Buscón* asume una tácita condición del lector como tan brutal y lleno de prejuicios como los personajes representados en la obra. Y ofre-ce asimismo el más sutil halago implícito en cualquier descripción de la vida vulgar: la sugerencia de que nosotros (el autor, el lector) esta-mos fuera o por encima del medio en el que recibimos semejante placer vicario. Esta, entonces, es la significancia final de la innovación más duradera de la picaresca, la voz en primera persona que se dirige al lector. Como imagen especular de nosotros mismos, nos invita a tomar una posición fuera del marco, a asumir el fantasma imaginario, a adoptar la posición del poder. No resulta fácil aceptar esa invitación al mismo tiempo que se conserva una cierta medida de distanciamiento. Es el trabajo iniciado (la posición ocupada) por el *parergon*.

3.5. LA PICARESCA Y EL *PARERGON*

A menudo han tratado los críticos de definir el género de la picaresca confeccionando una lista de las características formales que se consideran esenciales del mismo: la inocencia corrompida del héroe; el punto de vista autobiográfico; el medio «bajo» presentado en estilo cómico.[44] Sin embargo, existe ahora un desasosiego generalizado con respecto a estas tentativas. Aparecen al mismo tiempo como reductivos y proscriptivos. Reductivos en los que «nivelan por lo bajo» una variedad de obras con el fin de reunirlas en un estándar unitario que se deriva de una sola (generalmente, el *Lazarillo* o el *Guzmán*); prescriptivas en el sentido de que impiden el análisis de obras y de características que no consiguen conformarse con este tipo abstracto y fundador. El *Buscón*, rara vez considerado «típico» del género, ha sufrido las consecuencias de semejantes preconcepciones.

Otros críticos han buscado la fuente o el origen de la picaresca: en las tensiones sociales asociadas con los conversos, en el nuevo moralismo alentado por la Contrarreforma, en el resentimiento de una burguesía reprimida por la aristocracia dominante.[45] Pero si el «origen» se localiza en la raza, la religión o la clase, el modelo permanece irreflexivamente positivista y mecanicista. La circunstancia social no «produce» la escritura en ningún sentido directo. La misma variedad y proliferación de los textos picarescos (que sólo pueden ser

---

44 Recientes tratamientos generales de la picaresca incluyen los de Harry Sieber, *The Picaresque* (London, 1977); Richard Bjornson, *The Picaresque Hero in European Fiction* (Madison, 1977); Peter N. Dunn, *The Spanish Picaresque Novel* (Boston, 1979). Véase también Dunn, «Problems for a Model of the Picaresque and the Case of Quevedo's *Buscón*», *BHS*, 59 (1982), 95-105.

45 Estas tesis se derivan, respectivamente, de Castro, Parker y Molho.

aludidos en esta pieza) es bastante prueba de este hecho tal vez
ingustable. Si un momento en la historia puede ser caracterizado por
movimientos unitarios de esta clase (y esto mismo no es, de ninguna
manera, auto-evidente), entonces la escritura es manifiestamente múltiple, no colindante con, sino relativamente autónoma de las prácticas sociales dentro de las que encuentra su significado.

El estudio general más reciente propone una nueva génesis para
la picaresca. Según B. W. Ife, el género puede ser leído como una
reacción a los ataques a la ficción hechos por platonistas contemporáneos.[46] Los tres textos picarescos más importantes «rompen la ilusión» de la coherencia narrativa y representacional y, así, obtienen
los placeres rigurosos de una lectura activa y libre en un intento por
desvelar el arrebato enervante de una absorción pasiva en el texto.
Estamos al mismo tiempo involucrados por la primera persona
narrativa de la picaresca y distanciados por la premeditada inconsistencia y falta de veracidad de su perspectiva. Este es el grato antici-
po del énfasis de Rico sobre el estatus necesariamente unificado y
«orgánico» del «punto de vista». Como Ife concluye: «El compromiso natural (del lector) con el texto... tiene por contrapartida el
mismo y opuesto sentido de incompromiso que viene con el reconocimiento de que, como lector, se le ha obligado a trabajar duro en
su lectura, a interpretar la evidencia difícil y conflictiva, a juzgar
temas complejos y, en último lugar, a someterse al juicio». (p. 173).

Es ésta una tesis original y sugestiva. Sin embargo, plantea ciertos problemás teóricos. Por ejemplo, la implicación y el desapego del
lector no pueden ser, con seguridad, simultáneos, tal y como sugiere Ife (e.g.p. 127), pero ¿pueden, en el mejor de los casos, ser alternativos? Lo que es más, esta (intermitente) alienación del lector no
puede tener un estatus fijo o permanente. Los «marcos» desautoma-
tizadores elogiados por Ife deben empezar, en seguida, por perder su
potencia a través de su misma utilización en textos populares y pres-
tigiosos. La historia de cualquier género se compone de una dialéctica entre la transgresión y la recuperación: la ruptura de las reglas
y su consecuente revisión a la luz de la práctica cambiante. Finalmente, si Ife cita, como yo mismo, conceptos críticos modernos como
la distinción entre «énonciation» y «énoncé» o «la etapa del espejo»

---

46 *Reading and Fiction in Golden Age Spain* (Cambridge, 1985).

de Lacan (p.98), no está dispuesto a aceptar las más amplias implicaciones de la lingüística o del psicoanálisis. Para Ife, como para críticos anteriores, la esencial unidad del sujeto humano (sea escritor o lector) permanece incuestionable. Además, implícita en su argumento está la presunción de que es sólo por referencia a esta «natural» unidad por lo que la representación picaresca de la desunión puede ser reconocida. De este modo, para Ife, el acto de la lectura, por muy complejo que pueda ser, no puede ser liberado de la intención autorial y de la posibilidad de una experiencia auténtica del mundo.

Mi propia tesis es, al mismo tiempo, más simple y más compleja. Es la de que la picaresca, más quizá que cualquier otro género, revela la acción del parergon; es decir, el elemento que, en cualquier sistema, es al mismo tiempo esencial y superfluo, dominante y subordinado, interno y externo a los confines de la relevancia; y que (como sugería en mi Introducción) puede ser visto como análogo al «marco» que rodea todo espacio representativo. Así, el *Lazarillo* revela que la emergencia de la subjetividad (un «sentido de sí mismo») es un proceso reflexivo, no el efecto de lo interno sobre lo externo (o viceversa), sino un ir hacia fuera y hacia adentro (proyección e internalización) que tiene lugar en los márgenes del cuerpo. El *Guzmán* traza la relación reflexiva entre el escritor y el lector, y su rol en la constitución de un género (la novela) que invierte las tradicionales jerarquías textuales al mover los elementos marginales o liminares (el apóstrofe; el paraescolasticismo) hacia una posición central y prominente. Y, finalmente, el *Buscón* asegura el lugar subordinado del individuo en la sociedad, aunque revela, por la misma atención que presta a ese individuo y por la inconsistencia con la que éste es representado, su necesario rol en la definición de la sociedad que le excluye. Sólamente desde su posición marginal puede Pablos revelar la centralidad dentro del texto de conflictos de clase reprimidos por el propio autor.

Si seguimos el movimiento del parergon, entonces los temas tradicionales de la controversia crítica muestran no poder ser resueltos por los mismos textos en los que se considera que se plantean. Preguntarse si el *Lazarillo* está sinceramente engañado o es cínicamente hipócrita es asumir la existencia de una «verdadera» unidad psíquica inmediatamente accesible en la ficción, e ignorar la historia de alienación y falso reconocimiento revelada por la propia narrativa.

Preguntarse si las *moralités* del *Guzmán* son superfluas o esenciales es confinarse uno a un modelo proscriptivo de escritura negado por la universal prolijidad del texto de Alemán. Y preguntarse si el *Buscón* es un «libro de burlas» o un tratado moral es presuponer una intención coherente no distorsionada por las mediaciones ideológicas de hecho desveladas por las inconsistencias de la técnica de Quevedo. Pero si sugiero que semejantes cuestiones son, en propiedad, irrespondibles, esto no implica que no deberían ser ya más formuladas. Al contrario, implica que los críticos deberían darse cuenta, de una manera reflexiva, de los necesarios límites que tiene el análisis «empírico» del espacio literario.

Así pues, al decir que la picaresca está formada y enmarcada por el parergon, no explicamos la potencia del género ni resolvemos su pluralidad. El parergon no es la «tensión» o la «ambigüedad» del crítico pictorialista, que encuentra una resolución satisfactoria en la unidad psíquica o estética. Porque no tiende a unificar sino a problematizar la subjetividad, la escritura y la política: cada una de ellas tiene su origen en la ausencia; cada una tiende a subvertir la jerarquía o el privilegio; cada una hace borrosos los confines de la relevancia narrativa. Se deja al lector no con la unidad, sino con la diferencia: la diferencia entre la vida y la ficción, pero también entre el tiempo pasado y el tiempo presente. Los mecanismos de «enmarque» de la picaresca, la internalización y dramatización que sus autores hacen de las mismas condiciones de la narrativa, nos alertan sobre la distancia entre el Renacimiento y el siglo XX. Esta alienación desmitificadora presta énfasis a lo volátil y subversivo de la novela emergente como género: su posición ambivalente al mismo tiempo dentro y fuera de la ideología que prevalece; el complejo estatus de los objetos que representa, al mismo tiempo presentes y ausentes, conocidos e imposibles de conocer. Semejante auto-conciencia escéptica expone lo seductor de un ilusionismo que el Siglo de Oro, con su profunda desconfianza de la mendacidad de la ficción, conoció perfectamente. El espejismo ficcional tiende a suspender el pensamiento y retardar la intuición hasta la muerte. Como en el emblema que cité antes, los críticos pictorialistas ven sus rostros en el espejo textual, pero están ciegos al esqueleto que sostiene la imagen. Lo que se necesita es un desengaño textual, un conocimiento disciplinado y liberador de los necesarios confines del mundo ficcional.

Pero si la picaresca nos hace cuestionarnos la relación entre la ficción y la «realidad», entonces también nos lleva a examinar las posiciones relativas de la literatura «primaria» y «secundaria», de la escritura creativa y de la erudición. Ya no podemos aproximarnos a la picaresca con ojos inocentes. La crítica ha transformado no sólo la manera como vemos los textos, sino (a través del trabajo editorial) la propia sustancia de los mismos textos. Ser consciente de una retórica de la representación en la narrativa picaresca (un juego de relaciones específicas y materiales inherentes a la misma) implica también reflexionar sobre la naturaleza de nuestra propia labor y cuestionar su efecto. El relato no es ya «sobre» nosotros. Pero puede desvelar el secreto de cómo llegamos a vernos tal y como lo hacemos.

Como en el caso de la poesía lírica, el desarrollo que he trazado en este capítulo (desde el *Lazarillo* al *Guzmán* y al *Buscón*) es entrecortado y comprometido. Y, una vez más, si introducimos una cuarta obra dentro del esquema la «línea» es interrumpida. *La pícara Justina* (atribuida a López de Úbeda) es una obra que generalmente no se admite como perteneciente al canon de la picaresca, excepto como obra subordinada o marginal. Sin embargo, comparte muchas características con sus más famosos rivales, incluso aunque esas características estén de alguna manera exageradas. Es una narrativa inusualmente precipitada, con la protagonista cambiando rápidamente y con escasa motivación desde campesina a peregrina y a demandante. Ofrece al lector mecanismos de enmarque altamente enfáticos: cada capítulo se inicia con rimas virtuosas en una variedad de metros y termina con un «aprovechamiento» o moral a menudo irrelevante. Con frecuencia llama la atención hacia el acto de la escritura, desde el mismo comienzo, cuando Justina hace una burlesca dedicatoria al cabello que está adherido a su pluma y que amenaza con borrar sus palabras.[47] Finalmente, y de manera aún más inusual, pone en cuestión el estatus de su propia narrativa: Marcel Bataillon cree que se trata de un *roman-à-clef* en el que figuras contemporáneas se enmascaran bajo disfraces más o menos transparentes (*Pícaros y picaresca, passim*). El espacio de *La pícara Justina* está entre medias: ni pura ficción ni documento histórico; ni ilusión ni realidad. Es esta indeterminación (el producto de contradicciones latentes en otras

47 Barcelona, 1986 (p. 15).

novelas picarescas) lo que ha probado ser tan resistente a la «resolución» pictorialista y, así, ha reafirmado la marginalidad de la obra. La distinción entre las novelas picarescas canónicas y *La pícara Justina* es la misma que la que hay entre los ejemplos parejos de Kant sobre la estética y la no-estética, a los que me referí en la introducción a este capítulo. Los textos canónicos son como un tulipán salvaje: parece que ofrecen al lector una coherente organización de medios que es, no obstante, de índole completamente arbitraria. El corte que los separa de lo real no deja huella tras de sí (o, al menos, una huella auto-evidente), y pueden quedarse como ejemplos agradables de un proceso natural (la «vida» misma) con respecto al cual, sin embargo, no revelan conexión específica. *La pícara Justina*, por otra parte, es como el hacha prehistórica que ha perdido su mango. Está, también, separada de lo real para cuyo propósito sirve, pero de un modo que llama la atención sobre la carencia que la ha privado de su función. Como un *roman-à-clef* hace gestos, de una manera bastante clara, hacia su función real como un arma en la polémica literaria, una función que no puede servir hoy. Lo impuro del corte que la separa de lo real niega, de esta forma, el valor estético dado a otras obras.

Una contradicción ausente de los textos canónicos es la que hay entre el autor macho y la protagonista hembra. Marcia L. Welles sugiere que «la falta de identificación (entre la voz autorial y la narrativa) permite la aparición de un «hueco» entre los «yos» enunciadores» que puede dar como resultado la notoria ironía del *Lazarillo*. La innata dualidad de la narración en primera persona es exagerada hasta la duplicidad por la personificación masculina de una voz femenina».[48] La instancia particular de un narrador femenino en *La pícara Justina* tiene, así, una significancia general para la picaresca como género. Abre el camino para una crítica feminista de la subjetividad y la representación, que también es relevante para las otras novelas que hemos visto en este capítulo y para las otras teorías que hemos utilizado para interrogarlas. Para Luce Irigaray, cualquier teoría del sujeto está siempre destinada a lo masculino (*Speculum*, pp. 165-82). El privilegio del sujeto (macho) se basa en su perspectiva

---

[48] «The pícara: Towards Female Autonomy, or the Vanity of Virtue», *RQ*, 33 (1986), 63-70 (p. 64).

dominante: adopta la posición vertical del sol en relación con otro (la tierra, la materia) que es la imagen especular de su propia brillantez y potencia (pp. 166-7). Este sentido de lo Otro (la mujer) es la garantía de un universo siempre idéntico al sujeto macho. En su aislamiento, el hombre fabrica herramientas para explorar el objeto que está bajo él, doblegando al otro al mismo modelo de representación por el que él se contempla, el plano, pulido espejo de la identificación (p. 170). El sujeto hembra es, así, al mismo tiempo no conocedor e imperceptible (como la materia) y una parodia o remedo del hombre (como la imagen del espejo) (pp.172-4). A la vez lo mismo y lo otro, está «enmarcada» incluso por las pseudo-libertarias estructuras del psicoanálisis (p.175). Su única posibilidad de resistencia reside en una radical disrupción del lenguaje, que explote los blancos, los cambios, las elipses y los eclipses del discurso patriarcal (p.176). El sexo de la mujer es como el espejo cóncavo del espéculo: concentra la luz para permitir la visión, pero también produce los reflejos distorsionados de la anamorfosis (p.179). Lo que es más, el espéculo no necesita en absoluto ser un espejo, sino simplemente un instrumento que abre el espacio interno a la mirada (p.180). La cuestión final, entonces, es la de si cualquier crítica del discurso del macho (la «despecularización») es posible, dado que ese discurso, que se extiende hacia atrás desde Freud hasta Platón, ofrece el único modelo de representación al que tenemos acceso (p.182).

El valor de la crítica que hace Irigaray de la visión es múltiple. No es simplemente otra teoría de la representación sino, más bien, un cambio con respecto a todas las teorías a las que me he referido en este capítulo. Irigaray sugiere, al menos, tres cosas: una nueva atención a la convencionalidad de la representación (como constructo del macho); una nueva valorización de la discontinuidad (como estrategia de la hembra); una nueva sospecha del metalenguaje (como falomorfismo). Sin embargo, no podemos simplemente adoptar el espéculo como un modelo de representación más sofisticado que los espejos (planos) de críticos y teóricos previos. Porque, en el tratamiento que Irigaray hace del motivo, el espejo curvo sirve a veces para desnaturalizar el patriarcado con sus imágenes distorsionadas y, otras veces, sirve para investigar y, así, someter a la mujer a través de sus rayos concentrados. Como el «passe-partout» de Derrida, es a la vez un marco flexible y un instrumento penetrante.

Esta fluidez es típica del rechazo de Irigaray a ofrecer al lector términos «útiles» o «funcionales» análogos a conceptos críticos más tempranos. En otro lugar ofrece los labios de la mujer como el «exemplum» de un imaginario que no puede ser reducido ni a la unidad (el falo) ni al binarismo (el espejo y la imagen). [49] De este modo, apunta a la posibilidad de una comprensión revisada de la perspectiva plural, diferente de los relativistas (machos) que no examinan el proceso por el que los «puntos de vista» se configuran.

Pero ¿cómo se relaciona *speculum* con *La pícara Justina* y con el género de la picaresca en su conjunto? En primer lugar, sugiere una lectura de los personajes femeninos en estas novelas. Como veremos en el caso de la comedia, las mujeres sirven principalmente como objetos de cambio dentro de un sistema masculino: Lázaro cambia a su mujer por la protección del arcipreste; Guzmán y Pablos cambian una mujer por otra y (a pesar del matrimonio del primero y de la unión final del segundo con una prostituta) prestan escasa atención a cualquiera de ellas. En *La pícara Justina* hay pasajes que son abiertamente feministas: por ejemplo, la doncella Teodora hace una defensa vigorosa del placer que las mujeres obtienen al bailar (II.i.I; p.92). Pero semejantes discursos son subvertidos por el conocimiento que tiene el lector de que es el autor masculino el que «habla» a través de la boca de la mujer. Pero Irigaray sugeriría que éste no es un caso especial, sino la condición general de las mujeres, que siempre están sujetas a la perspectiva del macho dominante, siempre constreñidas a adoptar una parodia de lo femenino que es a la vez la imagen del espejo y el garantizador final del universo del macho. Teodora (y Justina) permanecen «enmarcadas» por un omnipresente falomorfismo. Por otra parte, los curiosos cambios del lenguaje de López de Úbeda y las inexplicables elipsis de su narrativa impiden que su texto se haga aceptar como un espejo pulido y plano, un simple reflejo de lo real. Como un espejo cóncavo, sirve al mismo tiempo para arrojar luz sobre la oscuridad de la mujer (para explorar su naturaleza interior) y para ofrecer al espectador las distorsiones anamórficas del mundo (para socavar nuestra creencia en la realidad externa). Así pues, desde su posición marginal en los bordes del psicoanálisis y la filosofía, Irigaray apunta a lo inadecuado de incluso esos teóricos (Lacan, Foucault)

---

49 Véase el ensayo título en *Ce sexe qui n'en est pas un* (Paris, 1977), 21-32.

que son los más sofisticados en su aproximación a la cuestión de la visión. E, igualmente, desde su posición marginal en los bordes del canon de la picaresca, *La pícara Justina* apunta a lo inadecuado de incluso los modelos más sofisticados del género que omiten examinar el problema de la propia representación.

4

LA RETÓRICA DE LA INSCRIPCIÓN
EN LA COMEDIA

4.1. Inscripción y prescripción

Los grandes dramaturgos españoles son famosos por su exuberancia creadora. Se sabe que Lope de Vega escribió más de 300 obras de teatro y Calderón más de 120 comedias y setenta autos sacramentales. Cualquier acercamiento al teatro del Siglo de Oro se enfrentará a un mismo tiempo con el amplio volumen de material que debe ser tomado en consideración y con los enormes problemas de atribución, composición y representación que este material suscita. Sin embargo, como sucedía con la poesía lírica y la narrativa picaresca, se da por buena una trayectoria cronológica en el teatro del Siglo de Oro que impone cierta coherencia retrospectiva sobre un objeto crítico inmanejable. Así, los eruditos trazan un movimiento desde una relativa simplicidad a una relativa complejidad, incluso exceso, del lenguaje y del pensamiento. La distinción canónica se da entre Lope como un «monstruo de la naturaleza» y Calderón como un «monstruo del ingenio». Una historia literaria estándar elogia todavía la «espontaneidad y naturalidad» de Lope, que se continúa por la "sutileza de mente" de Tirso y los más rigurosos formalismo e intelectualismo de Calderón.[1] Ningún crítico negaría hoy la

1 Edward M. Wilson y Duncan Moir, *A Literary History of Spain: The Golden Age: Drama 1492-1700* (London, 1971), pp. 43, 89, 102.

149

artesanía de Lope o la habilidad de Calderón para conmover al público. Pero la presuposición de un amplio desarrollo en el teatro del Siglo de Oro desde una «naturaleza» espontánea a una «cultura» consciente de sí misma permanece inalterada en lo fundamental.

En un principio el teatro parece resolver esos problemas teóricos que veíamos a propósito de la lírica y la picaresca. El teatro ofrece un acceso directo a la presencia visual y material del cuerpo humano, lo que buscaban en vano los lectores de la lírica. Y, al hacerlo, parece soslayar el excesivo aunque necesario "marco" de la representación verbal, que tan problemático resulta en la picaresca. El cuerpo dramático no está representado en el lenguaje, simplemente está "ahí". Con todo, esta presencia no trasciende las dos relaciones contradictorias que hemos apuntado en la lírica y en la picaresca: la que existe entre el arte y la naturaleza y la que se da entre los medios y el objeto de la representación, respectivamente. El teatro sigue poniendo en entredicho la integridad del sujeto y el prestigio de la representación, porque el artista es al mismo tiempo igual y mayor que la presencia del cuerpo en escena. El actor, a diferencia del autor, se muestra presente a los ojos del público, en su materialidad perceptiva. Pero esa presencia está determinada por un valor suplementario o excedente que es en sí mismo inmaterial: el estatus del actor como "personaje" o agente ficcional. De este modo, el teatro reproduce, en sus propias condiciones, el exceso necesario común a la escritura como conjunto.

Lo que es más, el estatus del teatro como institución es igualmente desconcertante. Es a un tiempo un potente medio de regulación social y una amenaza peligrosamente subversiva para la estabilidad política. Los ataques clásicos y renacentistas a la inautenticidad del teatro son bien conocidos. Más importante tal vez para un público moderno sea el modo como el teatro del Siglo de Oro, mucho más que otros aspectos, desplaza o socava la predisposición propia del siglo XX a considerar al escritor como origen del texto. Las obras están escritas por un autor, realizadas por actores y puestas en escena por un director (el «autor» en la España del Siglo de Oro). La confusión implicada por este deslizamiento etimológico es reforzada por las circunstancias históricas del teatro de la época, por lo rápidamente que unas obras son reemplazadas por otras y por su frecuente anonimato. Generalmente, no puede haber posibilidad de acceso a un texto "auténtico" o "primario", porque cualquier versión impresa de una obra de teatro será en alguna medida un palimpsesto, que soporta la huella de enmiendas radicales en cada estadío del proceso dramático. Y la primacía del público en un teatro popular como el español debe también desplazar el énfasis crítico desde la fuente al objetivo, o de la producción al consumo. Es difícil ver al dramaturgo como el genio aislado de la imaginación romántica. Ciertamente, la naturaleza, abierta por lo general, del texto y del proceso dramático apunta de un modo inusualmente explícito a la naturaleza de la escritura en general. La lírica y la picaresca son igualmente (si bien de manera menos evidente) "dialógicas". Así pues, aunque me refiero abreviadamente a "Lope", "Tirso" y "Calderón", los nombres no denotan un sujeto histórico ni su expresión individual, sino un cuerpo del texto y sus múltiples determinantes.

La puesta en escena del Siglo de Oro es decididamente no-naturalista. La comedia fue ejecutada sobre una escena que sobresalía, un proscenio (con un balcón encima), a la luz del día, y al aire libre. El público era heterogéneo y con frecuencia inquieto. Ya se ha logrado una aproximación valiosa hacia lo que era la puesta en escena. [2] Pero es curioso cómo la crítica tiende a oscilar desde los detalles minuciosos de la escenificación (como los salarios de los actores y el coste de las propiedades) hasta las abstracciones de una formalismo textual, profundamente hostil a la determinación histórica. Este formalismo ha sido formulado por la "Escuela inglesa" de la crítica, liderada por A.A. Parker, el autor de un breve, pero muy influyente, estudio, *The Approach to Spanish Drama of the Golden Age*. [3] («El acercamiento al teatro español del Siglo de Oro»). El uso del artículo definido en el título no es aquí accidental: el esquema de Parker es unívoco y rígidamente jerárquico. Para Parker, el personaje está subordinado a la acción, la acción al tema y el tema al propósito moral. El principio de unidad tan querido al *New Criticism* (y tan claramente ausente en las tramas múltiples de la comedia) se percibe en el nivel "profundo" del tema y se asocia con el funcionamiento de la

---

2 La obra estándar continúa siendo la de N.D. Shergold, *A History of the Spanish Stage from Medieval Times until the End of the Seventeenth Century* (Oxford, 1967).
3 Publicado por primera vez en las series de Diamante (Londres, 1957).

justicia poética. La cuidadosa atención que presta Parker a las "palabras en la página" marca un necesario correctivo a la desatada crítica psicológica e historicista, que había venido siendo la dominante. Pero en su inexorable ascenso desde la excelencia formal a la moral, su aproximación sirve meramente (como su tratamiento de la picaresca) para reafirmar, sin cuestionarlos, los dogmas tanto del *New Criticism* como de la Contrarreforma: el esteticismo hermético y el catolicismo ortodoxo.

La visión jerárquica se ha puesto en entredicho desde hace algún tiempo. Un crítico reciente invocaba los términos marxistas de producción y consumo como antídoto crítico contra el formalismo y el moralismo.[4] Sin embargo, las lecturas históricas de la comedia han sido a menudo igualmente reductivas, si no más. Otro reciente estudio metacrítico traza el desarrollo de una sociocrítica "comprometida", bajo la égida de Américo Castro y de Noël Salomon, y ataca a los que la proponen por la rigidez y el dogmatismo que otros han visto en la Escuela inglesa.[5] Mientras el *New Criticism* mantiene el texto limpio de su base histórica e infunde a su estructura estética un imperativo puramente moral, el marxista vulgar arrebata el texto de su contexto cultural y reduce un proceso ideológico muy complejo y rico a un propagandismo mecánico. En mi discusión sobre Lope y Calderón volveré a estas revisiones de la herencia socio-crítica y formalista. Por ahora es suficiente sugerir que en su entusiasmo idéntico por la exclusividad moral y la fijación interpretativa, ambas escuelas críticas merecen el nombre de «prescriptivas».

La teoría clásica y renacentista sobre el teatro, sin embargo, no muestra semejante confianza. Es más, tiende a revelar contradicciones irreconciliables, que, en último lugar, pueden hacerse derivar, curiosamente, del inestable estatus que hemos apuntado para el propio cuerpo dramático. Como George Kennedy ha sugerido recientemente, una distinción esencial entre la Retórica y la Poética de Aristóteles dice que la primera da por hecho la maestría del orador y su éxito al imponer su voluntad sobre el público; mientras que la segunda presupone un intertexto o serie de mediaciones por las que se

---

4 Walter Cohen, «Calderón in England: A Social Theory of Production and Consumption», *BCom*, 35 (1983), 69-77.
5 Charlotte Stern, «Lope de Vega, Propagandist?», *BCom*, 34 (1982), 1-36.

constituye el propio mensaje del dramaturgo.[6] Un respetable comentarista moderno de la Poética muestra que para Aristóteles la retórica dispone a una persona hacia la acción, mientras que el teatro representa a la persona en acción. [7] El proceso dramático es, así, necesariamente más oblicuo y desviado que el retórico.

Un problema particular para los lectores renacentistas es la propuesta que hace Aristóteles de dos taxonomías simultáneas y parcialmente superpuestas del poema dramático: cualitativa y cuantitativa. De este modo, por una parte, la tragedia se compone de trama, personaje, dicción, pensamiento, espectáculo y canción (y cada una de estas partes cualitativas se asigna ya a los medios, ya a la manera o ya al objeto de la representación); y, por la otra, se divide en varias secciones: prólogo, episodio, «exode» y canto coral. En un principio parece que la clasificación cualitativa es puramente paradigmática y la cuantitativa sintagmática. Es decir, cada uno de los elementos primeros puede aparecer en cualquier momento dado, mientras que los segundos deben tener lugar en un orden o secuencia fijos. Pero el "canto" es al mismo tiempo un modo de representación (cualitativo o paradigmático) y una división de la secuencia performativa (cuantitativa o sintagmática). Del mismo modo, el argumento (el "mythos") parecería englobar todas las partes cuantitativas, pero está confinado a una sola, y asignado al objeto (antes que al medio) de la representación. Los dos sistemas son inconmensurados. Por supuesto, los significados de estos términos han sido discutidos durante siglos. Lo que es importante aquí es constatar que incluso en las más lúcidas y prestigiosas clasificaciones existe cierta confusión entre la estructura dramática (el texto) y la actuación dramática (el contexto).

Como Weinberg ha demostrado para la Italia del siglo XVI, el nombre de Aristóteles y las ideas asociadas a él se invocan en la teoría dramática para apoyar tanto el tradicionalismo como la innovación.[8] Así, los conservadores ven la "naturaleza" de Aristóteles como

---

6 «Authorial Intent in the Aristotelian Tradition of Rhetoric and Poetics», una comunicación no publicada a la *Quinta Conferencia Bienal de la Sociedad Internacional para la Historia de la Retórica* (Oxford, 1985).

7 William M.A. Grimaldi, *Studies in the Philosophy of Aristotle's Rhetoric* (Wiesbaden, 1972), 27, n. 17. Estoy en deuda a la profesora Rosalind J. Gabin por esta referencia.

8 «Aristotle becomes, simultaneously, the authority for traditionalism and the authority for change... Nature, like Aristotle, serves both sides of the conflict... As a result of this ambivalence, the terms in the debate will be constantly shifting». (*History*, pp. 712-13).

una entidad estática, que no cambia, y que justifica la perpetua validez de las formas artísticas; pero los progresistas exageran la variedad y adaptabilidad de la naturaleza como precedente para una comprensión del género literario como local y provisional. De igual modo, el llamamiento al "uso" aristotélico puede ser entendido de dos modos excluyentes: como una adherencia a los valores humanos eternos o como una adhesión a la costumbre social provisional. El corpus de los comentarios horacianos no es menos volátil. Si el placer y la utilidad son los reconocidos fines de la poesía, entonces el relativo estatus de cada uno está cambiando constantemente. Y si el rol del público es dominante al determinar el arte, entonces ese público puede ser percibido como una indiferenciada y aristotélica multitud o como una cultivada élite platónica. Lo que es más, el concepto central de la poética de Horacio es el decoro (latín «aptum»; griego «prepon»). En un reciente estudio, Victoria Kahn ha sugerido que el decoro literario y su ética sobre la prudencia son esenciales para cualquier estudio de la cultura renacentista.[9] Teóricos y moralistas no se diferencian en sus defensas en el reconocimiento del decoro o de la prudencia en funcionamiento; y están unidos igualmente en su incapacidad por proporcionar una teorizacion adecuada de estos términos. La abrumadora atención prestada al decoro descentra o desplaza, de este modo, cualquier oposición sencilla entre teoría y práctica (idealismo y pragmatismo). El «aptum» se ofrece a sí mismo como un número infinito de opciones posibles disponibles a los individuos, en la medida en que éstos son capaces de una elección estética o moral. Así pues si, como veremos, un recurso a concepciones oscilantes de la naturaleza y del uso es frecuente en la preceptiva dramática del Siglo de Oro, entonces la presencia de una principio dinámico del decoro (o «discreción») es igualmente ubicuo en la acción y caracterización de la comedia española.

No deja de ser una ironía, entonces, que el término ético-estético de decoro pueda servir en buena medida para reemplazar el esquema de Parker, que aspira, asimismo, tanto a la autoridad moral como a la formal, pero tiende a borrar las asunciones teóricas en las que se basa la dualidad. En la sutil indeterminación de sus términos, la "preceptiva" trasciende la moderna "prescripción". Sin embargo, confinar

9 *Rhetoric, Prudence, and Skepticism in the Renaissance* (Ithaca, 1985).

una interpretación a conceptos críticos contemporáneos o previos al texto en cuestión es promover un falso historicismo, cuyo resultado lógico debe ser la mera reduplicación del objeto crítico. Un concepto moderno tan móvil y flexible como el decoro renacentista es lo que llamaré «inscripción» (que corresponde, en gran parte, a la francesa «écriture»). En tres influyentes textos Derrida ha sugerido que la propia escritura es una metáfora privilegiada que precede a la "auténtica" expresión oral a la que, por lo común, se piensa que está sometida. [10] En primer lugar, los textos antropológicos de Lévi-Strauss deploran explícitamente el paso de una oralidad edénica en las sociedades "primitivas", que se pierde con la introducción de la escritura. Sin embargo, en el complejo sistema de nombres, ropas y parentesco descrito por Lévi-Strauss en estas sociedades orales, Derrida discierne una inscripción social alienante siempre presente y previa a cualquier conocimiento de la palabra escrita. En segundo lugar, las obras autobiográficas de Jean-Jacques Rousseau manifiestan una abierta preferencia por la presencia "natural" de la voz que habla y un desdén por el "peligroso suplemento" de la escritura, predicado como es sobre la ausencia y la diferencia. Sin embargo, el mismo Rousseau se da cuenta de cómo la presencia de la amada hace imposible su propia actuación discursiva o sexual. Sólo al escribir o al masturbarse experimenta él esa subjetiva integridad que atribuye, no obstante, a la comunicación oral o a la consumación sexual. Finalmente, y resulta de lo más crucial, Derrida trata un texto de Freud en el que la memoria del inconsciente se compara con el «bloc mágico» que todavía les resulta familiar a los niños de hoy. Las inscripciones pasadas permanecen invisibles al ojo desnudo, aunque dejan una impresión perdurable en una hoja del cuaderno. De igual forma, acontecimientos perdidos para la memoria consciente permanecen presentes aunque inmateriales en el inconsciente. Así pues, para Derrida, el psicoanálisis (que se proclama como «la cura por el habla» está profundamente comprometido por la «inscripción» psíquica. El cuaderno mágico no es simplemente una metáfora; apunta a un originario rol para la "escritura" (en el extenso sentido que le da Derrida) en la constitución del sujeto humano. Así,

---

10 Los tres textos son: «La Violence de la lettre: De Lévi-Strauss à Rousseau», y «Ce dangereux supplément», ambos en *De la grammatologie* (París, 1967), 149-202 y 203-34; y «Freud et la scène de l'écriture», en *L'Écriture et la différence* (París, 1967), 293-34.

la inscripción es endémica en los niveles de la práctica comunitaria (Lévi-Strauss), de las relaciones intersubjetivas (Rousseau) y de la experiencia intrasubjetiva (Freud). La diferencia y la alienación de la escritura están implícitas en todas las esferas que son accesibles a nuestra percepción, es decir, que son humanas.

El término principal asociado con la inscripción en el ensayo sobre Freud es el de «huella» («trace»). La huella es a la vez movimiento y residuo: el acto de hacerse uno un camino («se frayer un chemin») y el rastro que se deja detrás («frayage»). La acción de la huella es sinuosa. La pluma deja un resto en aquella "hoja" del cuaderno mágico, que no ha tocado directamente. Y el resto, una vez borrado, retiene una presencia fantasmal. Podríamos añadir que la palabra inglesa «writing» ("escritura") en su significado común se refiere tanto al acto de trazar caracteres como al residuo que la pluma deja tras de sí cuando se desplaza. Puede parecer perverso utilizar el motivo escritural de la huella para el tratamiento del medio del teatro, supuestamente oral. Sin embargo, la huella puede relacionarse tanto con la actuación individual como con el teatro en general, tal y como cada cosa es percibida en el tiempo. Los actores son cuerpos materiales, pero están «inscritos» sólo en la memoria del espectador; y el teatro es la forma artística comunitaria o social, pero su presencia cultural está por encima de todo en el momento de su puesta en escena. La experiencia de contemplar una obra de teatro es la de una continuada y simultánea inscripción y tachadura, tal y como el personaje y la acción "escriben" en la memoria del espectador. Y la experiencia de "seguir" el teatro como una institución es la de una secuencia de acontecimientos dramáticos en los que cada puesta en acción de la misma obra o de otra diferente desplaza, pero no borra enteramente, la memoria de aquellas que la precedieron. Es esta cualidad inscripcional la que invalida el formalismo prescriptivo y problematiza la relación del texto con la percepción, y de la institución con la historia. Pero, asimismo, la inscripción proporciona una base teórica mediante la cual el hecho empírico de la puesta en escena puede ser incorporado, a un nivel adecuadamente generalizado, dentro de un modelo conceptual de ficción dramática. Desde luego el bloc mágico es asociado por el propio Freud con el teatro. Lo inconsciente es «ein anderer Schauplatz», convertido por Derrida (y por Lacan en sus muchas referencias a este pasaje) en «une autre scéne».

A veces, los preceptistas del Siglo de Oro utilizan la palabra «traza» en sus definiciones del teatro. Así, Carlos Boyl afirma en un texto publicado en 1616: «La comedia es una traza / que, desde que se comienza, / hasta el fin, todo es amores, / todo gusto, todo fiestas».[11] El editor moderno nos advierte que «traza» equivale a "maraña" (el complejo entretejido de la trama). Sin embargo, como la "huella" inglesa y francesa, la «traza» española se deriva en último lugar del latín vulgar «tractiare» ("dejar un rastro"). Es el sendero dejado por un cuerpo a medida que éste se abre camino en el espacio y en el tiempo. Mi objetivo en este capítulo es analizar este movimiento en una única obra de cada una de los tres grandes dramaturgos del periodo (Lope, Tirso y Calderón); y relacionar las obras con las tres grandes áreas de interés crítico (la naturaleza, el deseo y el honor). Estas áreas se corresponden respectivamente con las esferas social, psicológica y cultural de la «inscripción». La conclusión se ocupará de dos cuestiones permanentes para los críticos: la definición de la comedia y la relación de la comedia con la historia. Mi discusión de obras separadas estará precedida en cada caso por el análisis de un pasaje de la "preceptiva", hecho por los mismos dramaturgos, ya que es el movimiento constante entre la teoría y la práctica lo que define el espacio, o reproduce el movimiento, dentro del cual el teatro del Siglo de Oro se desarrolla.

4.2. LOPE Y LA NATURALEZA

El *Arte nuevo de hacer comedias* (1609) de Lope de Vega es la obra mejor conocida de la preceptiva hecha por un dramaturgo del Siglo de Oro.[12] Alude brevemente y con cierta ironía a la relación entre la teoría dramática española y sus homólogas europeas: es característica de su autor por el tono, y de su época por la sustancia. Afirma allí Lope escribir sin «arte»: la misma idea de una ars poética es superflua en un país como España, donde toda la práctica dramática va en contra de sus preceptos (135). Sin embargo, aunque España esté "fuera" de cualquier influencia teórica, Lope trae a colación

11 Citado por Federico Sánchez Escribano y Alberto Porqueras Mayo en la introd. a su *Preceptiva dramática española del renacimiento y del barroco* (Madrid, 1965), 24.
12 Mi texto procede de la antología de Sánchez Escribano y Porqueras Mayo, pp. 125-36. Los números entre paréntesis son los números de línea en este texto.

a Arístides y a Cicerón, y remite al lector interesado a los comentarios de Robortello (143). El modelo que Lope sostiene del teatro es pragmático: está determinado por el público (vulgar). Sin embargo, como hemos visto, el público constituye una preocupación primordial en la poética de Horacio; y las recomendaciones de Lope están redactadas en lenguaje explícitamente retórico: el autor busca persuadir o disuadir al público (251). Fundamental para esta persuasión son las "figuras retóricas", especialmente aquéllas basadas en la duplicación o en la inseguridad: repetición, anadiplosis, anáfora, dubitación (313-17). Así pues, aunque Lope afirme, sin duda humorísticamente, que Francia e Italia le tacharan de ignorante por ceder a los deseos de su público (366), su predisposición retórica no es, en absoluto, incompatible con la corriente europea generalizada de teoría dramática. Claro está que la retórica (como arte de la persuasión) es inseparable de una preocupación pragmática por el público. La supuesta dicotomía entre teoría y práctica (como la que hay entre España y Europa) resulta, de este modo, deconstruida subrepticiamente en el mismo momento en que es propuesta.

El otro tema principal de Lope es el decoro, de nuevo un tema tradicional en la poética de Horacio. El discurso debe ser apropiado al personaje y el verso a la materia tratada (269-312). En la comedia polimétrica, las formas concretas métricas van a ser usadas con intención específica. El interés se pone aquí, de nuevo, en la eficacia. Pero la oscilación entre las responsabilidades del dramaturgo (el decoro) y las demandas del público (la retoricidad) crea una aporía o inseguridad radical resuelta finalmente por el recurso que se hace al hecho empírico de la representación: sólo oyendo una obra de teatro puede uno acceder al verdadero conocimiento del teatro (387-9). Cualquier indecisión es, así, restringida (provisionalmente al menos) por una tautología agresiva (la comedia es ella misma), y una cabal profusión de invención: Lope afirma haber escrito no menos de 483 obras (369).

La obra concreta a la que me voy a referir ahora es *Peribáñez y el comendador de Ocaña*, escrita alrededor de 1605-8 y publicada por primera vez en 1614.[13] Por supuesto, la consideración de sólo esta obra difícilmente podrá ser "representativa" de la ingente producción de

13 La edición que utilizo es la de J.M. Ruano y J.E. Varey (Londres, 1980).

Lope. Como hemos visto, la multiplicidad de la invención es, tal vez, la característica definitoria de Lope. Sin embargo, parece que *Peribáñez* podría servir como ensayo para cualquier lectura "inscripcional" de Lope. Porque, por una parte, es muestra típica de las obras (que se cree son más características de Lope) en las que la dicotomía entre la ciudad y el campo (el arte y la naturaleza) se considera esencial para la estructura dramática. Y, por otra parte, se piensa que es una de las obras de Lope mejor "acabada" o estructurada, menos apresurada e inconsistente que muchas otras. Por esto, resultaría particularmente difícil en el caso de *Peribáñez* proponer —como voy a hacer— que la oralidad "natural" va precedida de una compleja inscripción cultural; y que las discontinuidades de esta inscripción se revelan en la progresión entrecortada y asimétrica de la huella dramática. Mi lectura se dirige, así, a dos preconcepciones de la crítica de Lope: la primacía de la naturaleza como origen temático, y de la unidad como fin estético.

El argumento de *Peribáñez* es relativamente simple. Carece casi completamente de acción cómica secundaria, que suele mantener un tono radicalmente diferente al de la acción principal, y que tan característica es de la comedia. El esquema es el siguiente: Peribáñez, un aldeano rico, se acaba de casar con la hermosa Casilda en la pequeña aldea de Ocaña. El noble comendador, señor de Ocaña, se llena de pasión hacia la aldeana, e intenta, mientras Peribáñez tiene que ausentarse en Toledo (la segunda vez, por malicia del propio comendador) seducir a la virtuosa esposa. Peribáñez, que lo sospecha, regresa, mata a su rival, y gana el perdón real por su acción.

Aquí, la dicotomía entre la ciudad y la aldea (la cultura y la naturaleza) parece al principio claramente delineada. De acuerdo con J. M. Ruano y J. E. Varey, el matrimonio vive, al principio, «en comunicación directa con la naturaleza» (p. 16). La decisión que Peribáñez toma, una vez iniciada la acción, de donar a una institución religiosa las colgaduras que había solicitado del comendador es un rechazo de «los signos externos del estatus en favor de las virtudes tradicionales... expresadas en la escena inicial del Acto I» (p. 25). Mientras tanto, el lenguaje del comendador extrae sus imágenes de la literatura, en contraste con el de Peribáñez, que surge, fluidamente, de su cercanía con la Naturaleza (p. 40). Central a este sistema de oposiciones binarias es el contraste entre la ruda capa del campesino y la del comendador, ricamente adornada, que se describe en la copla o canción tradicional que inspiró el tema central de la obra, y que asoma a los versos de la misma: «Más quiero yo a Peribáñez / con su capa la pardilla / que al Comendador de Ocaña / con la suya guarnecida» (1594-7).

El paradigma es fácil de esbozar. Por un lado (negativo) tenemos ciudad, vicio y literatura; y por el otro (positivo) campo, virtud y oralidad.[14] Sin embargo, la distinción no es tan simple. Por ejemplo, en el discurso de boda que Peribáñez dirige a Casilda, compara a su novia con los productos artificiales de la economía domestica: las aceitunas, la fruta, el aceite, el vino y la harina (46-65); y ella le compara con los deleites de la sociedad rural: los bailes, las canciones y las procesiones de los festivales populares (86-110). Una imagen para sugerir a su marido será la del toro (112). Y si el toro es un icono de virilidad natural, también es un ejemplo de la explotación que el arte hace de esa misma naturalidad para conseguir un placer vicario y sofisticado. Críticos con prejuicios psicológicos afirmarán que el catálogo de placeres que hace Casilda denota, meramente, la falta de una madurez que adquirirá más tarde en la obra. Pero debe concederse que desde el mismo comienzo de la obra, tanto el marido como la esposa hablan desde y de una naturaleza ya invadida por los códigos culturales de la labor agrícola y del ritual religioso. Ocaña es el lugar del "cultus" en los dos sentidos que tenía ese nombre en latín: el cultivo de la tierra y el culto a la deidad. Lo que es más, cuando a continuación el marido y la mujer se dirigen uno a otro con prolijidad, es para dar sus respectivas versiones del ABC de las virtudes matrimoniales (408-87). Aquí, el uso del alfabeto para estructurar la oración formal hace bastante explícito la inevitable dependencia de una oralidad "espontánea" con respecto a las inscripciones convencionales de una original literariedad. Así pues, incluso antes de que la acción propiamente dicha dé comienzo, con la alienante intrusión de un noble pervertido, se muestra que la escritura precede al habla.

En contraste, el comendador espeta su primer discurso largo sobre Casilda con una invocación a las fuerzas naturales que no tienen riendas: el sol, el amanecer y las montañas de cumbres nevadas

---

14 Véase Edward M. Wilson, «Images et structure dans *Peribáñez*», *BHisp.* 51 (1949), 125-59.

(524-7). Y cuando vuelve a la cultura "primaria" del campesino es para identificarla de modo harto explícito con la cosecha (sexual) y el cultivo del cuerpo de la mujer por el macho. Así pues, la naturaleza no mediatizada o sin trabas (la exorbitancia de la pasión del comendador) es un suplemento peligroso para la cultura campesina; pero esa misma cultura resulta consolidada por una invisible economía de explotación sexual (que se volverá visible por la acción de la obra). El comendador afirma que estaría dispuesto a cambiar su «cuchillo de oro» por el azadón de Peribáñez, y toda Ocaña (su patrimonio) por la casita de Casilda (552-5). Ésta es sólo una de las muchas ocasiones en la obra en la que nos encontramos afirmada la reciprocidad de las señales del estatus social. Sin embargo, nos recuerda que la isla del idilio campesino (supuesta) está totalmente rodeada por el océano de la influencia noble; y que la dicotomía ciudad/aldea se funda no en verdaderas "oposiciones" en el sentido lógico, sino en unas "relativas": términos que se definen mutuamente o que son dialécticos. El paradigma funciona sólo como una inscripción cultural siempre presente; y la dependencia mutua de la ciudad y del campo sirve de base tanto a la práctica social como al texto dramático.

Tres áreas de inscripción social son prominentes en *Peribáñez:* la comida, el parentesco y la ropa. Así, la descripción que hace Casilda de las alegrías de la vida matrimonial (703-61) se centra en la provisión de alimento adecuadamente sencillo y sano para su marido, «el ajo y las cebollas» de la mesa del campesino. Sin embargo, semejante comida, por muy sencilla que sea, no es en absoluto neutral o natural. Como revelan fuentes contemporáneas, tiene un valor positivo como supuesto antídoto contra los deleites "extraños" de la cocina judía o árabe, o contra las nuevas especies importadas de Oriente.[15] De igual modo se refiere Peribáñez con frecuencia a la posición social y a la pureza de "sangre" que él comparte con su esposa, y que, de este modo, sirve para fundamentar la propiedad de su matrimonio. Su unión no es natural, sino "naturalizada": es una celebración de prácticas y valores convencionales que se presentan a sí mismos como inevitables e invariables. A la inversa, la transgresión por parte del

---

15 Para la significación cultural de estos alimentos, véase Francisco de Quevedo, *Poesía original,* ed. José Manuel Blecua (Barcelona, 1974), núm. 146.

comendador de ese código se ofrece como una excepción particular, cuyas desastrosas consecuencias corroboran el prestigio "natural" de la Ley. Un código históricamente específico de parentesco es, así, dotado de relevancia "universal" gracias a la invocación de ejemplos tanto positivos como negativos. Los mismos nombres de los personajes, signos que les son impuestos cuando nacen, subrayan la existencia de un sistema significador que los precede y sobre el que no tienen control. Peribáñez es la "piedra" de la presencia natural, material; y Casilda, la "casa" de la domesticidad femenina. No importa que los personajes se desvíen de las etiquetas emblemáticas con las que son introducidos. Porque requieren cierto telón de fondo de valores convencionales para ser visibles. Como en las sociedades orales estudiadas por Lévi-Strauss, la comida, el parentesco y la onomástica son determinantes sociales que forman una inscripción primaria independiente de la palabra escrita, pero anterior a la hablada.

Pero el código cultural predominante en *Peribáñez* es el de la ropa. Todos los críticos han señalado la precisión y la elaboración de este código que define los sujetos de acuerdo con su clase, género, profesión y estatus material. Tal vez sea menos obvia la frecuencia con que semejante ropa o equipamiento están caracterizados por la superposición de diferentes niveles, el entretejido de diferentes hebras, o la adición decorativa de elementos potencialmente superficiales. Por esto, si consultamos las notas de Ruano y Varey, encontramos que una mujer campesina tiene «cordoncillos de seda o lino tejidos en una banda y que contienen cierta decoración en oro o plata» («pasamanos», 670), mientras que la propia Casilda tiene un vestido ribeteado con cordoncillos («vivos», 689). El comendador ofrecería a una noble señora «joyas pequeñas prendidas a pequeñas cadenas y prendidas al vestido de una mujer» ("brincos", 808); y él tiene un retrato de Casilda con «un collar hecho con joyas más pequeñas ensartadas» («sartas», 1027). Peribáñez tiene «sargas» que cuelgan de sus paredes («burdas telas con escenas religiosas o paisajes», 865) y, tontamente, las cambia por los tapices hilados con oro del comendador. Finalmente, asociados con Peribáñez cuando éste se convierte en un caballero encontramos una lanza con punta dorada («jineta», 2224) y una espada con ornamento de oro (2883).

El problema suscitado por motivos así es, a la vez, socio-histórico y de representación. Apuntan (como en el caso de la comida y del parentesco) a un minucioso sistema de diferencias que ofrece una serie o paradigma de opciones preexistente, dentro del que el sujeto social (personaje o dramaturgo) tiene una libertad de elección limitada. Lo que se pone en cuestión es su propia sustancia o integridad esencial. La mayoría de los elementos son "decorativos" o superfluos. Sin embargo, es su misma redundancia lo que los hace potentes. En verdad las "ropas" juegan un papel esencial en la trama: es la preocupación de Peribáñez por la falta de adorno apropiado necesario para decorar su propia carreta y la imagen del santo local lo que le hace visitar al comendador y ausentarse de su propia casa. Cuando los diseños están superimpuestos («sargas») o cuando los hilos están entretejidos («pasamanos») la distinción común entre el fondo y la figura (la esencia y el ornamento) es totalmente subvertida. Porque la totalidad de la práctica social en la obra se figura en estas ornamentaciones redundantes. La acción tiene lugar dentro de los oscilantes, si bien inevitables, confines de un exceso necesariamente simbólico y representativo. Cuando Peribáñez rechaza pedir al comendador un sombrero para su mujer, éste le pregunta titubeando «¿Es exceso?» (782). La pregunta es típica de un concepción radicalmente inestable de la propiedad o el decoro, en la que la circulación redundante o el intercambio ritual produce la misma sustancia de la experiencia comunitaria.

El motivo principal dentro de los de este tipo es, por supuesto, el de la capa del comendador, con la rica decoración bordada. Sin embargo, la rústica capa de Peribáñez, aunque sin bordar, está, no obstante, tejida y, también, llena de significación cultural. La misma ausencia de color (pardo) no es algo neutro sino (una vez más) "relativo": se trata de la oposición implícita al color más ostentoso del comendador.

Podríamos comparar el estatus de la copla en medio del tejido textual de Lope. Críticos anteriores han tendido a afirmar, algo ingenuamente, que la inserción del verso popular crea una sensación de "atmósfera auténtica" en la obra (véase, por ejemplo, Ruano y Varey, p. 15). Sin embargo, esta cita "auténtica", oral, puede también considerarse un tipo de injerto sobreimpuesto al cuerpo del texto (o incluso un parásito que se alimenta de su huésped). Porque si la copla es cronológicamente anterior al texto escrito, es tanto el efecto o fin de la obra cuanto su causa u origen. Porque leemos cada uno de los momentos de la acción (antes y después de la cita) como unidos en una cadena de causalidad que guía adelante o atrás hacia ella. La intrusión de la lírica en lo dramático y de lo tradicional en lo contemporáneo tiende a desestabilizar la coherencia representativa de la obra como conjunto. La misma autenticidad del fragmento (un testimonio genuino de la Edad Media heroica, que no parece tener más función que esa asomada) desestabiliza el drama sofisticado del siglo XVII que busca absorberlo. Un juego indefinido de repulsión se establece entre el texto anfitrión y el parásito.

De modo más concreto, el fragmento oral en sí mismo contiene una redundancia verbal en las palabras «su capa la pardilla». El artículo definido es innecesario tanto en el español del Siglo de Oro como en el moderno, y el sufijo diminutivo del adjetivo es ostentosamente familiar. Así pues, la autenticidad oral se rehace como perversión lingüística y el arcaísmo popular se define por su desvío con respecto a un "campo" más neutro del texto escrito. También en este nivel compositivo la naturaleza es suplementaria de la cultura. Además la misma relevancia de esta cita alerta al espectador sobre la posible mediación de esos intertextos que (de acuerdo con Aristóteles) distinguen al arte del dramaturgo del arte del retórico. Y en el caso de Peribáñez, el precedente más notable e intruso es un escrito, la crónica de Juan II, un pasaje de la cual sucede en forma ligeramente versificada al comienzo del Acto III (ver Ruano y Varey, p. 15). De este modo, la oralidad del teatro depende de la autoridad culta de la narrativa histórica. Incluso los precedentes orales o tradicionales llaman la atención hacia su propia duplicidad. Por ejemplo, un refrán español adivinado por los editores bajo la superficie del texto de Lope dice que "una buena capa revela más que lo que esconde" (ver la nota a la línea 1507). Mientras que el significado evidente parece ser el de que la dignidad del rango llama la atención sobre un hombre, el refrán proporciona una sucinta definición del juego intermitente de la presencia y la ausencia (el descubrimiento y la disimulación) provocado por un texto culto como el Peribáñez. La obra es algo artificial, dirigida a (y extraída por) un público sofisticado, urbano. Desde luego, cuando fuera adaptada para una audiencia rural se la despojaría de esas sutilezas ornamentales, en rigor un añadido a las acciones de la trama, y que los críticos consideran que encarnan la esencia del arte de Lope, supuestamente espontáneo y natural. [16]

Pero si la naturaleza y el texto son "escripturales", entonces también lo son los mismos personajes. Un estudio reciente de Peter W. Evans trata "El Peribáñez y los modos de ver a los personajes dramáticos del Siglo de Oro" ("Peribáñez and Ways of Looking at Golden Age Dramatic Characters"). [17] Anticipa Evans muchos de los puntos que he señalado aquí: que los vestidos y los nombres pueden sugerir la imposición de la identidad personal (p. 140); que la imagen consagrada del idilio rural está ya desinflada por el comercio y la cobardía del campesinado, tal y como se representa en la propia obra (p. 142). Y continúa poniendo de relieve que, aunque existen inconsistencias en el lenguaje de Peribáñez en diferentes momentos de la obra, su discurso inicial sobre el matrimonio, a Casilda, está ya saturado de retoricismo (p. 144). En último término, Evans busca suspender las parejas binarias de forma y contenido con respecto a la estructura de la obra, de accidente y esencia con respecto a sus personajes, y de historia y autor con respecto a su composición. Sin embargo, su fe persistente en la presencia original del sujeto como personaje y autor al mismo tiempo le conduce a reintroducir subrepticiamente estas dicotomías, con un prejuicio tradicionalmente prescriptivo. De este modo, los nombres son otorgados a los individuos que, según asume Evans, ya existen; y el autor "juega" con ideologías por las que no se compromete (p. 148). Afirma Evans al final de este estudio que «la distancia, no la cercanía, de la visión presta claridad al entendimiento» (p. 151). Pero esto parece asumir un punto de vista ideal fuera de la inscripción textual y social desde la que el autor olímpicamente puede dirigir al espectador desinteresado.

Mi propia tesis es que la carrera de Peribáñez, en sus discontinuidades y contradicciones, ejemplifica el movimiento de la traza dramática. El discurso de Peribáñez cambia con su estatus social: fluidamente discursivo como humilde granjero, se convierte en gravemente sentencioso cuando es armado caballero. Él mismo realiza

16 José M. Ruano de la Haza, «An Early Rehash of Lope´s *Peribañez*», *BCom*, 35 (1983), 5-29.
17 *RR*, 74 (1983), 136-51.

comentarios sobre esta nueva gravedad cuando deja Toledo al mando de sus tropas (2394-5). En su vuelta final a campesino, el discurso cambia una vez más con las ropas, y adopta esta "h" aspirada campesina que es signo redundante de marcada oralidad (3.013). Como personaje, Peribáñez está hecho de una secuencia de semejantes impresiones sobreimpuestas y parcialmente borradas inscritas en la memoria del espectador y proyectadas sobre o desde el cuerpo del actor. Su papel es contradictorio porque, como su traza, es al mismo tiempo una pluralidad de momentos (la acción) y la impresión dejada por esos momentos (el residuo). No tiene un estatus "esencial", porque como claramente demuestra la trama, su carrera está asegurada por una inscripción cultural que anticipa y evita cualquier naturaleza intrínseca. De este modo, no está simplemente atrapado en una red de prácticas y discursos sociales; está de hecho constituido por esas prácticas y discursos en toda su multiplicidad y su incongruencia. Lope no deja espacio ni para las concepciones idealistas ni empiricistas del personaje. Y esta constitución múltiple (bastante diferente a la "ambigüedad" del *New Criticism* que otros encuentran en Lope)[18] puede identificarse, en su radical inseguridad, con el decoro artístico y la prudencia ética. Lope, así, hace que Peribáñez hable tal y como es apropiado a su estatus en diferentes momentos de la acción, pero es ese estatus lo que en propiedad no se puede decidir desde el principio hasta el final.

No obstante, esto no quiere decir que Lope esté "fuera" de la ideología contemporánea. Charlotte Stern ha afirmado que Lope no es un propagandista, porque no existe ninguna ingeniería social reductiva en su obra, tal y como la podemos encontrar en el teatro de televisión moderno. Otros críticos han creído vislumbrar una cierta solidaridad por las minorías oprimidas en los afectos que mueven a Lope.[19] Pero si tomamos el término «ideología» en su amplio sentido althusseriano, entonces las contradicciones de la perspectiva de Lope constituyen tanto un efecto ideológico como las inconsistencias del personaje creado por él. La ideología no necesita ser unívoca; al contrario, puede reproducir "resistencias" hacia el orden dominante,

---

18 Véase José M. Ruano, «Malicia campesina y la ambigüedad esencial de *Peribáñez y el comendador de Ocaña* de Lope», *Hispanófila*, 84 (1985), 21-30.
19 Véase Louise Fothergill-Payne, «*El caballero de Olmedo* y la razón de la diferencia», *BCom*, 36 (1984), 111-4.

que finalmente sirven para reforzar el prestigio del orden. Esto es lo que sucede con las rebeliones campesinas de Lope, siempre inscritas previamente dentro de una ideología aristocrática flexible.

A un nivel bastante diferente, Henry W. Sullivan ha identificado a Calderón con la esfera "simbólica" de la Ley y de la alienación sociolingüísticas y a Lope con el reino "imaginario" de la identificación subjetiva.[20] Puede que también sea esto imponer una definición de alguna manera exclusiva en términos psicoanalíticos, no menos resbaladizos que los de los marxistas estructurales. Ciertamente, el propio Lacan (del que Sullivan toma prestados estos términos) insiste repetidamente en que es lo simbólico lo que precede en la constitución del sujeto. Así pues, si Peribáñez demuestra, a pesar de sí mismo, la primacía de la cultura sobre una naturaleza ausente o deficiente, entonces también sugiere la primacía de lo simbólico sobre la infantil dependencia de lo imaginario. El azadón de Peribáñez es el significante que ahueca el espacio en el que el sujeto toma forma. Y, de manera similar, los demás motivos fálicos que proliferan en la obra (espadas, cuchillos y hoces) prueban, como el propio falo de Lacan, ser vacuos marcadores de la diferencia, no señales sustantivas de la presencia. Así pues, cuando el comendador arma caballero a Peribáñez y dobla su espada, el ritual denota, no adición sino sustracción: la castración simbólica por la que el sujeto se somete a las crueldades de la inscripción social y lingüística.[21] Sin embargo, el ejemplo de Sullivan ha mostrado que el modelo lacaniano está bien adaptado para los enredos del teatro del Siglo de Oro. Y es a Lacan (entre otros) al que apelaré en la lectura de Tirso de Molina con la que voy a proseguir ahora.

4.3. TIRSO Y EL DESEO

A menudo se considera que Tirso de Molina ocupa una posición intermedia en el teatro del Siglo de Oro. Para Ruth Lee Kennedy, el "florecimiento" del teatro de Tirso tiene lugar en el "terreno" que

---

20 En «La razón de los altibajos en la reputación póstuma de Calderón», una comunicación no publicada leída en el *Congreso anglo-germano sobre Calderón* (Cambridge, 1984).

21 Los términos de este debate se aclararán cuando vuelva a ellos con mayor profundidad en la sección siguiente de este capítulo.

le prepara Lope de Vega.[22] Y para A. K. G. Paterson, el teatro de
Tirso es "un puente que se extiende desde los tempranos esfuerzos
de la comedia hasta su completo desarrollo en manos de Calderón".[23] Como Kennedy ha demostrado en sus estudios, la realidad
histórica de las relaciones de Tirso con sus predecesores y sus sucesores es muy compleja. Sin embargo, incluso desde la crítica más
tradicional, hay elementos que tienden a desbaratar los modelos
tranquilamente orgánicos o funcionalistas (el jardín o el edificio) que
tan a menudo se utilizan para representar el desarrollo del teatro
del Siglo de Oro. Dos elementos en particular sirven para desplazar o extraer a Tirso de un progreso histórico continuado: el primero, sus personajes femeninos, más prominentes y, quizá, retrata-
dos de una manera más comprensiva que en otros dramaturgos; el
segundo, su asociación con un único personaje que trasciende las
fronteras de la comedia española, Don Juan. De este modo, Lope
y Calderón difieren de Tirso en su representación de las mujeres y
en su incapacidad al producir un tipo de renombre universal. En
su miscelánea *Los cigarrales de Toledo* (publicada en 1621), Tirso toca
las dos cuestiones, nacional e internacional, que, ya lo hemos visto,
son comunes en la teoría dramática española del período: el problema de su propia relación con Lope y el de la relación de la
comedia con Europa y con los clásicos.[24] Niega Tirso las repetidas
afirmaciones de Lope de que la comedia desafía el precepto clásico
únicamente por las demandas de un público vulgar español. Por el
contrario, Lope ha creado en la comedia un forma artística perfecta:
la modestia del maestro subyace bajo tales excusas. La literatura
que se escribe después de Lope sólo necesita invocar su autoridad
como el «Cicerón de Castilla» para justificar su propia práctica. La
obra de teatro deviene, así, menos la imitación de una acción que
la imitación de un autor, y la representación dramática se basa en
una autoridad textual que precede y legitima la obra en curso. Esta
redefinición de la imitación exige un cambio correspondiente en la
concepción que el dramaturgo tiene de la naturaleza. En un principio defiende Tirso que la naturaleza es inmutable, mientras que

22 *Studies in Tirso, i: The Dramatist and His Competitors,* 1620-6 (Chapel Hill, 1974), 152.
23 Introd. a *La venganza de Tamar* (Cambridge, 1969), 5.
24 Véanse las selecciones en Sánchez Escribano y Porqueras Mayo (pp. 182-7).

el arte o la cultura están constantemente cambiando: por esto, el peral continuará produciendo peras y la encina bellotas. Aun así, la diversidad de la naturaleza es el producto del artificio humano: la gran variedad de calabazas, tuétanos y pepinos se derivan todos de una única hortaliza ancestral. O, de nuevo, una fruta puede ser injertada en otra para producir una tercera superior a sus dos progenitoras. Tirso entrecomilla los términos "artificial" y "natural", y de este modo pone en entredicho la permanencia de sus respectivos estatus. El primero es inevitablemente volátil (nosotros ya no nos cubrimos con las pieles de los animales que usaban los primeros hombres); pero el segundo prolifera por doquiera (la variedad de plantas y árboles es infinita). De manera similar, el teatro no debe ser limitado por modelos prescriptivos del arte o de la naturaleza. El llamamiento de Tirso a los ejemplos tradicionales de la ropa o de la economía familiar tiende, así, a oscurecer, antes que a ilustrar, la explicación que da de la práctica dramática. Los dos parámetros de la comedia (el arte y la naturaleza) siguen siendo esenciales para el debate crítico, si bien tozudamente resistentes a la definición.

La relación entre el arte, la naturaleza y la comedia nueva de Tirso ha sido examinada con detalle por David H. Darst, quien afirma que el teatro se preocupa no por los productos materiales conocidos como "natura naturata", sino con la teleología metafísica de la "natura naturans".[25] Ambos puntos de vista deben mantenerse en juego y al mismo tiempo si retornamos a la huella dramática. Porque el producto material puede ser visto como el residuo de la naturaleza y el proceso metafísico como su movimiento. Y esta compleja "contienda" subyace a otras imágenes bien conocidas, por medio de las cuales trata Tirso de "ilustrar" su práctica. Así, en *El vergonzoso en palacio*, un personaje afirma (siguiendo a Horacio) que, así como el poeta debe sentir la emoción que busca comunicar, así también el actor debe experimentar la pasión que busca representar.[26] Aún así, esta imagen de la expresión inmediata del sentimiento se vuelve más compleja en un pasaje procedente de la dedicatoria a la

---

25 *The Comic Art of Tirso de Molina* (Chapel Hill, 1974), 13-15.
26 Citado por Antonio Prieto en la introd. a su ed. de *El vergonzoso en palacio y El condenado por desconfiado* (Barcelona, 1982), p. ix.

"tercera parte" de las comedias de Tirso, un texto escrito probablemente por el propio Tirso.[27] Aquí se compara al escritor con un
gusano de seda. Ha tejido las redes de alrededor de cuatrocientas
obras desde la sustancia de su propio cuerpo, sin tomar prestado
material de otros y haciéndolo pasar como propio. Una vez más, el
teatro es asociado con la integridad de la experiencia y del lenguaje individuales. A pesar de todo, mientras el proceso de "hilar" saca,
en verdad, lo interno a la superficie, también sirve para esconder
(realmente para enterrar) al autor-gusano mientras sigue trabajan-
do. El hilo móvil de la acción dramática se convierte en el capullo
congelado del texto impreso, un monumento funerario a la memoria de su autor. De este modo, Tirso alude, sin saberlo, a esa rigidez fatal que el movimiento dramático trata de posponer, y al conocimiento mortal de la ausencia y de la diferencia que precede a
cualquier acto de escritura.

La acción de la obra que trato aquí está también basada en la
muerte. Es el primer gran tratamiento en cualquier lengua de la leyen-
da del Don Juan, *El burlador de Sevilla* (publicado por primera vez en
1627-9). [28] Esta obra ofrece problemas especialmente difíciles de atribución y composición que no resumiré ahora, porque el objetivo de
mi lectura es más amplio y de alguna manera novedoso: sugerir que
la obra revela, si bien de manera oblicua, que una inscripción psíquica (y social) sirve de base a la experiencia y la representación del
deseo sexual; y que lo más "natural" de los instintos humanos, tal y
como aparece encarnado en sus iconos más famosos, va precedido
por una huella lingüística original, que puede identificarse con el
inconsciente. Muchos críticos han aplicado teorías que se proclaman
como "psicológicas" en sus lecturas de *El burlador* y de Tirso en general. Un objetivo subsidiario de mi estudio es examinar esta corriente crítica y confrontar sus modelos fácilmente arquetípicos o basados
en el ego con las revisiones más rigurosas de Freud que ofrecen
Derrida y Lacan. Así pues, el deseo al que me refiero está ejemplificado tanto por el protagonista cuanto por los críticos de *El burlador
de Sevilla*.

27 Véase la introd. de Berta Pallares a su ed. de *La huerta de Juan Fernández* (Madrid,
    1982), 9.
28 Me refiero a la undécima ed. del texto de Américo Castro (Madrid, 1980).

A diferencia del *Peribáñez,* las versiones que tenemos de la obra de Tirso son apresuradas y burdas en cuanto al estilo. Ya críticos tempranos como C. V. Aubrun y María Rosa Lida de Malkiel atacaron la obra por su construcción descuidada y fragmentada. [29] Como en el caso de la novela picaresca, sin embargo, estudiosos con una orientación de la *Nouvelle critique* han tratado de encontrar en el texto uniformidad estructural y lingüística. Así, Daniel Rogers afirma descubrir una «tremenda simetría» por la cual la retribución final realizada por la estatua se refiere a las ofensas sin vengar cometidas por Don Juan. [30] Y en el mismo año en que Rogers elogiaba a Tirso por su "final satisfactorio", C. B. Morris afirmaba que el uso "intencionado" que Tirso hace de la imaginería conseguía que «la metáfora y la acción confluyeran en cercana armonía». [31] Estas lecturas unificadoras, prescriptivas están hasta cierto punto justificadas por el amplio movimiento de la trama en su conjunto, que puede ser vista como que trasciende las inconsistencias flagrantes, de detalle, que se encuentran a lo largo de la obra. De este modo, Don Juan seduce (o intenta seducir) a cuatro mujeres diferentes en cuatro lugares distintos, con escenarios corteses y rurales que se alternan. Engaña a la noble Isabela en Nápoles y la pescadora Tisbea en las afueras de Tarragona; a la ilustre Ana en Sevilla y la rústica Aminta en un pueblo de camino a Lebrija. La estatua a la que Don Juan invita a cenar (y que le devuelve la invitación) es Don Gonzalo, el padre de Ana, a quien Don Juan ha matado después de intentar seducir a su hija. Sigue existiendo aquí, sin embargo, una disonancia en cuanto a estructura y tono entre el catálogo de "burlas" que conforman el cuerpo de la acción de la obra y la apuesta sobrenatural con la que se cierra, dos motivos folklóricos independientes que Tirso ha reunido en su obra. Para Margaret Wilson, la obra exhibe, no obstante, una «progresión natural sin ningún cambio de humor desconcertante». [32] Pero supone, tal vez, descubrir (como críticos posteriores) una "racionalidad" en la obra que, de hecho, es

---

29 Véase Charles V. Aubrun, «Le Don Juan de Tirso de Molina: Essai d'interprétation», *BHisp,* 59 (1957), 26-61; y María Rosa Lida de Malkiel, «Sobre la prioridad de *¿Tan largo me lo fiáis?* Notas al *Isidro* y a *El burlador de Sevilla*», *HR,* 30 (1962), 275-95.
30 «Fearful Symmetry: The Ending of *El burlador de Sevilla*», *BHS,* 41 (1964), 141-59.
31 «Metaphor in *El burlador de Sevilla*», *RR,* 55 (1964), 248-55.
32 *Tirso de Molina (Twayne World Authors Series,* 445) (Boston, 1977), 110.

impuesta por los propios críticos, proyectada sobre un texto que es francamente sumario y discontinuo.[33]

Así que, desde el mismo comienzo de la obra, es la racionalidad tanto de la acción como del público lo que se pone en entredicho. En la escena inicial está oscuro e Isabela, creyendo que Don Juan es su prometido Octavio, le está ayudando a abandonar el palacio en el que él, traicioneramente, la ha gozado. Como ha sugerido Joaquín Casalduero, este comienzo no es en absoluto plausible: ¿podría con seguridad Isabela reconocer la voz de su propio prometido? Casalduero afirma que tal pregunta resulta impropia: debemos tomar la ficción al pie de la letra.[34] Sin embargo, el hecho de que como lectores o espectadores no nos hagamos tales preguntas, nos recuerda que en el tiempo de Tirso la comedia estaba trazando su acción en un complejo telón de fondo de inscripción dramática que configuraba las convenciones del género. El comienzo de la obra es, así, "dramático" no sólo porque presupone un cuerpo de acción preparatoria antes de que los actores entren en la escena; sino porque emplea desencadenantes de reconocimiento que aseguran una recepción inmediata y emotiva por parte de un público relativamente sofisticado o "competente". Y si *El burlador* comienza *in media res*, es porque el proceso dramático (como su equivalente amoroso) no tiene fuente u origen representable. Obra y protagonista son igualmente nómadas.

En la escena inicial, Don Juan se define a sí mismo como el sujeto macho indiferenciado: es "un hombre sin nombre". Y su seducción de Isabela es simplemente la "natural" conjunción de los dos sexos. Cuando el rey le pregunta quién está ahí, él contesta: «Un hombre y una mujer» (I. 23). Del mismo modo, más tarde, cuando el náufrago Don Juan recupera la conciencia y pregunta dónde está, Tisbea le responde coquetamente «en los brazos de una mujer» (I. 583). Tales líneas implican una universal simplicidad del género: la mujer y el hombre son reducidos a la distinción "esencial" de la diferencia sexual. A pesar de todo, la acción de la obra en su conjunto tiende a descentrar estos pares esencialistas: Octavio afirma que la inconstancia es la condición esencial de la mujer (I. 358); pero es

---

33 Véase Alfonso López Quintás, «Confrontación de la figura del hombre "burlador" (Tirso), el "estético" (Kierkegaard), el "absurdo" (Camus)», *Homenaje a Tirso* (Madrid, 1981), 337-80 (p. 380).
34 Véase la introd. a su ed. (Madrid, 1982), 13-14.

Don Juan y no Isabela quien le ha engañado; y cuando la deshonrada Tisbea se lamenta de la traición de los hombres (III. 408), se invierte el tópico misógino. Como en *Peribáñez,* la dicotomía campo versus ciudad está también sujeta a una curiosa inversión. Los personajes de la corte hablan durante la mayor parte en un lenguaje urgentemente acelerado y desnudo. Los campesinos, sin embargo, producen oraciones diseñadas con elegancia. Cuando Tisbea hace aparición pronuncia un largo y elegante discurso acerca del desprecio que siente por los que la aman; y compara a Don Juan y al gracioso Catalinón en lucha con Anquises y Eneas cuando la caída de Troya (I. 375-516). Su lamento sobre la partida de Don Juan se atiborra de ese recurso tan ornamental que es el quiasmo: «fuego, fuego, zagales, agua, agua» (I. 1043). Los rústicos prometidos del Acto II hablan también un lenguaje extrañamente culto.

La deliberada perversidad de esta falta de correlación entre personaje y discurso delata la predisposición anti-naturalista de la comedia de Tirso y lo volátil de su concepto del decoro: el lenguaje de Tisbea desmiente su estatus social al mismo tiempo que afirma su erróneo deseo de trascender ese estatus. Pero Tirso sugiere también, de manera más general, que el propio deseo es de índole cultural más que natural. Como han señalado muchos críticos, frente al Don Juan posterior, el héroe de Tirso está motivado menos por intereses sexuales que sociales. La característica que lo define (su "hábito antiguo") es la burla, no la seducción (I. 892); y su mayor placer no es gozar, sino "burlar" a la mujer (II. 270). Ciertamente, el objeto de esta burla resulta casi indiferente, y el engaño de los rivales masculinos es parte esencial de este proceso. Lo que es más, la burla debe difundirse: «burla de fama» (II. 432). De este modo, como ha señalado Melveena McKendrick, el "éxito" de Don Juan no depende de sus propias cualidades, sino de las de los demás, en particular de la debilidad y estupidez de las mujeres con las que se encuentra.[35] Críticos anteriores han considerado este conocimiento local o específico a la propia obra, o bien desde un punto de vista ético: Tirso está atacando la desfachatez de la inmoralidad en la España contemporánea. O bien teniendo en cuenta el subrayado sobre el fenómeno social (la "burla"), muy característico del tiempo en que fue escrita, pero

---

35 *Woman and Society in the Spanish Drama of the Golden Age* (Cambrigde, 1974), 159.

lejos de lo que hoy se entendería apropiado o típico de la pasión sexual, bien que sugiere una verdad mucho más radical: que todo deseo está asegurado por la inscripción social y que ninguna pasión está libre de determinantes culturales e históricos. Ciertamente, el deseo sexual resulta superfluo a las acciones del personaje y a la trama del autor: la estima o la desgracia social son las consideraciones primarias de los hombres y de las mujeres. De aquí que la inmediatez seductora de frases como «un hombre y una mujer», con su implícita afirmación de una verdad universal y prescriptiva, se revele como una pose o impostura, una estrategia naturalizadora mediante la cual una práctica social particular vería reforzada su propia ubicuidad.

Las idiosincrasias de la carrera de Don Juan llaman constantemente la atención sobre los límites arbitrarios, si bien insoslayables, de la inscripción social. El papel habitual de Don Juan es el del sustituto: toma el lugar de Octavio en la cama de Isabela y el de Mota en la casa de Ana. Sin embargo, en la medida en que éstos tienen todavía que desposar a sus respectivas novias, cada uno de los hombres desplazados por Don Juan tiene tan poco derecho como el tramposo a aventurarse donde él lo hace. Don Juan no transgrede simplemente una ley social establecida. Más bien es la transgresión de la ley ya realizada por otros (Mota) o latente en ellos (Isabela) lo que abre el espacio dentro del que él puede operar. Del mismo modo, es el represible desprecio de Tisbea por un compañero socialmente igual a ella lo que asegura su seducción por el socialmente superior a ella Don Juan: éste sustituye al pretendiente rústico y al mismo tiempo lo excede en astucia y en estatus. Esta posición social "suplementaria" resulta más obvia en el caso de Aminta, a quien Don Juan seduce la noche de su boda con el campesino Batricio. Aquí, como un huésped no invitado a la celebración, Don Juan es, de manera bastante literal, un "parásito", en el sentido original de la palabra. Se sienta al lado de Aminta en el festín de la boda, cogiendo su mano y tomando la comida del novio. Su presencia es perturbadora: se considera impropio que un noble tome parte en una boda campesina (II.735). Y este parásito sustituye al anfitrión al realizar la función sexual que no es lograda por el novio. Desplaza al compañero "adecuado" tal y como es definido por el código social; pero asegura este desplazamiento dentro del propio código al invocar la potencia social (no la sexual): promete convertir a Aminta en su esposa. Así como la obra invoca implícitamente la convención dramática para extender su efecto (la memoria inconsciente que tiene el público de obras y representaciones pasadas), asimismo el amante apela de manera bastante clara a la inscripción social para facilitar su conquista (la conciencia que tiene la mujer del relativo valor de un nacimiento alto o bajo). Al abrirse camino a través de los huecos y a lo largo de los márgenes de un deseo social o "socializado", el Don Juan de Tirso nos hace cuestionarnos la autenticidad tanto de los afectos humanos como de la imagen de sí mismo que tiene el individuo. Porque si el deseo está limitado por la determinación cultural o lingüística, entonces cualquier teoría de la consciencia o de los afectos que aspire a una significancia general debe ser extremadamente circunspecta tanto en su índole como en su aplicación.

Desafortunadamente, la crítica "psicológica" de Tirso, si bien extensiva, tiende a ser rigurosamente prescriptiva. Everett W. Hesse hace inusualmente explícitas las preconcepciones de la "ego-psicología" anglosajona. Afirma que «las elecciones que el ego hace son múltiples... en cualquier delineación madura de un personaje existen numerosas elecciones en lucha por conseguir la posición dominante en la psique del mismo».[36] En esta cita encontramos una típica predisposición hacia el voluntarismo (la soberana voluntad del ego hace las "elecciones"), el organicismo evaluativo (una psique es más madura que otra) y el evolucionismo (las "elecciones" luchan por la supremacía como las bestias en la jungla). El propósito de la ficción es puramente instrumental, y subordinado al ego: «Si la función primaria del arte es usar la manipulación simbólica para reconciliar las presiones en competencia, entonces es una regresión al servicio del ego» (p. xii). Esta teoría lleva en la práctica a los diagnósticos especulativos de los personajes que sirven meramente para reforzar la fe humanista en una naturaleza psíquica "esencial": «El rechazo (de Don Juan) a reconocer la indivisible unicidad de su personalidad puede ser una parte de su intento por huir de ese aspecto de la misma que amenaza la consecución de su placer».[37] O de nuevo, «Don Juan sufre de una personalidad fragmentada» (p. 65). Este amor por la unidad y la coherencia y la tendencia a moverse desde

36 *New Perspectives on Comedia Criticism* (Potomac, 1980), p. xi.
37 *Theology, Sex, and the Comedia* (Potomac, 1982), p. xv.

la descripción a la prescripción (desde la cualidad al valor) unen a los ego-psicologistas con el pictorialismo y el moralismo del *New Criticism*. Concluye Hesse que «la lectura de la obra de Tirso implica, por lo tanto, una dimensión psicológica hasta el momento inexplorada» (p. 69). Pero yo sugeriría que esta dimensión no es la visión, eminentemente accesible, de una "conciencia opuesta" que tiene Hesse, sino la noción, más perturbadora, de lo imaginario en Lacan. Los personajes de Tirso, arbitrarios y sumarios, niegan a los críticos psicologistas la ilusión de la plenitud auténtica que éstos requieren de la ficción. Este hueco o fisura representacional extrae una prescripción pseudo-médica del crítico, que devolverá la unidad al personaje y la tranquilidad mental al lector. Es el crítico (no el personaje) el que es «incapaz de hacer frente a su problema» (p.69), y ese problema no es una instancia específica de la personalidad fragmentada, sino la condición general de la discontinuidad y la alienación subjetivas.

He argumentado, entonces, que la trama y la caracterización de la obra (cada una tan incompleta y deficiente como la otra) dependen para sus efectos de las inscripciones dramáticas y sociales siempre presentes que extraen una reacción particular del público, que en sí mismo, no obstante, variará mucho de un momento histórico a otro. Mientras la ego-psicología racionaliza y, en verdad, promueve esta contribución "imaginaria" (al mismo tiempo instrumento y efecto de la "identificación" del espectador con el personaje), el psicoanálisis propiamente dicho ofrece un vocabulario técnico capaz de examinar esa inscripción básica al mismo tiempo que permanece dentro de ella. Porque este vocabulario no es un metatexto, que aspira a la maestría "científica" del psicologismo prescriptivo. Más bien, como el propio objeto crítico, es de índole lingüística o gramatológica. Hemos visto que Freud compara el inconsciente con el residuo de las huellas gráficas en el cuaderno mágico. No puede caber duda alguna de que cualquier reacción ante el Don Juan de Tirso está profundamente comprometido por los recuerdos inconscientes de tramposos parecidos anteriores y posteriores a él. Pero, en un nivel más profundo, la teoría de Lacan sobre el deseo y la subjetividad se corresponde en ciertos puntos con la trayectoria de Don Juan representada por Tirso: en su constitución lingüística, en su arbitraria determinación social y en la complicidad con la muerte, la castración y la Ley. Me ocuparé por separado de cada una de estas cuestiones, más bien complejas. [38]

Para Lacan, como ya es fama, el inconsciente está estructurado como un lenguaje. Y ese lenguaje se basa, en estilo saussuriano, tanto en la progresión "horizontal" de la metonimia o del sintagma como en las asociaciones "verticales" de la metáfora o del paradigma. Lacan traza esta distinción (tal vez de una manera un tanto irregular) sobre los principios igualmente básicos del trabajo del sueño de Freud: sustitución y condensación, respectivamente. Para Lacan, la sustitución es metonímica o sintagmática en su continuo desplazamiento de un término por otro; y la condensación es metafórica o paradigmática en su fusión de términos alternativos que existen en un momento determinado. Cuando la cadena metonímica se detiene, encontramos el fetiche: el instante congelado del deseo "capturado" en un objeto al azar. Cuando la función metafórica se confunde, encontramos el síntoma: el testimonio ilógico de la perturbación psíquica tal y como se registra en el cuerpo. Este modelo lingüístico tiene, al menos, dos implicaciones mayores. En primer lugar, el deseo (como el lenguaje) es arbitrario o convencional en el sentido de Saussure. El ejemplo favorito de Lacan del lenguaje como inscripción significadora no es un dibujo de un árbol con la palabra «árbol» impresa en él, sino un dibujo de dos puertas idénticas con las palabras "damas" y «caballeros» impresas sobre ellas (*L'Instance de la lettre*, p. 256). La relación arbitraria entre signo y referente es, de este modo, retrotraída al género sexual como diferencia original (es decir, lingüísticamente constituida). En segundo lugar, el deseo no es (como creen los ego-psicologistas) "hidráulico", que busca aligerar la "presión" libidinosa al servicio del equilibrio "maduro". Porque el movimiento del deseo está ya siempre inscrito dentro de las oscilantes redes de la estructura lingüística. El modelo de Lacan es, en consecuencia, hostil a la prescripción. Ciertamente, no es el papel del crítico ni del analista "devolver" un ego unificado y afectivo al sujeto humano (personaje o paciente), porque esa fuente original de pensamiento y maestría es, en sí misma, una ilusión perniciosa.

---

38 He hecho referencia a los siguientes ensayos en *Écrits,* i (París, 1966): «Le Stade du miroir comme formateur de la fonction du Je» (pp. 89-97); «Fonction et champ de la parole et du langage en psycoanalyse» (pp. 111-208); «L'Instance de la lettre dans l'inconscient ou la raison depuis Freud» (pp. 249-89).

En términos de Lacan, *El burlador de Sevilla* es el teatro de la metonimia. Como hemos visto, Don Juan sirve en sí mismo como "sustituto", desplazado eternamente de una a otra mujer. Su carrera, tal y como se presenta en la obra, no tiene comienzo y sólo encuentra su final con la muerte. Como la función significadora del lenguaje es, en propiedad, interminable. Este desplazamiento se estructura sólo mediante la diferencia primaria del género: el sujeto es macho y los objetos femeninos. Con todo, el estatus arbitrario de este paradigma es evidente en sí mismo: el deseo no se corresponde con ninguna esencia inherente en los mismos personajes femeninos dispares, y la satisfacción no ofrece alivio alguno a las pasiones desorbitadas del amante macho. Ciertamente, como hemos visto, las víctimas de las "burlas" son tanto hombres como mujeres. Como sugiere Lacan, el mismo género del objeto puede resultar indiferente en el proceso de la constitución o gratificación subjetiva (*Le Stade du miroir*, p.92). El deseo es, así, tanto arbitrario como insaciable; y el sujeto y el objeto carecen igualmente de integración psíquica. Críticos como Margaret Wilson han subrayado la falta de "comprensión" hacia los personajes por parte del espectador (p. 123). Y esta "acedía" puede relacionarse con el estatus de los personajes como marcadores convencionales de la diferencia social, sexual y lingüística.

En un tono similar, Joaquín Casalduero resalta la esterilidad de Don Juan, que él deduce de la falta de continuidad del personaje y de su dependencia del instante (p. 25). Sin embargo, esto no entra en modo alguno en conflicto como mi propia visión de la obra como una incesante sustitución metonímica. Porque en ciertos momentos la cadena significadora se congela en el fetiche. El ejemplo más obvio es el de las manos: Catalinón desea besar las manos como hielo de Tisbea (I. 564), y Don Juan desea las blancas manos de Aminta (II. 743). La mano ardiente de Don Gonzalo le arrastra al infierno (III. 948). La repetición de este detalle toma particular prominencia entre el movimiento extraordinariamente rápido de la acción en su conjunto. El leitmotif de las manos es citado por Morris como prueba de la "fusión" entre la metáfora y la acción en la obra (p. 253). Con todo, si el deseo en sí mismo está lingüísticamente constituido, entonces la distinción entre lenguaje y trama (entre metáfora y acción) no es ya sostenible: porque ambos están asegurados por las estructuras de la inscripción psíquica. El sujeto de fetiche está disperso: tanto

Don Juan como Catalinón comparten la debilidad por las manos blancas. Así pues, la operación psicolingüística es de índole comunal más que individual. Pero si tomamos los motivos y el lenguaje figurativo en la obra como metonimia más que como metáfora, entonces la convencionalidad de la dicción y caracterización de Tirso no necesitan ya más constituir un obstáculo para los críticos. Morris afirma que «Tirso no deja que las metáforas que elige ... se entumezcan en la no vida, sino que las hace flexibles y sugestivas, dándoles una meta y propósito» (p. 255). Pero es precisamente la maestría estratégica del ego sobre el lenguaje lo que se pone en entredicho tanto por la acción de la obra como por las implicaciones del psicoanálisis. Tirso no controla su propio destino más que Don Juan el suyo. Cada uno de ellos está atrapado en la red lingüística. Ciertamente, es la petrificación del lenguaje cuando el deseo se detiene lo que se dramatiza tanto en el encuentro de Don Juan con la estatua como en la confrontación de Tirso como los lugares comunes de la tradición literaria.

Podemos ir más lejos. El, de alguna manera, riguroso placer ofrecido por *El burlador de Sevilla* reside en su resuelta prohibición de trascendencia metafórica. La obra contiene escaso lenguaje "impactante" o imaginativamente resonante, y Tirso no permite a Don Juan ese atrofiado interés por la humanidad, en general, que encontramos en la versión de Molière. La obra es una secuencia de actos lingüísticos que ofrecen pocas asociaciones paradigmáticas, una representación del deseo despojado de más amplias inflexiones subjetivas. De ahí la dificultad de asimilar el final. La cadena de amores muestra ser indefinida, la invitación final conclusiva. El deseo sólo puede ser restringido por la arbitraria clausura de la muerte. La genuina incoherencia estructural de la obra reproduce, así, las capacitadas condiciones de la psique humana. No necesita justificarse.

A pesar de todo, la simple oposición entre el deseo y la muerte (la transgresión y la Ley) difícilmente resulta suficiente en este caso. Para Lacan, el deseo no puede ser librado de la Ley socio-lingüística que determina la subjetividad.[39] El deseo y la Ley se constituyen

---

39 Compárese el tratamiento que da Foucault a este tema psicoanalítico en relación con su propio rechazo de la «hipótesis de la represión» como causa del interés moderno por la sexualidad: *La Volonté de savoir* (París, 1976), 107-8.

mutuamente porque la entrada en el lenguaje (lo "simbólico") requiere tanto el aplazamiento del placer como la sumisión al Padre. Este proceso se conoce como "castración". Supone la separación de una presumible naturaleza (el reflejo narcisista de la madre y del niño) y el establecimiento de un sistema de diferencias (como las de macho y hembra, lo propio y lo ajeno) que permite el significado y la representación. La complicidad entre la Ley y el deseo es bastante evidente en *El burlador*. El rey de Nápoles culpa erróneamente a Octavio de la seducción de Isabela por Don Juan, y el rey de Castilla garantiza el estatus privilegiado de Don Juan, que puede casarse con ella. El tío de Don Juan hace posible la huida de éste de Nápoles y su padre está dispuesto a defender el honor de su hijo con su espada. Con todo, la misma representación de esta complicidad tiende inevitablemente a socavar el prestigio del patriarca. Tal vez no sea accidental que se dé cierta confusión en las dos versiones de la obra con respecto al nombre del padre de Don Juan.[40] Porque si el deseo está asegurado por la Ley, entonces ambos se predican de la carencia o ausencia original de la muerte. El padre es tan impotente y deficiente como el hijo.

La carrera de Don Juan es, de este modo (en una frase de Derrida) un *«arrêt de mort»*: tanto una demora de ejecución como una sentencia de muerte. El espacio dramático se compone de un interminable aplazamiento y de un inevitable término, cada uno de los cuales se encuentra implícito en el otro. Esto nos recuerda una vez más la traza, que es al mismo tiempo movimiento y residuo. A lo largo de toda la obra, Don Juan ha resaltado la extensión del "crédito" que se le otorga: tiene tiempo suficiente para arrepentirse de sus pecados. Y en la conclusión el coro asume la metáfora financiera y declara que la deuda debe ser pagada en especie. Uno puede prolongar la metáfora para sugerir que *El burlador de Sevilla* se basa en una "economía" al mismo tiempo teológica, literaria y psíquica. Según Henry W. Sullivan, el tema de la obra son las conflictivas demandas del libre albredrío y la gracia divina.[41] Sullivan asocia esta voluntad soberana de los personajes de Tirso con la "libertad" del

---

40 Véase Xavier A. Fernández, «¿Cómo se llamaba el padre de don Juan?», *REH*, 3 (1969), 145-59.
41 *Tirso de Molina and the Drama of the Counter Reformation* (Amsterdam, 1976), 39.

autor para crear y modernizar concepciones de un deseo autónomo (pp. 169-72). Con todo, como el propio Tirso admite, su libertad artística está inevitablemente comprometida por la lealtad a esas autoridades (como Lope) que le precedieron; y como el más reciente trabajo de Sullivan iba a reconocer, todo deseo se basa necesariamente en una deuda simbólica al Padre. Y la severidad de la inscripción psíquica de Tirso vuelve a aparecer en el teatro más elaborado y riguroso de Calderón de la Barca.

4.4. CALDERÓN Y EL HONOR

Como Góngora y Quevedo antes que él, Calderón de la Barca fue en un tiempo críticado por su lenguaje y estilo "excesivos". En las conferencias que dio con motivo del segundo centenario de la muerte del dramaturgo, Menéndez y Pelayo ataca a Calderón por su "palabrería" y el innecesario "enredo" de sus tramas. Estos excesos, sugiere, hacen a Calderón incapaz del análisis psicológico o de la expresión de las emociones "humanas". [42] Esta falta de humanidad resulta más obvia en las obras en las que se da el asesinato de la mujer, en las cuales la posición de Calderón es radicalmente inmoral. Para Menéndez y Pelayo, Calderón condona la matanza de mujeres inocentes y no consigue, por ello, trascender las limitaciones éticas del tiempo y del lugar en los que escribió (p. 229).

Críticos posteriores, especialmente los de la escuela británica, buscaron resolver tanto los problemas estilísticos como los morales al proclamar que el lenguaje de Calderón era "poético" o "funcional" y proponiendo la existencia de un implícito punto de vista autorial en las obras diferente del (y superior al) de los maridos celosos representados en las mismas. Se reivindicó, así, el estatus de Calderón como artesano dramático y, al mismo tiempo, como moralista humano. En esta sección trataré estos bien conocidos tópicos una vez más; pero mi objetivo no es resolver o suavizar las contradicciones inherentes al texto de Calderón, sino más bien explorarlos como fenómenos culturales con referencia a las nociones de traza e inscripción introducidas anteriormente. La dicotomía prescriptiva entre el exceso

---

42 *Calderón y su teatro* (Buenos Aires, 1946), 323.

pernicioso y la esencia benevolente conducirá a la acción menos coercitiva (y más productiva) del "suplemento". Trataré tres cuestiones principales por separado (la retórica, el honor y las mujeres) y las relacionaré con una inscripción básica que ya está presente en el texto de Calderón (lingüística, social y sexual). El problema del exceso resulta esencial para cada una de estas áreas de interés.

Pero comencemos con un pasaje teórico escrito por el propio dramaturgo. En su tratado en defensa de la pintura, ofrece Calderón un origen mítico, derivado de los clásicos, para la misma representación. Al salir del mar, un grupo de jóvenes desnudos observan cuán estrechamente las sombras proyectadas por el sol en la playa se aproximan a la forma de sus cuerpos. Juguetonamente, delinean un esquema en la arena, siguiendo el borde de las sombras con sus dedos, y, después de repetidos intentos, consiguen con éxito crear un perfecto parecido con ellos mismos. De tal modo se fundó el arte de la pintura. [43] Este mito del origen tiene al menos tres (inintencionadas) implicaciones, que son relevantes para nuestra comprensión del teatro de Calderón. Primero, el cuerpo masculino es, al mismo tiempo, sujeto y objeto de la representación. El proceso artístico es esencialmente narcisista, incluso homosexual, una imagen de lo propio producida por la mano (o el falo) del macho. Segundo, esta representación es perfectible y, por lo tanto, interminable. Los jóvenes trazan "borrones" en la arena, sólamente para borrarlos y comenzar de nuevo en su persecución del parecido adecuado. Y tercero, si la representación no tiene fin, tampoco tiene principio: los jóvenes hacen sus "signos hollados" en el "embrión" de la arena que ya les es ofrecido por la playa; y sus "insistentes líneas" sólo consiguen desplazar la imagen perfecta y auténtica que es la sombra ya proyectada por el sol. Así pues, la pintura de la naturaleza es una función esencial de la propia naturaleza. El arte sólo puede imitar esta pintura natural, y es, por tanto, superfluo a su objeto. Con todo, basa su afirmación de legitimidad en su identidad con el objeto: a la pintura le debe ser garantizado el estatus de numen o de inspiración divina. Sin embargo, como cuando Tirso apelaba a la economía doméstica, el estatus del arte es puesto en cuestión por los ejemplos utilizados en su ilustración. Porque la distinción entre el arte y la naturaleza

---

43 Citado por Evangelina Rodríguez y Antonio Tordera en su libro *La escritura como espejo de palacio: «El toreador» de Calderón* (Kassel, 1985), 15-16.

(ya confusa en Lope y Tirso) es completamente subvertida por la incorporación que hace Calderón de la segunda dentro del primero.

Estas ocultas complejidades de la anécdota de Calderón pueden derivarse de cierta confusión entre la pintura y la escritura: en pintura, el artista sobreimpone el pigmento sobre el lienzo vacío. La playa de Calderón, por otra parte, está más cerca de una tabla de cera, marcada o burilada por el instrumento (del macho). La imagen de Calderón de la representación es, así, propia de la inscripción, antes que de la pintura: el dedo holla un espacio en un medio que no es neutral, sino dúctil y resistente al mismo tiempo. Y como el cuaderno mágico de Freud, la playa de Calderón permite la borradura continua y continuadora, a medida que la mano se mueve una y otra vez sobre su superficie. En su llamamiento implícito a la presencia intermitente y al reiterado movimiento del cuerpo, la alegoría de Calderón de la representación es, tal vez, más apropiada para el teatro que para la pintura.

La abierta artificialidad de gran parte del lenguaje de Calderón, sin duda también resultado de sucesivas revisiones, sigue siendo causa de cierta ansiedad para muchos críticos modernos. Un temprano artículo de Wilson reivindica la naturaleza funcional unificadora de la imaginería en Calderón relacionada con los cuatro elementos. [44] Y el último estudio general sobre la imaginería de Calderón utiliza términos de referencia similares: la peor obra está echada a perder por el ornamento "superfluo", la mejor se distingue por las figuras del discurso orgánicamente "necesarias". [45] La formalidad lingüística de Calderón se ha prestado a sí misma a estudios basados en la retórica histórica, como el de John V. Bryans. [46] Alaba Bryans lo vívido de los tropos de Calderón, la simetría de sus figuras y el poder del ornatus para amplificar un tópico y, a la vez, producir una distancia afectiva en el público. El sensible placer del ornamento está, por ello, muy adecuadamente relacionado con la propiedad moral o decoro y con la falta de compromiso intelectual de las emociones del público (pp. 181-6). No hay, pues, fácil distinción entre el argumento y el ornamento (entre esencia y exceso). El

44 «The Four Elements in the Imagery of Calderón», *MLR*, 31 (1936), 34-47.
45 William R. Blue, *The Development of Imagery in Calderón's «Comedias»* (York, S.C., 1983).
46 *Calderón de la Barca: Imagery, Rhetoric, and Drama* (Londres, 1977).

autor, sin embargo, distingue entre el discurso "persuasivo" y "apasionado" en Calderón, y tiene cuidado en subordinar un modelo instrumental o funcional del lenguaje a la maestría de un omnipotente dramaturgo (pp. 186-7). El prejuicio humanista y prescriptivo de los estudiosos tradicionales sigue siendo inherente a las lecturas críticas más recientes.

A pesar de todo, puede ser que el lenguaje de Calderón resulte ciertamente excesivo, si bien no en la forma en que críticos tempranos lo consideraban; y que este exceso lingüístico se una a tipos específicos de redundancia cultural y sexual representados en las obras. La obra que trato aquí es uno de los más famosos (incluso notorio) dramas de Calderón, *El médico de su honra*, representado por vez primera en 1635.[47] Esta obra puede parecer "atípica" de Calderón al representar un caso extremo del código del honor: el asesinato de una mujer inocente por su marido debido a la mera sospecha de infidelidad. Pero es justamente este carácter extremo de la posición lo que probará, a fortiori, mi tesis general: que la significancia del código del honor no se confina al tiempo y lugar en que se originó, sino que más bien apunta, de una manera típicamente elevada, a estructuras de "redundancia original" inherentes al funcionamiento del lenguaje, del deseo y de la sexualidad como preocupaciones culturales generales.

Como *Peribáñez*, *El médico* da comienzo con un hombre inconsciente que es llevado a la casa de una mujer casada. En este caso el hombre es el Infante Enrique (hermano del rey Pedro, conocido como El Cruel o El Justiciero), y la mujer es Mencía, esposa del noble Gutierre. Y como *El burlador*, presupone un cuerpo de acción anterior a la propia obra: Mencía había sido una vez cortejada por Enrique y Gutierre había estado prometido a otra mujer (Leonor). Gutierre es convencido por las pruebas indirectas de que su mujer ha cometido adulterio con el apasionado Enrique: primero, encuentra en su casa una daga que Enrique, inadvertidamente, ha dejado; después, sorprende a Mencía cuando ésta está escribiendo al infante. Finalmente, Gutierre hace que un cirujano sangre a su mujer hasta provocarle la muerte. Después de este acto, es unido por el rey en matrimonio a Leonor, su novia anterior. También hay una segunda trama

47 Hago referencia a la ed. C.A. Jones (rev. Oxford, 1976).

cómica alrededor del bufón Coquín, que interrumpe de manera regular la acción principal en momentos aparentemente inapropiados.

La intensidad de la violencia narrativa en la obra se corresponde con una inusual concentración de virtuosidad lingüística. Tal vez los ejemplos más prominentes del modelo formal (y típicos de Calderón) sean la "Summationsschema" y la "rapportio". Estos esquemas son prominentes desde el mismo comienzo. Así, en la descripción que hace Mencía de la llegada a caballo de Enrique (I. 45-72) y en la comparación que hace entre el caballero y un fénix (I.174-84), una sucesión de imágenes trascendentales se resumen al final del discurso; y un número de nombres son seguidos por un número de verbos a los que gobiernan. Críticos anteriores han considerado estos pasajes de una de estas dos formas: ya como ornamentales y artificiales (y por eso excesivos), ya como orgánica y temáticamente relevantes (y por eso esenciales). Pero la flagrante retoricidad de estos discursos ofrece una tercera posibilidad: que estos mecanismos de lo más conscientes hacen al espectador o al lector consciente del estatus parejo del lenguaje hablado o teatral, como movimiento y residuo, duración y completitud. La *rapportio* interrumpe a propósito la progresión coherente de las palabras de las que depende el significado: se nos ofrece no un único sujeto y un único verbo, sino un numero de sujetos seguido por varios verbos que intentamos derivar de esos sujetos. La intermitencia del sintagma es subrayada por el resumen final: elementos arrancados de un discurso largo son reunidos en las últimas líneas. Como el elaborado escalonamiento del "enredo", mediante el cual fragmentos de información son revelados a intervalos intermitentes, el modelo retórico del lenguaje de Calderón sirve para interrumpir la suave procesión de la traza dramática llamando la atención sobre un único momento como se añade y se subordina a un mismo tiempo al movimiento general de la obra en su conjunto. Las funciones lingüísticas y dramáticas son, de este modo (al menos provisionalmente) desnaturalizadas, su artificialidad se hace visible a los ojos de un público parcialmente distanciado.

Un crítico ha señalado el uso de lenguaje forense en esta obra: los personajes apelan de un modo bastante abierto a posturas y terminología legales, al tiempo que tratan de persuadir a sus oyentes.[48] Con

48 El crítico es A.K.G. Paterson en una comunicación sin título dirigida al *Congreso anglo-germano sobre Calderón* (Cambridge, 1984).

todo, yo sugeriría que la retoricidad de Calderón es significante en la medida en que excede el modelo puramente instrumental o funcional del discurso que podemos asociar con los medios jurídicos. Ciertamente, Lacan ha propuesto que el discurso humano ("parole") puede ser definido por un excedente lingüístico, afirmando que lo que es redundante para la comunicación es precisamente lo que sirve como resonancia en el discurso («Fonction et champ de la parole», p. 181). Y los excesos resonantes de las figuras del discurso en Calderón se corresponden con las superfluidades semánticas de sus figuras del pensamiento. Porque aquí la técnica favorita es la de la *significatio*, la infusión de múltiples significados en una sola palabra o frase. Así pues, en el primer acto afirma Enrique que seguramente morirá (de amor, se entiende), incluso cuando recupera su salud (física) (I. 274-6); y en el segundo, el discurso de Gutierre sobre la vela (real) apagada por el viento está tapado por una alusión secundaria (figurativa) a la vida de Mencía como una luz, que pronto va a ser extinguida con igual resolución (II. 973-80). Allí donde el lenguaje cotidiano es fluido y transparente, el de Calderón es trunco y opaco. Y esta particular sobrecarga formal y conceptual revela que el orden de las palabras es arbitrario y que su valor significador es convencional. Más aún, no existe en Calderón un lenguaje neutral o no figurativo del que pueda decirse que los personajes se desvían, porque son los momentos más apasionados (los de la mayor revelación propia) los que provocan los discursos más elaborados (los de la mayor simulación). El excedente lingüístico es característico tanto de la personalidad humana como de la práctica cultural.

El llamamiento a vocabularios extra-dramáticos no consigue resolver este problema de la expresión auténtica, porque no existe fuera de la obra un "metalenguaje" que pueda trascender lo dicho por los personajes en las mismas. Así, emplean, como hemos visto, un vocabulario legal, pero carente de valor en los contextos de la obra: el espacio personal y doméstico del matrimonio y el incierto espacio cortesano de un monarca inadecuado y falible. El lenguaje de la alquimia que también aparece en la obra tampoco consigue "explicarlo". [49] Porque parece que se une a otro rasgo lingüístico

---

49 Véase Alan K.G. Paterson, «The Alchemical Marriage in Calderón's *El médico de su honra*», *RJ*, 30 (1979), 263-82.

frecuente en Calderón, la tautología. Así, Mencía afirma, otra vez muy cerca del principio, que como los metales preciosos que se destilan en crisoles hechos de ellos mismos, así su honor ha sido purificado en la vasija de su propio cuerpo (I. 144-52). Calderón hace que sus personajes invoquen al fénix, que es al mismo tiempo padre e hijo de sí mismo, y al diamante, cuya fuerza sólo es correspondida por él mismo. Y hace que afirmen en los momentos de clímax: "Yo soy quien soy". Aún así, esta aparente aserción de absoluta identidad o de perfecta equivalencia sirve (no en menor medida que las más abiertamente "artificiales" figuras) para poner en cuestión tanto el lenguaje como declaración como la subjetividad como esencia. Porque Mencía y Gutierre hacen esta afirmación precisamente en esos momentos en que su valor está comprometido con sus palabras: cuando la esposa se enfrenta a su antiguo amante y cuando el marido que ama a su mujer se siente en la obligación de matarla. Todos los personajes podrían haber dicho con Coquín al rey: "Yo soy lo que tú quieras que sea" (I. 711-13), porque (como en *Peribáñez*) la acción de la obra sugiere que la identidad humana es una arbitraria yuxtaposición de discursos o posiciones subjetivas incompatibles. Esposa y amante; marido y asesino: ninguna de estas contradicciones puede ser resuelta en una sola persona. Como ha sugerido Parker, el mundo trágico de Calderón es aquel en el que "el individuo humano, en tanto que individuo, no puede existir".[50] Pero este estado es resultado de la determinación socio-lingüística, no de la abstracción ético-religiosa.

La cuestión lingüística, entonces, es también cultural o social, y está en particular relacionada con el honor. Como en *Peribáñez*, la práctica cultural en *El médico* consiste en una redundante circulación, en la cual el hecho del intercambio precede a los propios objetos. Una vez más, el papel de Coquín resulta aquí ejemplar. El gracioso hace una apuesta con el rey: si no consigue hacerle reír consentirá que sus dientes le sean arrancados (I. 781-3). El principio de la equivalencia practicado a lo largo de toda la obra (una cosa a cambio de otra) difícilmente podría ser más arbitraria que aquí. Está totalmente determinada por las relaciones de poder: objetos de valor de uso para el que carece de poder son reducidos a objetos de valor de cambio (los

---

50 «Towards a Definition of Calderonian Tragedy», *BHS*, 39 (1962), 222-39 (p. 237).

dientes no pueden tener ninguna utilidad para el rey del mismo modo que lo tienen para el gracioso). Tanto las personas como las comodidades están sujetas a un desplazamiento o circulación constante sobre los que no tienen ningún control.

Los principales objetos de esta insistente, si bien redundante, circulación son la daga y la carta. En el curso de la acción la daga de Enrique se mueve de su dueño a Gutierre y del rey a Enrique y de vuelta a Gutierre de nuevo. Traza con su movimiento la acción dramática de la obra. Con todo, sirve como un marcador vacío de la diferencia social y cultural: el valor que le es atribuido por el marido celoso (ser prueba de la potencia de su rival y de la infidelidad de su esposa) es imaginario y no es en absoluto inherente al propio objeto. De la misma manera, la carta escrita por Mencía a Enrique y descubierta aún sin completar por Gutierre es al mismo tiempo esencial para los trabajos de la trama y arbitraria para su significancia: si Mencía le pide a Enrique que no se marche, no es (como cree Gutierre) porque le ame. Esta interrumpida circulación trae reminiscencias de la obra de Poe "The Purloined Letter", un texto que es objeto de una famosa lectura hecha por Lacan.[51] Para Lacan, la moraleja del cuento de Poe es que una carta, incluso cuando se extravía, alcanza siempre su destino. Esto es porque si el sujeto recibe el mensaje, éste es uno ya enviado por él o ella misma, que retorna en una forma invertida. Así pues, al nivel específico de la acción de la obra, Gutierre no recibe el verdadero mensaje de Mencía en su carta, sino su propia proyección histérica: la Mencía supuestamente culpable es la imagen especular de su propio temor obsesivo de la traición. Y al nivel más general de la obra como conjunto, el público o el lector machos reciben un mensaje que ya han emitido ellos mismos y que reafirma sus propias preconcepciones con respecto al estatus de las mujeres: si Mencía, al mismo tiempo, carece de poder y es inocente es porque las mujeres deben ser a un mismo tiempo excluidas de la práctica cultural y elevadas a la posición de la Verdad o la esencia platónica.[52] De este modo, la extinción física de Mencía y su asunción metafísica revalidan y refuerzan los valores convencionales del patriarcado.

---

51 «Le Séminaire sur "La lettre volée"», en *Écrits*, i. 19-75.
52 Véase la lectura que hace Derrida de Lacan acerca de Poe: «Le Facteur de la verité», en *La Carte postale de Socrate à Freud et au-delà* (París, 1980), 441-524.

Volveré al problema del género enseguida. Pero, primero, sugeriré que en sus abiertos redundancia y exceso, el código del honor
reproduce en la esfera cultural la estructura del deseo tal y como es
descrita en el psicoanálisis lacaniano. Distingue Lacan entre la necesidad biológica ("besoin") que es particular y la demanda psíquica
("demande"), que es absoluta. El deseo es el hueco que se abre entre
las dos. Es, por esto, superfluo a la mera satisfacción de la necesidad. El deseo más puro, la demanda más absoluta (porque es la más
imposible de gratificar), es el deseo de nada, como en el caso de la
anoréxica que precisamente no pide nada de los que la aman. [53]
Cada uno de estos puntos puede relacionarse con el honor. El honor
es surperfluo o gratuito, porque va más allá de las necesidades bio-
lógicas del macho y de las necesidades culturales de la sociedad. Es
más, amenaza la misma existencia del equilibrio social y psíquico.
El espacio del deseo del marido reside en el hueco entre la necesidad particular (la conformidad real de la esposa a las condiciones
que le son impuestas) y la demanda absoluta (la insistencia del marido de que todo el mundo reconozca esa conformidad). Lo que el
marido exige de su esposa (y lo que, por supuesto, ella no puede
darle) es nada: una falta de acción y una falta de discurso que pre-
servarán una reputación social sobre la que ella tiene escaso control.
Este deseo, por definición, no puede ser gratificado. Porque las
demostraciones de inocencia que hace la esposa en circunstancias
particulares no pueden nunca desplazar o refutar la constante sospecha que tiene el marido de la culpa como absoluto moral y social.
De aquí la obsesión de la comedia por el adulterio, real o imaginario; porque el adulterio puede ser definido como un exceso de práctica sexual que va más allá de lo que se requiere para la reproducción de la especie humana y de la sociedad.

Las mujeres, entonces, sirven como objetos de intercambio, al
mismo tiempo excluidos de y esenciales para la circulación del
macho, cuyo funcionamiento preceden. Bajo la égida del rey, la
muerta Mencía es reemplazada por la viva Leonor. Cada una es precisamente igual a la otra como objeto de intercambio. El orden es res-
tablecido y la práctica social continúa. Como los jóvenes juguetones
de la playa soleada de Calderón, los melancólicos maridos de sus

---

53 Para la distinción entre «necesidad» y «demanda», véase «Fonction et champ», p. 177.

casas oscuras revalidan el movimiento de la traza significadora. Una mano de macho, empapada con la sangre de Mencía, deja su huella en el dintel de la puerta de Gutierre. El rey ordena que sea borrada, pero el marido hará que sea reproducida en pintura como un signo permanente de su honor nuevamente lavado. Así pues, la mano del macho (identificada por al menos un crítico de la obra con el falo)[54] se revela a sí misma en el juego intermitente de la inscripción y de la borradura. Su prestigio parece inamovible.

A pesar de todo, como en los casos de *Peribáñez* y de *El burlador,* esta "presencia" legitimada del macho está altamente comprometida por su origen. Como ha sugerido Robert Ter Horst, tanto los hombres como las mujeres en la obra se ven desprovistos de discurso en puntos críticos. En particular, el estatus del rey es en gran medida ambivalente. Críticos anteriores han debatido sobre si es "cruel" o "justo".[55] Ter Horst habla más bien de sus "ardides femeninos" y del "logos mal manejado" que se volverá en su contra tan seguramente como en contra de Mencía: históricamente, el monarca será posteriormente asesinado por su hermano Enrique.[56] La moraleja inesperada de *El médico,* al menos para el lector moderno, es tal vez la falibilidad del padre, o la incapacidad del patriarca para limitar o controlar una práctica cultural exorbitante. Como con el cuaderno mágico, cualquier permanencia o valor del signo cede a la indeterminación de la inscripción gráfica. Y la alegoría de esta inscripción es ya sugerida por el propio Calderón: es la medicina, la ciencia que puede matar y curar. Esto coincide con Derrida, para quien la escritura en general es como el "pharmakon" de Platón, a la vez veneno y elixir.[57] De este modo, puede argüirse que *El médico de su honra* subvierte el privilegio de la escritura del macho, como lo demuestra su potencia mortal; y que Calderón, de modo inadvertido, socava el orden social de su tiempo al reivindicar su "naturalidad". Esto no es afirmar que Calderón fuera "realmente" un liberal o un progresista

---

54 Véase Don N. Cruikshank, ««Pongo mi mano en sangre bañada en la puerta»: Adultery in *El médico de su honra*», en S*tudies in Spanish Literature of the Golden Age presented to E.M. Wilson,* ed. R.O. Jones (Londres, 1973), 45-62 (p. 51).
55 Véase A.I. Watson, «Peter the Cruel or Peter the Just? A Reappraisal of the Role played by King Peter in Calderón's *El médico de su honra*», *RH,* 14 (1963), 322-46.
56 *Calderón: The Secular Plays* (Lexington, KY, 1982), 93.
57 «La Pharmacie de Platon», en *La Dissémination* (París, 1972), 71-197.

o negar la crueldad de su representación de las mujeres. Más bien es sugerir que en el mismo carácter extremo de su visión Calderón nos obliga a re-examinar nuestra inconsciente predisposición hacia esa dicción naturalista y hacia esos valores humanos que con tanta resolución rehusa darnos.[58]

4.5. EL TEATRO COMO TRAZA

¿Cómo podríamos definir la comedia? Mi respuesta debería ser clara. Así como la lírica española llama la atención sobre el suplemento como juego intermitente de presencia y ausencia, y la picaresca lo hace sobre el parergon como algo que está al mismo tiempo dentro y fuera de la representación, así también la comedia española llama la atención sobre la traza como movimiento y residuo de la inscripción dramática. El teatro como traza no es ni la encarnación de valores eternos ni el reflejo del incidente histórico, sino la evidencia del proceso material. Es decir, su carácter no es ni ideal ni empírico, sino teórico (no abstracto, sino que retorna sobre sí mismo). La comedia es inscripcional, no pictórica: el dramaturgo no "pinta" en una superficie blanca, sino que talla su marca en un medio activo (cera o arena) ya saturado de escritura anterior. No es casual que los dramaturgos mayores tomen prestados tan a menudo tramas y títulos de cada uno. El proceso dramático es comunal e interminable, falto tanto de origen como de fin. El cuaderno mágico de la comedia, de este modo, es al mismo tiempo la imaginación del autor y la memoria del público, el residuo acumulativo de un proceso teatral continuador que permite una siempre creciente estilización del lenguaje y de la economía de los medios, a medida que

---

58 En su *The Limits of Illusion: A Critical Study of Calderón* (Cambridge, 1984). Anthony J. Cascardi sugiere también que el dramaturgo produce un efecto distanciador o alienante sobre el espectador. En su tratamiento de *El médico*, sin embargo, retrocede desde la «fisicalidad» de la escena final hacia una visión platónica de la esencia inefable: «As the images are displayed before us, they shimmer as pure presences, more phenomenological than representational». (p. 79). Los críticos están predispuestos a atribuir a Calderón un efecto brechtiano de alienación que, sin embargo, no consigue debilitar su propia fe en el humanismo y el patriarcado. Véase también José M. Ruano de la Haza, «Hacia una nueva definición de la tragedia calderoniana», *BCom*, 35 (1983), 165-80.

la ejecución del dramaturgo y la competencia de público se alimentan recíprocamente.

La comedia es teórica porque reflexiona sobre sí misma; es material porque nos hace conscientes de las reales relaciones sociales (pero como inscripción fundadora, no como fenómeno de superficie). Así, *Peribáñez* revela que una auténtica naturaleza oral es inextricable del proceso cultural alienante. *El burlador* revela que la pasión sexual "instintiva" es subrayada por determinantes socio-lingüísticos y psíquicos; y *El médico* revela que los valores "eternos" de la España del macho que son totalmente comprometidos por la convención social y cultural. La naturaleza, el deseo y el honor no pueden ser ya dados por sentado: son hechos extraños o desfamiliarizados. Pero, al contrario de la opinión de muchos críticos, esto no constituye un "efecto de alienación" de una vez y para siempre, inteligentemente logrado por el autor y ávidamente consumido por el espectador. Las particularidades de cualquier género están siempre renaturalizadas por un público complaciente, por muy no-naturalistas que estas convenciones genéricas puedan ser. Cualquier distanciamiento del público debe ser deliberado y persistente, un tenaz desenmarañamiento de las madejas "simbólicas" del texto, no una fácil sumisión a su "imaginaria" coherencia (para la que la "alienación" es justamente otra, si bien más sofisticada, pieza de evidencia).

Que la comedia no es el reflejo directo de la circunstancia histórica es evidente por ella misma. Más difícil es sugerir los modos en los que la escritura y la historia pueden coincidir. Así, Melveena McKendrick ha sugerido recientemente que el honor marital representado tan obsesivamente en el escenario (y, con toda probabilidad, ausente de la vida "real") es una neurótica trasferencia de una genuina ansiedad histórica (ausente de manera conspicua del escenario): la racista preocupación por la «limpieza de sangre».[59] En la superficie esto es un argumento persuasivo. Sin embargo, no existe unión teórica o empírica entre las áreas supuestamente discretas del arte y de la vida. El proceso es inefable, y sólo garantizado por la autoridad de la crítica. Si vamos más allá de los términos del debate establecidos por la crítica, el uso de la palabra "trasferencia" implica un

---

[59] «Honour-Vengeance in the Spanish Comedia: A Case of Mimetic Transference?», *MRL*, 79 (1984), 313-35.

subtexto freudiano del desplazamiento libidinoso o afectivo, que no se desarrolla en el artículo. Pero, como hemos visto, desarrollos posteriores en el psicoanálisis nos advierten contra la visión hidráulica u homeostática del deseo como una presión que debe liberarse por cualquier canal que se le abra.

Existe, no obstante, un término que puede servir de mediación entre la historia y el teatro. Es el marxista de ideología. Si consideramos la forma de la comedia como ideológica, entonces sus particularidades atestiguan indirectamente las relaciones sociales y económicas en la España de la época. Así, la ausencia de los personajes "tridimensionales" en la comedia fue vista por Parker como el resultado de una preocupación moral por la demostración de la prescripción católica a expensas de la "individualidad". Pero como George Mariscal presenta como hipótesis, su último origen podría ser socio-político: "la triunfal "eliminación" de las ideologías burguesas en la España de Calderón excluye la noción de un sujeto autónomo, una noción que es la razón fundamental de la creación de cualquier "gran" individuo ficcional como Hamlet, Macbeth o Lear". [60] La ideología como mediación anticipa, así, y también descapacita la ingenua cuestión de "¿Era la gente del Siglo de Oro realmente como Peribáñez o Mencía?" y su más sofisticada variante: "¿De qué modo diferían realmente de los personajes ficcionales?". Porque la ideología puede definirse como una inscripción cultural siempre presente, dentro de la cual los individuos viven sus vidas y, al mismo tiempo, ven esas vidas representadas. Como el concepto del decoro, tan caro a los personajes y a los autores de la comedia, la ideología combina el último prestigio con la indefinida flexibilidad: su misma adaptación a la circunstancia particular garantiza su apariencia de universalidad.

Lo que es más, la ideología, como la comedia, no tiene origen verificable, "dentro" o "fuera" de la práctica social. Como la traza, es a un mismo tiempo el proceso y el producto de la historia. Y esta relación recíproca o dialéctica define también las condiciones que capacitan la comedia, escrita por un individuo, pero extraídas y realizadas por un público activo y vigoroso. El teatro popular español confirma la teoría de Marx en *Grundrisse* de que la producción y el

---

60 George Mariscal, «Re-reading Calderón», *BCom*, 36 (1984), 131-3. Es una respuesta al artículo de Walter Cohen, «Calderón in England», del año anterior.

consumo se reproducen la una a la otra:"(El consumo) crea los objetos de la producción en una forma todavía subjetiva. No hay producción sin una necesidad. Pero el consumo reproduce la necesidad". [61] El papel de la traza, entonces, no es el de reinstalar una
nueva jerarquía, una simple inversión de lo viejo: el público antes
que el autor; la inscripción antes que la descripción; la ideología
antes que la historia. Más bien es sugerir una red de relaciones dialécticas en la que cada una es (en palabras de Marx una vez más)
inmediatamente la otra.

Estas cuestiones pueden parecer abstractas. Pero si observamos
sus implicaciones, entonces influyen tanto en una aproximación crítica general como en los casos específicos del análisis textual. Así
pues, dos características formales de la comedia son su énfasis en la
canción y en la polimetría. Vimos en la introducción a este capítulo
que la canción tiene una posición ambivalente en la poética de Aristóteles, y resulta tal vez significativo que en cada una de las obras que
hemos estudiado el cantar canciones soporta un énfasis particular:
así, los cosechadores cantan la amenaza al honor de Peribáñez, el
coro canta la apuesta autocomplaciente y el castigo inminente de
Don Juan, y los músicos del rey cantan la partida de Enrique, que
indirectamente llevará a la muerte de Mencía. En cada caso la canción está al mismo tiempo dentro y fuera de la acción representada:
es más, en *Peribáñez,* una canción popular precede y proporciona el
motivo para esa acción. De la misma manera, la polimetría problematiza el propio medio dramático: como prosa o como forma única
y consistente del verso, el lenguaje puede ser con seguridad dado por
hecho. En cualquier momento de la comedia, sin embargo, la forma
del lenguaje (como las acciones de los personajes) tiene un estatus
apropiado, si bien variable. La elección literaria de la polimetría
puede compararse a la elección ética del decoro. Así pues, como
componentes ideológicos y formales, la canción y la polimetría
refuerzan el ilusionismo a medida que lo socavan, y promueven tanto
la persuasión retórica como el distanciamiento crítico en un único e
igual momento. Reichenberger afirmaba hace ya tiempo que "el dramaturgo español es la voz que artísticamente modela y expresa los

---

61 *Grundrisse: Foundations of the Critique of Political Economy,* trad. Martin Nicolaus (Londres,
    1973), 91.

ideales, convicciones, aspiraciones y creencias de su pueblo".[62] Y es
en la contradicción (inadvertida por el propio crítico) entre el "mode-
lar" activo y la "expresión" pasiva donde radican las complejidades
teóricas e históricas de la comedia.

Para exponerlo de manera más simple, la "unicidad de la comedia" reside en su formalidad sin continuidad. El teatro español es formal como el francés, en su invocación al verso y a las situaciones de
inventario; pero socava esa formalidad por el uso de la polimetría
(la puesta en cuestión de la forma del verso) y de la tragicomedia (la
puesta en cuestión del género). Y es discontinuo como el inglés, en
su falta de respeto por las unidades aristotélicas; pero no intenta en
desarrollar ese incipiente ilusionismo al ofrecer a su público personajes "autónomos". Históricamente, la comedia transgrede la ley del
precepto aristotélico. Pero esta transgresión de la ley es precedida
por una ley de la transgresión: Lope, el padre fundador, instituye y
legitima un sentido del teatro español como eterno desvío de la práctica clásica ajena. De este modo, si podemos trazar una creciente formalidad o artificialidad de Lope a Tirso y a Calderón, entonces esa
formalidad esta ya implícita en la posición en extremo consciente de
Lope, al mismo tiempo dentro y fuera de las poéticas aristotélica y
horaciana, condescendiente tanto a las demandas (naturales) de un
oficio tradicional como a las exigencias (culturales) de un público
específico.

La formalidad de la oración en la comedia en todos los períodos
(y la potencia evidente del efecto que mantenía para el público)
sugiere que en el teatro español no puede haber distinción entre la
figura y el fondo, el ornamento y la esencia. Pero una vez más, esto
difícilmente constituye una idea nueva. Porque Escalígero había afirmado en su gramática latina *De causis* (xii.176) que todo discurso era
figurativo: "Omnis oratio figurata est".[63] Como los tendones del
cuerpo ("lineamenta") las así llamadas figuras del discurso constituyen la misma sustancia ("materia ipsa") de la oración. El énfasis en
el cuerpo resulta revelador. Porque lo que nos dice el teatro español es que si todo discurso es figurativo, entonces toda figuración es

---

62 Citado por Richard A. Young en *La figura del rey y la institución en la comedia lopesca*
   (Madrid, 1979), 115.
63 Heidelberg, 1584. Debo esta referencia al profesor Pierre Lardet.

discursiva: el cuerpo textual se expande para llenar el espacio representacional; ningún área es no-inscrita, ningún objeto está incomprometido por la construcción cultural. Para usar una metáfora común en la época (y empleada por el propio Lope con referencia a las reliquias de los santos),[64] el actor en el escenario español es un "cuerpo escrito". Y si este cuerpo es el del macho, entonces lleva en sí mismo, sin embargo, su posible desplazamiento por la hembra. En un momento vital de la acción, cada uno de los tres amantes en las obras que hemos estudiado (Don Lope, Don Juan y Don Enrique) es privado de la conciencia. El cuerpo inconsciente del macho acunado en los brazos de una mujer vuelve a poner en funcionamiento la indefensión del niño (el trauma de la castración), esa carencia fundadora que las posturas del autor buscan en vano esconder.

La formalidad sin continuidad es, de este modo, la característica que define la comedia; y el ornamento sin la esencia constituye la fuerza de su lenguaje. El auge de una dicción "excesiva" en la lírica, en la picaresca y en el teatro de la España del siglo XVII puede relacionarse con un cambio epistemológico general en el mismo período. Y, según algunos críticos, ese cambio o crisis semiótica se ilustra de la mejor manera en la obra de Cervantes.

---

64 Véase Lope de Vega, *Obras poéticas*, ed. José Manuel Blecua (Barcelona, 1969), p. 508, 1.133.

5

LA RETÓRICA BORRADA
EN CERVANTES

5.1. SIMPLICIDAD, AUTORIDAD, LENGUAJE

Parece imposible escribir sobre literatura del Siglo de Oro sin referirse a Cervantes. Sin embargo, esta inevitabilidad no es en absoluto natural ni evidente por sí misma. Antes bien, es el resultado de los límites particulares del debate crítico consagrado en nuestro tiempo, y de las condiciones históricas en las que los textos del Siglo de Oro se han recibido desde su producción. Hasta cierto punto me he visto forzado a situar a Cervantes fuera de los parámetros de este estudio; porque partía de dos supuestos: que la cultura española ha estado marginada, desterrada a las fronteras de una tradición europea consagrada; y que la causa manifiesta de esta marginación estribaba en un supuesto exceso ornamental y expresivo, considerado como consustancial a lo español y radicalmente ajeno a los extranjeros. Cervantes, sin embargo, se suele mantener aparte, como un caso excepcional al que no atañen aquellos rasgos. Es el único escritor en castellano al que se otorga el estatus de «genio universal», el único que se conoce (si no se lee) en todo el mundo. A él se refiere en este mismo sentido la idea de una cierta claridad de estilo, alejada de los excesos barrocos de sus contemporáneos más jóvenes.

Mi intención en este capítulo no será la de proponer una nueva «interpretación» de la obra de Cervantes (un proyecto de este calibre

197

sobrepasa el alcance de este estudio), sino examinar la crítica actual sobre Cervantes a la luz de cuestiones que ya he planteado en capítulos anteriores. Las lecturas que ha suscitado la obra de Cervantes son extraordinariamente variadas y frecuentemente incompatibles entre sí. Su riqueza confirma mi sugerencia anterior de que un texto no es una esencia platónica, cuyas cualidades inmutables permanecen de alguna manera intactas, merced al celo o al arte del autor que las ha engendrado, sino, más bien, un producto material, cuyo valor discontinuo es el resultado de una dialéctica constante entre el escritor y un lector históricamente determinado.

Las cuestiones que debemos abordar ahora, por tanto, son las de si Cervantes puede en verdad formar rancho aparte en lo que se refiere a la retórica del exceso característica de su tiempo; y, en el caso de no ser así, si cualquier intuición de este exceso o desbordamiento, esencial a todo discurso literario, se pone de manifiesto (de modo evidente o de cualquier otra forma) en la crítica más reciente sobre sus obras. Me referiré al respecto incidiendo en las dos áreas mayores y más complejas de preocupación crítica: la del género literario y de la autoridad textual, por un lado; y la de la práctica lingüística y el proceso psicológico, por otro. Los problemas aquí planteados (que comparte Cervantes con la lírica, la picaresca y el teatro de su tiempo) son fundamentalmente los de la «presencia» del autor, los límites de la representación, y la constitución del sujeto humano. Que la obra de Cervantes comparta ciertas preocupaciones con las de sus contemporáneos, no creo que haga falta señalarlo, no supone ninguna depreciación de sus textos (o de nuestra lectura).

Podemos comenzar con la cuestión del género: con la persistente afirmación de que Cervantes es el «inventor de la novela moderna». El reciente debate crítico sobre este tema ha resultado típicamente inconcluso. Así, Ruth El Saffar ha argumentado que la trayectoria de Cervantes en su conjunto va desde la novela al romance (*Novel to Romance*) (Baltimore, 1974), un cambio ejemplificado en particular por el tránsito desde las Novelas «tempranas» (como *Rinconete y Cortadillo*) a las «últimas» (como *La señora Cornelia*); y en general por el paso del *Don Quijote* I, «realista», al «idealista» *Persiles y Segismunda*. El Saffar saca a Cervantes, de este modo, de la fácil teleología histórica de críticos anteriores, para quienes el artificio de algunas obras se

consideraba reemplazado por la madurez «natural» de otras. Pero El
Saffar corre el riesgo de erigir una jerarquía inversa, en la que el término positivo es desplazado por el negativo. Sucede lo mismo en una
reciente lectura de Riley, en la que se dice que Cervantes «prefería»
el romance a la novela.[1] Edwin Williamson ha argumentado que
Cervantes no parece inclinarse a favor de ninguna de las dos modalidades, al menos en lo que concierne a las interpolaciones del *Quijote;* porque si en el caso de su novela mayor la realidad muestra a
menudo sobrepasar los patrones fijos del romance, entonces el aparente «realismo» de Cervantes es puramente negativo, no es el resultado de la reproducción tal cual de la vida, sino la infracción irónica de la fórmula literaria.[2] En un estudio posterior, afirma Williamson
que el *Quijote* es un término medio entre la novela y el romance: no
existe una simple dicotomía entre los dos géneros, ya que al menos
uno de ellos (la novela) sólo puede ser definido por su indeterminación.[3] La famosa ironía cervantina apunta, de esta manera, no hacia
la coherencia, sino hacia la indecibilidad: desestabiliza el dualismo del
Quijote y Sancho, al mismo tiempo que nos anima a tomar ese dualismo como simbólico; y crea una oportunidad para el desarrollo naturalista del personaje y de la trama, que, en último término, no lleva
adelante (p. 160, 202).

También Alban K. Forcione ha presentado el caso por la inestabilidad genérica, esta vez con referencia a las *Novelas ejemplares.* La
negativa de Cervantes cuando se trata de acomodarse a patrones convencionales literarios deja al lector sin «la comodidad de una respuesta de inventario».[4] Sin embargo, identifica esta «no linealidad» con los
discursos humanistas del siglo XVI. Como Cervantes, escritores como
Erasmo utilizaron la paradoja y la ironía para provocar la colaboración
de sus lectores y para ofrecerles la oportunidad de emplear esa «libertad» creativa que ellos mismos habían ejercitado (p. 29). La habitual
falta de resolución de Cervantes, entonces, no es en absoluto original:
viene precedida de una tradición de libertarismo escéptico en la cual,

1 Edward C. Riley, «"Romance" y novela en Cervantes», en *Cervantes: Su obra y su
mundo, Actas del I Congreso internacional sobre Cervantes,* ed. Manuel Criado de Val
(Madrid, 1981), 5-13 (p.13).
2 «Romance and Realism in the Interpolated Stories in the *Quijote»*, *Cervantes*, 2
(1982), 43-67 (p. 67).
3 *The Half-way House of Fiction: Don Quijote and Arturian Romance* (Oxford, 1984). p. ix.
4 *Cervantes and the Humanist Vision: A Study of Four Exemplary Novels* (Princeton, 1982), 28.

podríamos decir, la transgresión se estipula como ley general. En un estudio complementario de *El casamiento engañoso* y de *El coloquio de los perros,* Forcione deriva la discontinuidad formal de estos textos de un impulso parejo que llevaba a Cervantes ora hacia el escepticismo, ora hacia la certeza dogmática; y contrasta la «voz no asertiva» de Cervantes, tan próxima a la de sus antecesores humanistas, con los tonos menos tolerantes de sus contemporáneos ascéticos cristianos.[5] Para Forcione, Cervantes nos conduce, de un modo bastante consciente, hacia cierta oscuridad o indefinición moral y epistemológica. Una vez que captamos la luz de la verdad que nos ofrece, «reconocemos que ha estado allí en todo momento» (p. 18). Con metáforas de este calibre, la aproximación de Forcione, a un tiempo erudita e imaginativa, revela, no obstante, los límites ineludibles de su propio conocimiento. Porque si la luz está siempre presente en la oscuridad, ¿no es porque la fe en tal intencionada iluminación (como nuestra creencia en la presencia del autor como «voz» que habla) no es cualidad inherente al propio texto, sino una «imaginaria» proyección del lector? Y ¿acaso la voz «no asertiva» que provoca esta respuesta es necesariamente más humana o liberadora en su efecto que sus alternativas más francamente tiránicas? En capítulos anteriores he sugerido que Góngora, Quevedo y Calderón llaman la atención del lector sobre el poder conferido a los autores y sobre la naturaleza potencialmente opresiva de sus obras, y lo hacen mediante un lenguaje relativamente opaco y excesivo. La modestia o la reticencia de un Cervantes (el rechazo a dirigir al lector o a dar forma definitiva a la obra) produce una respuesta más afectuosa, pero quizás más engañosa. La «ilegalidad», elogiada por Forcione en Cervantes, puede ser una nueva y más sutil versión de la propia Ley, mucho más efectiva por su misma transparencia.

En general, sin embargo, las discontinuidades de los textos cervantinos, su estatus evidente de *collages* de fragmentos literarios (novela y romance; realismo e idealismo), no ha recibido la perspicaz atención de un Forcione. Así, Howard Mancing al tratar *The Chivalric World of Don Quijote* (*El mundo caballeresco de Don Quijote,* Columbia and London, 1982), alaba la «ahistoricidad» del relato (p. 5). Para Mancing, parece que esta inmutabilidad de los valores de la obra no le resulta

---

5 *Cervantes and the Mystery of Lawlesness: A Study of «El casamiento engañoso» and «El coloquio de los perros»* (Princeton, 1984), 17.

incompatible con la principal función del texto, es decir, la de satirizar un género literario históricamente específico, harto conocido en la época de Cervantes y olvidado hoy. Este prejuicio ahistórico vuelve a aparecer en la conclusión, en la que Mancing cita a Avalle Arce al hablar sobre la diferencia (que supuestamente se ejemplifica en la obra) entre ser y valer. Alonso Quijano sólo «existe», mientras que Don Quijote «lleva una vida que vale» (p. 215). Pero es precisamente esta comprensión existencialista del valor lo que se pone en entredicho en el texto de Cervantes. Porque los valores del mundo de la caballería no son los del tiempo de Cervantes, y los del siglo XVII no son ya los del siglo XX. Cada época considera que sus propios valores son eternos, y cada una de ellas se engaña. El *Quijote* demuestra, en el nivel de la superficie de la trama, la especificidad histórica (y tal vez la relatividad) del valor y del significado. Que incluso los estudiosos más historicistas tiendan a ignorar esta lección es un signo del continuado poder de su efecto ilusionístico y retórico.

El problema del valor y la cuestión ya tratada de la autoridad textual continúan siendo moneda común entre los críticos. Como en el caso de la picaresca, la mayoría buscan resolver las contradicciones formales asignándolas a un autor omnipotente y unificador. Así, para Juan Ignacio Ferreras, la estructura paródica del *Quijote,* si bien trunca e intermitente, reafirma meramente la «armonía» y «coherencia» de la obra, y el genio de su creador.[6] Otro crítico señala las incongruencias entre las diferentes versiones manuscritas de las *Novelas,* y a partir de esta evidencia, concluye que Cervantes no puede ser el autor de toda la colección.[7] Para la mayor parte de los estudiosos, la esencial «unidad» de la imaginación creativa debe prevalecer como rasgo dominante, a pesar de que, como sugiere Anthony Close, la concepción que Cervantes tenía de la fábula cómica, en lo que se refiere a su variedad y a su carácter híbrido, es típica de España.[8] Resulta doblemente curioso entonces que los críticos que han alabado a Cervantes por su «elusividad», en el uso de técnicas como el mecanismo de la autoridad fictícia, sean los más ansiosos

6 *La estructura paródica del «Quijote»* (Madrid, 1982), 131.
7 E.T. Aylward, *Cervantes: Pioneer and Plagiarist* (Londres, 1982).
8 «Cervante's Arte nuevo de hazer fábulas cómicas en este tiempo», *Cervantes,* 2 (1982), 3-22 (p. 22).

por reafirmar su estatus como demiurgo del texto, la última autoridad.[9] Cuanto más inconsistente resulta la escritura del autor y más espesos los mecanismos narrativos que median entre él y el lector, tanto más el crítico parece obligado a invocar al autor como la presencia absoluta y el único origen del valor.

Esta misma línea, la de un insistente pero soterrado escepticismo con la posibilidad de una lectura de Cervantes sustentando valores eternos, puede relacionarse con los cambios y contradicciones en la práctica discursiva de su propio tiempo. Así, Juergen Hahn utiliza el cuento del soldado que aparece en *Don Quijote* I para sugerir que cualquier estándar epistemológico en el texto debe basarse en un reconocimiento de la permanente verdad de la religión y de la verdad específica de la historia.[10] Y Maureen Ihrie, en su estudio del *Scepticism in Cervantes (El escepticismo en Cervantes*, London, 1982) termina con una contradicción sin resolver entre una verdad empírica (si bien inasequible) y una fe legitimadora (si bien inverificable) (p. 116). Ihrie afirma que existe una firme progresión en la obra de Cervantes desde la Verdad a la Fe. Pero podríamos añadir que, en cualquier momento de su trayectoria, el Pirronismo de Cervantes y su Fideísmo serán, a un mismo tiempo, mutuamente exclusivos e inextricables.

Estos debates sobre la verdad, la autoridad y la interpretación abocan a la cuestión de si el significado es intrínseco o extrínseco al texto literario. Y no es una cuestión fácil de resolver. Por ejemplo, un típico representante de la crítica histórica o contextualizadora puede revelar, al mismo tiempo, una confianza infalible en la inmanencia del significado y en la universalidad de la «sensibilidad artística»: "El poema (la novela, la obra de teatro) apunta de manera muda a las reglas para entenderlo, basta con que lo miremos".[11] Incluso E.C. Riley, que en *Cervantes's Theory of the Novel (La teoría de la novela en Cervantes*, Oxford, 1962) busca el significado del autor dentro del contexto discursivo de su época, termina su estudio con un

---

9 Véase, por ejemplo, R.M. Flores, «The Role of Cide Hamete in *Don Quijote*», *BHS*, 59 (1982), 3-14.

10 «El capitán cautivo: The Soldier's Truth and Literaty Precept in *Don Quijote* Part I», *JHP*, 3 (1979), 269-303.

11 Anthony Close, *The Romantic Approach to «Don Quijote»: A Critical History of the Romantic Tradition in «Quijote» Criticism* (Cambridge, 1977), 250-1.

peán hacia *Don Quijote,* como la «iluminación» de una «experiencia humana» (implícitamente) inmutable (p. 225). En páginas anteriores Riley había tratado la revolución copernicana del tiempo de Cervantes, que llevó en último término al auge del racionalismo y del empirismo. Pero Riley no se atreve a admitir que semejantes cambios en el marco del conocimiento pudieran afectar al concepto (incluso a la experiencia) de la propia humanidad. En el análisis final, la habilidad de Cervantes para percibir y presentar esa humanidad se presenta como algo natural e inmediato, no como problemática.

Volveremos al problema del "Hombre" enseguida; pero va ligado a la cuestión del lenguaje de Cervantes como instrumento o mediación. Todavía hay quien elogia a Cervantes por la moderación y la «claridad» de su estilo. Sin embargo, Elias L. Rivers lo compara a Góngora, en el sentido de que representa la «superación» de un proceso de elaboración y perfección literarias. [12] Otros críticos han subrayado el retoricismo del lenguaje de Cervantes a expensas de su «transparencia», particularmente con referencia a la oración y al gesto; [13] o han puesto de relieve un carácter manifiestamente literario que alude a discursos como el petrarquista. [14] Sin embargo, si, como sugerí en el capítulo primero, la «claridad» se toma en los dos sentidos de «brillantez» y «simplicidad», entonces no hay necesariamente contradicción en la utilización del vocablo para describir el estilo marcadamente fluido de Cervantes. Y si, como sugerí en el capítulo segundo, tomamos las conclusiones «excesivas» de Góngora como ya implícitas en los comienzos «moderados» de Garcilaso, entonces Cervantes puede considerarse (al igual que Góngora) como a un tiempo moderado y excesivo, tradicional e innovador. Porque, como dice Riley, el problema fundamental de Cervantes es uno que, ya lo hemos visto, comparte con todos sus contemporáneos: la relación del arte con la naturaleza (*Theory,* p. 222). Lo discute detalladamente Francisco Garrote Pérez, que cita el comentario canónico, en

---

12 «Cervantes and the Question of Language», en *Cervantes and the Renaissance: Papers of the Pomoma College Cervantes Symposium,* ed. Michael D. McGaha (Easton, Pa., 1980), 23-33 (p. 33).

13 Antonio Roldán, «Cervantes y la retórica clásica», en *Cervantes: Su obra y su mundo* (Madrid, 1981), 47-57.

14 Alicia de Colombí-Monguió, «Los «ojos de perlas» de Dulcinea *(Quijote* II, 10 y 11): El antipetrarquismo de Sancho (y de otros)», *NRFH,* 32 (1983), 389-402.

la descripción que hace Don Quijote del locus amoenus (que el arte, al imitar a la naturaleza, llega a conquistarla) y reproduce en la portada de su libro un emblema con la divisa: «Ars naturans adiuuvans". [15] También para Cervantes, el arte es el suplemento esencial de una naturaleza precaria. Una interpretación «suplementaria» del estilo de Cervantes (tal y como la hemos aprendido de la lírica del Siglo de Oro) elimina, así, la elección forzada entre las dicotomías prescriptivas del arte y la naturaleza, el renacimiento y el barroco. Cervantes toma parte, simultáneamente, de ambos términos.

Sigue existiendo, además, la posibilidad de que, como en el caso del teatro, nuestra sensación de lo «real» en los textos de Cervantes, y de la constitución psicológica del sujeto en su ficción están en sí mismas determinadas por el lenguaje. Esto es lo que sugiere Elias L. Rivers en sus *Quixotic Scriptures (Escrituras quijotescas,* Bloomington, 1983). Rivers cita el uso que Don Quijote hace de «un sistema de tres niveles del vocativo de segunda persona» («tú», «vos» y «vuesa merced») para producir o reproducir una jerarquía social que es de índole material y no meramente verbal (p. 117). Y Ramón Saldívar, en su sagaz y complejo artículo «Don Quijote's Metaphors and the Grammar of Proper Language» (Las metáforas de Don Quijote y la gramática del lenguaje),[16] señala algo similar al citar el discurso del caballero sobre la Edad de Oro, en el que asocia la pérdida del paraíso terrenal con el uso de los modificadores lingüísticos "tuyo" y "mío". Para Saldívar, esto expresa «el anhelo de un mundo mítico en el que no hubiera un hueco entre la expresión y la comprensión del significado, en el que no hubiera, en pocas palabras, necesidad de la mediación del lenguaje» (p. 263). Como he argumentado a lo largo de este libro, un deseo semejante (que es compartido por muchos críticos de la literatura del Siglo de Oro) resulta tan seductor como ilusorio. Saldívar sigue a Foucault al afirmar que la autoridad es un constructo, o efecto textual, no una esencia o presencia trascendente (p. 257). Y ve la locura de Don Quijote como un error fundamentalmente lingüístico, basado en un fonocentrismo derrideano (la errónea ecuación de voz y significado), una reducción propia de Foucault de la diferencia a los parecidos (típica de la "epistemè" pre-clásica), y una

15 *La naturaleza en el pensamiento de Cervantes* (Salamanca, 1979), 49.
16 *MLN,* 95 (1980), 252-78.

implícita presunción lacaniana del desplazamiento (las metáforas pro-
liferantes del Caballero sólo son interrumpidas por la muerte). Saldívar concluye atribuyendo a Cervantes un conocimiento que ya
hemos descubierto en Escalígero, que todo discurso es figurativo:
«Don Quijote muestra... que el discurso humano en su conjunto, y
en sus varias modalidades, no es inmediato. Es, más bien, constitutivamente figurativo y, de ahí, cargado de ambigüedad, confusión e
indecibilidad» (pp. 227-8). Esto no quiere decir que sea menos
«real»: el habla y la escritura son actividades humanas necesarias. De
hecho, constituyen la misma materia de nuestras vidas.

Muchos críticos norteamericanos, sin embargo, se han inclinado
hacia un psicologismo prescriptivo reminiscente del tratamiento que
dan a la comedia. Así, Carroll B. Johnson propone un espacio narrativo «fuera» del texto (la «prehistoria» psíquica de los personajes) y
lee este espacio dentro de un marco firmemente ahistórico (las aventuras del caballero como una «crisis de los cuarenta»).[17] El más temprano estudio de John G. Weiger comienza afirmando que va a ofrecer un análisis basado, no en el individualismo (una preocupación del
siglo XX), sino en la individuación o «el proceso de convertirse en un
individuo» (bajo circunstancias particulares).[18] Sin embargo, la fe de
Weiger en la existencia de una «verdad propia» y en la capacidad
del individuo para descubrirla (p. 149) permanece inquebrantada por
su premisa inicial de que la subjetividad está, al menos hasta cierto
punto, históricamente determinada. Louis Combet ofrece una lectura psicoanalítica más sofisticada de toda la obra de Cervantes.[19] El
estudioso francés postula unos términos de referencia muy anchos, al
presentar el suceso psíquico como una figura discursiva y no como
un fenómeno neurológico, y al rechazar la reducción de las principales preocupaciones de su estudio (la erótica y el masoquismo) a
una conducta abiertamente sexual (pp. 15, 39, 165). Tampoco se
preocupa (al menos hasta el capítulo final) por «analizar» los personajes narrativos o el autor histórico como si los primeros fuesen personas reales y el segundo una presencia inmediatamente accesible.

17 *Madness and Lust: A Psychoanalytical Approach to «Don Quijote»* (Berkeley, 1983), cap. II
y p. 197.
18 *The Individuated Self: Cervantes and the Emergence of the Individual* (Ohio, 1979), 3.
19 *Cervantes, ou les incertitudes du désir: Une approche psychostructurale de l'oeuvre de Cervantes*
(Lyons, 1980).

Su insistencia en la inversión de los estereotipos de género sexual en Cervantes y en la actitud típicamente pasiva de los personajes y narradores masculinos es también un ataque estratégico (y necesario) al prestigio de Cervantes como autor activo y magistral. Sin embargo, en su referencia constante a un paradigma de *échec* o disfunción, Combet tiende a introducir subrepticiamente la visión prescriptiva de los personajes que «no llegan» a conseguir la madurez sexual, y del mismo Cervantes como «incapaz» de resolver el conflicto de Edipo.[20] Yo sugeriría, entonces, que cualquier lectura alternativa del lenguaje y de la psicología en Cervantes implicará redefiniciones, tanto del lugar de las mujeres en la obra, como de las condiciones históricas de la propia representación.

Un teórico a menudo citado en este último contexto, y que en su propia obra aludió a la ficción de Cervantes, es Michel Foucault. La huella de Foucault está explícita e implícita en la crítica reciente. Salvador Jiménez Fajardo cita la descripción que hace Foucault del caballero como un «grafismo» o marca inscripcional: Quijote está compuesto del lenguaje en sí mismo, de textos y relatos ya escritos o impresos antes de que su propio cuerpo (discursivo) haya iniciado su movimiento.[21] Para Foucault, Quijote es el «héroe de lo mismo», el hombre que continúa contemplando en términos de semejanzas, en una época en la que la estructura del conocimiento estaba empezando a cambiar hacia la discriminación de la diferencia y la percepción de la identidad única. Riley había comparado a *Don Quijote* con las *Meninas* de Velázquez, como ejemplo de «un acto de distanciamiento mental, que es una marca distinguidora del pensamiento europeo de hacia 1600» (*Theory*, p. 223). A pesar de todo, la lectura que hace Foucault de la misma pintura (que Riley no ha podido conocer) subraya precisamente la ausencia de esta maestría externa o distanciadora. Velázquez pinta, ciertamente, los útiles materiales de la representación (el pintor, la brocha, el lienzo); pero lo que no puede representar en la misma pintura es la mirada del pintor cuando se dirige a la pintura real, y la del monarca cuando se dirige al pintor representado. La pintura puede servir como una alegoría de la representación en lo que Foucault denomina el período "clásico",

---

20 Véase el ensayo crítico de Ruth El Saffar sobre Combet, en *MLN*, 97 (1982), 422-27.
21 «The Sierra Morena as Labyrinth in *Don Quijote* I», *MLN*, 99 (1984), 214-34 (p. 217).

pero sólo en la medida en que funciona como una ausencia o un vacío. Porque sólamente en el período moderno emergerá el Hombre tanto como sujeto y objeto de la representación a un solo y mismo tiempo, creador del mundo y de su propia representación dentro del mismo. Velázquez y, yo argumentaría, Cervantes, dejar de ofrecer ese conmovedor individualismo por el que se les alaba hoy en día, porque el Hombre en sí mismo, como constructo discursivo, todavía no había nacido.

La condición formal de la representación clásica, entonces, es que obra y autor no pueden aparecer en el mismo espacio artístico. Ruth El Saffar parece aludir a este punto (sin referencia explícita a Foucault) en un estudio temprano sobre *Don Quijote*.[22] Afirma que para Cervantes «en la obra de arte perfecta, en la que el presente puede ser visto a la vez transcurriendo y en pasado, tanto la obra como el artista deben estar ausentes». Esto es bastante similar a la cuestión de la traza como duración y término que hemos visto en relación con la comedia: el relato de la vida de un hombre es movimiento y residuo. El ejemplo de El Saffar es la autobiografía de Ginés de Pasamonte proyectada en *Don Quijote* I, que se contrasta con la función de marionetas del mismo personaje (bajo el nombre de Maese Pedro) en la segunda parte: «En la primera parte Ginés presenta la teoría, pero no la obra; en la segunda parte, presenta la obra, pero no a sí mismo». El autor no puede tomar una posición ya «dentro» o «fuera» de la obra, y sólo se manifiesta como una autoridad altamente contingente o intermitente.

Esto no se corresponde exactamente con el modelo «perspectivista», por el cual se piensa que Cervantes difumina los límites entre el arte y la vida, que habrían cambiado poco desde su época a la nuestra. Porque esta crisis epistemológica, a diferencia de la de los perspectivistas, es de índole históricamente específica y no puede tener un efecto invariable sobre un público variable. En un artículo posterior, El Saffar apela abiertamente a Foucault al ver en el *Quijote* «la intuición de una amenazadora separación del mundo y de la palabra que podrían... sumirnos en el caos».[23] El Saffar distingue, a este respecto, entre *Don Quijote* y el *Persiles:* «Don Quijote

22 *Distance and Control in «Don Quijote»: A Study in Narrative Technique* (Chapel Hill, 1975), 139.
23 «Cervantes and the Games of Illusion», en *Cervantes and the Renaissance* (Easton, Pa., 1980), 141-56 (p. 143).

nos muestra que la ficción y la ilusión son productos de nuestra experiencia material en el tiempo y en el espacio... Lo que *Persiles y Segismunda* nos muestra... es que la ficción y la ilusión no necesitan arrancar al viajero/a de su conciencia del origen y del destino». No se sigue de esto, sin embargo, como afirma El Saffar, que el sujeto sea por ello «libre para manipular el mundo material». Es más, es precisamente el dominio del sujeto sobre la circunstancia lo que se pone en entredicho por el llamamiento sin resolver tanto a la contingencia material como a la esencia ideal que Cervantes hace a lo largo de su obra. Tal vez, como El Saffar sugiere en otro lugar, la clave para estas asimetrías se halle en la «recuperación» de la mujer en los textos de Cervantes, en lo femenino, como el «cuarto término» que trasciende la diferencia y la contradicción, al mismo tiempo que desestabiliza la prisión de la narrativa patriarcal.[24]

Sugeriría, por mi parte, que la obra de Cervantes no permite ni la fácil resolución de la diferencia ni la simple oposición de las dicotomías. La novela versus el romance; la verdad versus la fe; el empiricismo versus el aristotelismo: estos términos no son simplemente contrarios. Más bien son inconmensurables: es decir, no pertenecen a las mismas categorías o clases epistemológicas y no pueden, por lo tanto, ser comparados o contrastados entre sí. Por ejemplo, el romance puede ser asimilado a la épica como género neoaristotélico; y la novela puede ser asimilada a la lírica confesional como constructo ideológico post-romántico. Pero no existe, en términos de Foucault, una tabla de semejanzas o coordenadas mutuas en la que la novela y el romance puedan ser mutuamente definidos, porque no comparten determinantes históricamente específicos. De la misma manera, la verdad empírica y la fe autoritaria son inconmensurables, porque cada una tiene su significado sólamente dentro de una epistemè o configuración discursiva completamente discontinua de la que tiene la otra. De ahí que si las contradicciones genéricas, lingüísticas y psíquicas en la obra de Cervantes están determinadas, en la instancia final, por el período histórico en que vivió el autor, esto no significa que puedan ser explicadas o resueltas por el contexto cultural o ideológico. Significa que se comparten, en un grado variable,

---

24 *Beyond Fiction: The Recovery of the Feminine in the Novels of Cervantes* (Berkeley, 1984), pp, xii, 10-12, 170.

por los contemporáneos de Cervantes, en cuya lírica, picaresca o teatro la diferencia y la inconmensurabilidad son igualmente aparentes.
Y si las obras guardan mucho en común, también sucede así con la
crítica. Las lecturas que se hacen de Cervantes comparten con las
que se hacen de otros autores el anhelo por una «presencia» ausente en el texto, la represión de un marco narrativo demasiado evidente dentro del texto y la exclusión de una inscripción literaria original previa al texto, sin la cual éste no podría haber nacido.

Nos queda, sin embargo, el problema histórico de la particular
recepción que se hace de Cervantes en el extranjero. Traductores
ingleses del siglo XVIII subrayan la universalidad de Don Quijote:

> Every Man has something of Don Quixote, in his Humour, some
> darling Dulcinea of his Thoughts, that sets him very often upon mad
> Adventures. What Quixotes does not every Age produce in Politicks and
> Religion, who fancying themselves to be in the Right of something,
> which all the World tells them is wrong, make very good sport to the
> Publick, and shew that they themselves need the Chiefest Amendment! [25]

> Todos los hombres tienen algo de Quijotes, en su carácter, en la
> ilusión de una Dulcinea, algo que les empuja a emprender cosas des-
> cabelladas. Cada época produce a Quijotes en el terreno político y
> religioso, quienes creyendo que tienen razón en algo, aunque todos
> se lo disputan, divierten mucho al público, y demuestran que son ellos
> los que merecen ser corregidos.

Elogian asimismo la fecundidad del *Persiles,* una característica
menos popular hoy en día:

> The Fecundity of Invention [is] marvellous; insomuch that he is even
> wasteful of his Wit, and excessive in the Multitude of his Episodes... [26]

> La fecundidad imaginativa de *Persiles* es tan maravillosa que inclu-
> so se desperdicia su ingenio con la profusión de episodios.

Sin embargo, a medida que pasa el tiempo, se produce una marcada inclinación hacia la especificidad del sentido del humor: «aunque

---

25 The *History of the Renowned Don Quijote de la Mancha,* trad. de varias manos (Londres, 1706), f. A5r.
26 *Persiles and Sigismunda: A Celebrated Novel* (Londres, 1741), introd. «Extract from Mr.
Bayle's *General Historical Dictionary*» (sin número).

el interés del caballero andante había desaparecido desde hacía tiempo en toda Europa, excepto en España, el libro se tradujo a casi todas las lenguas y, es más, se leyó con universal deleite, aunque se habían perdido muchas de las motivaciones de su humor y la sátira había afectado tan sólo a los españoles».[27]

Lo que es más, la artificialidad del lenguaje (ya señalada en 1706) se ofrece también como una característica peculiarmente española: «Aquí (el traductor) ha intentado mantener el espíritu y las ideas, sin ceñirse servilmente a la expresión literal del original, del que no se ha desviado, sin embargo, tanto como para anular sus rasgos lingüísticos ceremoniales, tan peculiares para los españoles, y tan esenciales para la caracterización de la obra».[28] Hacia 1788, un traductor francés de las *Novelas* señalaba que su interés era sobre todo documental, y como tal era más del interés de los propios españoles que de cualesquiera otros.[29]

Se alaba al *Quijote*, entonces, porque parece ser a un mismo tiempo universal y particular. Parece ser testimonio de la ideal generalidad de una eterna "naturaleza humana" y las especificidades materiales de un tiempo y un espacio particulares. La recepción del *Quijote* por los extranjeros confirma, así, esa curiosa coexistencia de lo ideal y de lo empírico, que ya hemos señalado en la obra de Cervantes tomada en su conjunto. Lejos de alabar su lenguaje como moderado o claro, sin embargo, los traductores reaccionan ante sus rasgos formales y su artificialidad, que se consideran típicas de España. Yo sugeriría, entonces, que el éxito del *Quijote* en el extranjero (y, a la inversa, el relativo fracaso de otras obras de Cervantes y de sus colegas españoles en los siglos siguientes) puede explicarse por una transferencia del principio del exceso desde los medios al objeto de la representación. El lenguaje de Cervantes y de *Don Quijote* es con frecuencia retórico o artificial, pero el lector puede sin peligro asignar esta cualidad a la locura del caballero o a la extravagancia del autor ficticio. *Don Quijote* permite, así, al lector extranjero el halagüeño «reconocimiento» de un recargamiento lingüístico considerado típico

27 *The Life and Exploits of the Ingenious Gentleman Don Quixote de la Mancha,* trad. Charles Jarvis (Londres, 1742), «Translator's Preface» (sin número).
28 *The History and Aventures of the Renowned Don Quijote* (Londres, 1755), i, f. Cr.
29 *Nouvelles espagnoles de Michel de Cervantes,* trad. Lefebvre de Villebrune (París, 1788), notas a *L'Illustre Frégone* y *Les Filoux* (p. 3).

de España y el distanciamiento de dicho retoricismo mediante su atribución a figuras representadas dentro de la ficción. Cuando el lector lleva a cabo tal operación, parece que Cervantes no se ve comprometido con esos problemas de la materialidad o «dominancia» lingüística tan trabajosamente suscitados por otros autores de su época. La supuesta transparencia de su estilo confirma una íntima intuición de su «presencia» en el texto, que se piensa registra como una ironía moderada y prudente. Queda, sin embargo, el caso de que los problemas que hemos hallado en Cervantes (de género, autoridad y constitución subjetiva) vuelven a aparecer tal vez más abiertamente, pero no con menos complejidad, a través de toda la literatura del Siglo de Oro. El texto del *Quijote* facilita, así, un borrado de la habitual retórica del exceso y de la marginalidad, una omisión que el lector moderno está perfectamente dispuesto a confirmar.

5.2. CONOCIMIENTO E IGNORANCIA: *EL LICENCIADO VIDRIERA*

Las cuestiones suscitadas por el *Quijote* vuelven a aparecer en una escala más manejable en las *Novelas Ejemplares*. Como en el *Quijote*, el género literario y la autoridad textual se ponen, hasta cierto punto, en entredicho. Cervantes afirma que es el primero en escribir novelas en español. Pero el papel de innovador que se arroga no hace del proceso creador algo más simple. En la introducción a su *Cervantes and the Humanist Vision* (*Cervantes y la visión humanista*), Alban K. Forcione cita la afirmación posterior de Cervantes (en el *Viaje del Parnaso*) de haber abierto un camino en las *Novelas* a través del cual el idioma castellano puede «mostrar un desatino con propiedad» (p. 3). Forcione considera esta frase como típica de una contradicción latente en las *Novelas:* por una parte, Cervantes reconoce el precario estatus de la prosa de ficción («desatino»); por la otra, busca defender sus propios ensayos en el género invocando el principio del decoro («propiedad») (pp. 7-8). Para Forcione, la ambigüedad de Cervantes frente al género se manifiesta por su rechazo del marco narrativo tradicional en semejantes colecciones. Cervantes no introduce hablantes ficticios para que cuenten sus relatos en su lugar. De ahí su rechazo de la «estructura determinante y cerrada que reduce las ficciones que contiene a una ejemplaridad unívoca» (p. 6). En su preocupación por la verdad alegórica o latente, los relatos pueden compararse con un motivo favorito de la hermenéutica de Erasmo, el "Silenus Alcibiadis" o el arca del tesoro en la forma de un monstruo grotesco: el exterior rudo esconde en su interior un preciado misterio, que los lectores deben buscar por sí mismos (p. 9).

Y, como en el *Quijote*, de nuevo la cuestión del lenguaje y de la subjetividad es también problemática. Libre tanto del marco narrativo y de la intervención autorial directa, la colección es perturbadoramente intermitente y discontinua. Algunos relatos están expresados en un lenguaje relativamente sencillo y nos presentan personajes psicológicamente "redondos"; otros están escritos en un lenguaje relativamente adornado y nos ofrecen personajes artificialmente "planos". El orden aparentemente al azar de la colección, que se resiste a una explicación definitiva, eleva este sentido de la heterogeneidad, en el sentido de que las *Novelas* oscilan entre el realismo español, el romance italianizado e híbridos intermedios. De ahí que muchos críticos de las *Novelas* estén de acuerdo con críticos del *Quijote* al pensar que el talento de Cervantes reside, en último lugar, en dejar "huecos" formales o evaluativos para que el lector activo los llene. Incluso dentro de una colección que es tan variada, mi elección de *El licenciado Vidriera* puede parecer mal intencionada. La temprana fecha de su composición y la consecuente inferioridad de estructura (opiniones que la mayoría de los críticos parecen compartir) hacen que su posición aparezca marginal y relativamente sin importancia. Sin embargo, su tema, el de la locura, debe ser central a cualquier aproximación a Cervantes. Y el tratamiento que Cervantes hace de la locura como una especie de perspicacia privilegiada (si bien desconcertada) saca a la luz una cuestión general suscitada en la primera parte de este capítulo: el orden del conocimiento y su relación con el discurso. Argumentaré que *El licenciado* ofrece una crítica del conocimiento y de la perspicacia; y que esta crítica tiene lugar precisamente en aquellos puntos en los que muchos críticos consideran que el relato es imperfecto. De modo no sorprendente, otros críticos, ansiosos por "mejorar" evaluaciones anteriores más negativas, han buscado (como en el caso de la picaresca) anular o suavizar estas supuestas faltas o contradicciones. Un área principal de la disputa es la disjunción del relato: en particular, la larga descripción de los viajes del protagonista Tomás a Italia no tiene una conexión obvia con la hilera de apotegmas que más tarde expresará libremente en España. Pero para los críticos que buscan demostrar la "unidad estructural" del relato, este carácter fortuito y esta disjunción son meramente aparentes. Más bien constituyen un "mecanismo empleado para simular el proceso de aprendizaje" que alude implícitamente al tema base del relato: la "discreción" o prudencia que el personaje no consigue alcanzar y que el lector debe tratar de lograr. [30] La conclusión, algo precipitada (Tomás muere en la batalla), es aplaudida como ejemplar. Revela que Tomás no ha conseguido adquirir la armonía que proviene del adecuado conocimiento de uno mismo. De nuevo, como en el caso de la novela picaresca, el crítico que resuelve las contradicciones formales trata asimismo de anular otras inconsistencias turbadoras. Estas incluyen los cambios frecuentes y escasamente motivados en la personalidad de Tomás; la abundancia y austeridad alternas del lenguaje de Cervantes; las fluctuaciones en la voz narrativa o en la perspectiva. Estos críticos salvan la coherencia psíquica, estilística y narrativa en nombre del autor. Y un lector reciente invoca las "oposiciones especulares" para producir la unidad necesaria. Así, afirma que la escena inicial en España es una imagen especular de la escena final en el extranjero. De la misma manera, los repetidos cambios en el nombre y en la ropa del personaje apuntan asimismo a una simetría reflexiva o especular. [31] El crítico más reciente afirma que la incapacidad de Tomás por lograr su ambición es una moral trascendente que salva el relato de la vacuidad semántica y de la discontinuidad formal: "es necesario [para Cervantes] crear desatinos que parezca que carecen de integridad, que reflejan una estructura de la trama aparentemente episódica". [32]

Tal vez resulte irónico que este último estudioso invoque a Ruth El Saffar en este contexto; porque ella misma no comparte su fe en la "sustancia" autentificadora del autor. El Saffar argumenta, persuasivamente, que el relato revela la "irreconciliable ambivalencia"

---

30 Frank P. Casa, «Structural Unity in *El licenciado Vidriera*», *BHS*, 41 (1964), 242-6 (p. 245).
31 Jacques Joset, «Bipolarizaciones textuales y estructura especular en *El licenciado Vidriera*», en *Cervantes, su obra y su mundo: Actas del I Congreso internacional sobre Cervantes* (Madrid, 1981), 357-63.
32 John G. Weiger, *The Substance of Cervantes* (Cambridge, 1985), 36.

de Cervantes hacia la literatura como a un mismo tiempo necesaria y fútil; y que se da una clara "disjunción" entre el relato y los apotegmas, iluminada por la "fragilidad del lazo" entre ambos (*Novel to Romance*, pp. 50-1). Asimismo, pone de relieve la autora la incoherencia narrativa del relato y su consecuente falta de realismo psicológico (pp. 55-6). El Saffar deduce que reconocer estas contradicciones no significa sugerir una evaluación negativa del relato. Y yo mismo argumentaré que no son tanto las inconsistencias sino la uniformidad de *El licenciado* la que produce los efectos más perturbadores: al dejar de diseñar una clara distinción entre la voz del personaje y la del narrador, al no guardar una distancia consistente con respecto a su creación, Cervantes revela, inconscientemente, el papel necesario de la diferencia en la producción de la ilusión narrativa.

La lectura que Forcione hace del relato, quizá la más compleja de todas, lleva el título de "el misterio del conocimiento". Comienza con el problema estructural señalado por críticos anteriores: la relación entre lo que él considera el "marco" del relato (las aventuras de Tomás) y la sustancia (sus fragmentos satíricos) (p.227). Para Forcione, el relato logra la integración a un nivel epistemológico, que sólo puede ser percibido en el contexto del humanismo renacentista. Como el *Ciceronianus* de Erasmo, *El licenciado* es el relato de un amor excesivo e inapropiado por el conocimiento: los tempranos viajes de Tomás y su locura final revelan la misma tendencia hacia la superficialidad indiscriminada. Tomás, cuando está loco, es como un filósofo cínico, propenso al vicio particular de esa escuela, una misantropía destructiva intemperada por la humanitas cristiana (pp. 241-60). El "misterio del conocimiento" reside, en parte, en que es reflexivo o recursivo, siempre vuelve sobre sí mismo. Resulta significante que Tomás el satírico sea picado por una avispa, porque la avispa es en sí misma un símbolo convencional de la sátira (p. 281). Del mismo modo, el conocimiento puede curar al enfermo, pero en dosis excesivas sus efectos son nocivos, incluso mortales (pp. 302, 307). El único problema de la minuciosa lectura de Forcione es uno teórico y general: el relativo estatus de los discursos invocados. A veces, el propio relato parece desaparecer bajo el peso de la erudición crítica. La misma exhaustividad de su lectura, la misma anchura de los paralelos citados (que se extienden desde el inmenso corpus del propio Erasmo hasta el mito clásico y la teología renacentista) enfrentan al lector con el problema central del humanismo en sí mismo: la ilimitada proliferación del comentario. Por supuesto, Forcione no busca, ingenuamente, probar la "influencia" de Erasmo en Cervantes, y no puede existir una simple oposición entre la colación relevante y la irrelevante. Pero el problema de la intertextualidad es insoluble, porque es interminable. Por ejemplo, Forcione discierne un subtexto bíblico en el relato: el árbol bajo el que Tomás es sorprendido durmiendo al principio es el árbol del conocimiento en el Jardín del Edén; la fruta que le es ofrecida a Tomás y que precipita su locura es la manzana del mismo árbol, causa de la caída del hombre (pp. 239-40). Sin embargo (como Forcione sabe muy bien) esta clase de subtexto no resuelve el relato o restringe su juego de significado. Es más, su efecto es más bien el contrario: abre la novela a un juego potencialmente infinito de lecturas intertextuales. Forcione reproduce, tal vez inconscientemente, el motivo y la estructura de la locura de Tomás: el interminable desplazamiento del deseo en la búsqueda insaciable por el conocimiento.

Yo, por mi parte, no pretendo resolver el misterio de *El licenciado Vidriera*. Pero si sugeriría que el relato muestra un excedente retórico que es característicamente español, y que es la razón fundamental de las extravagancias estructurales, de su caracterización, su estilo y su voz narrativa. No tenemos la necesidad ni de lamentar, como algunos críticos, estas contradicciones, ni de buscar anularlas, como otros; sino de intentar, como Forcione, situarlas dentro de la epistemé o de la configuración discursiva de la época de Cervantes (y confrontarla con la de nuestra propia época). La forma del relato es nómada. Comienza con Tomás dormido y solo, que carece de conciencia y de compañía hasta que es despertado por los estudiantes hidalgos. Incluso entonces sufre de una amnesia selectiva, al afirmar que ha olvidado a su familia y su lugar de nacimiento, pero que recuerda su nombre.[33] Así pues, el momento en el que el relato da comienzo es indeterminado, no específico. Tomás está durmiendo a las orillas del río Tormes, pero el nombre funciona más como el signo del género de la picaresca que como índice de localización geográfica. Más sintomático del relato es que es una "soledad". Y este momento inicial, ya indistinto, es más adelante cualificado en la

33 *Novelas ejemplares*, ii, ed. Francisco Rodríguez Marín (Madrid, 1975), 9-10.

medida en que hace volver al lector atrás hacia un origen ausente: la familia del personaje, de la que no se vuelve a hacer mención a lo largo del relato. Tomás es, de este modo, presentado desde el mismo comienzo como una especie de traza que se borra a sí misma y que está siempre en funcionamiento, con ninguna fuente fija o averiguable, ya sea dentro o fuera del texto. Este pasaje es como el del propio conocimiento: siempre iniciado y nunca finalizado. Y los acontecimientos que aseguran la persistencia de este incesante desplazamiento son extrañamente, incluso escandalosamente, inmotivados. Así, el encuentro con el capitán es tan fortuito como el encuentro con los estudiantes. Se nos dice que Tomás ama ahora aprender, pero que es fácilmente tentado a salir de él por Diego de Valdivia. Las razones ofrecidas por el narrador son difícilmente aceptables. Por ejemplo, Tomás razona que siempre puede volver a la universidad tras unos pocos años (p. 17). Al situar el principio de la casualidad en el mismo corazón de su narrativa, con estos encuentros fortuitos y estas preferencias poco entusiastas, Cervantes por poco anula cualquier sensación de necesaria conexión entre los episodios que relata. El resultado es que la muerte del personaje al final no parece ser, en absoluto, inevitable. Si Tomás es indiferente a la vida militar al principio del relato, parece improbable (aunque no imposible) que la considere su único refugio al final. El propio interés de Cervantes por la controversia de las armas y las letras es bien conocido. Pero al desplazarlo sobre su personaje (y al describir las causas y las consecuencias de esta elección de un modo tan breve y precipitado) Cervantes hace que la muerte del Licenciado sea más patética que heroica, careciendo como carece de motivación adecuada y de efecto discernible.

Esto nos conduce a la desproporcionada longitud adjudicada a los varios elementos del relato. Las escenas de viajes están repletas de listas arbitrarias: de vinos, de calles y colinas romanas, de ofrendas a Nuestra Señora de Loreto (pp. 22, 27, 29). Los críticos han desplazado el desasosiego que sienten ante esta prolijidad sin objeto al asignar los catálogos al personaje, antes que al narrador que los ofrece: a menudo se considera que son un síntoma de la curiosidad mal dirigida de Tomás, no de la falta de preocupación de Cervantes por la relevancia narrativa. La cuestión suscitada por estas listas, sin embargo parece más radical que todo esto. Es, de manera bastante simple, la de si puede decirse que existe algo como una "apropiada" relación entre la narrativa y la descripción (o entre el narrador y el personaje). Al exceder los límites de la relevancia y la coherencia narrativas, revela Cervantes que tales límites son arbitrarios y convencionales. Su propia actitud narrativa parece forzar un camino dentro del texto como fuente directa de las escenas de viajes. Así pues, nuestra sensación de la proliferación sin objeto del conocimiento no puede restringirse al personaje. Al introducirse de manera impropia en el espacio ficticio, el autor se convierte en un agente más que contribuye a la expansión sin límites, a la inflación a las que está sujeta la economía del lenguaje.

El desprecio de Cervantes por la causalidad estructural y por la motivación psíquica aparece de manera más abierta en el episodio del envenenamiento. La mujer fatal está descrita parcamente. El significado de la única frase que apunta hacia ella ("dama de todo rumbo y manejo" (p.32) ha resultado bastante oscuro para los comentaristas. A su amor por Tomás y al rechazo que sufre de su parte se le dedican sólo unas pocas líneas, y una vez que su hazaña tiene lugar, simplemente desaparece. La mujer es, de este modo, traída a colación como un ejemplo general de infamia, más que como causa específica de un proceso psicológico. El efecto de la poción resulta lo contrario al esperado: lejos de ganar en fuerza amorosa, Tomás se debilita tanto que casi se muere. Y el propio narrador socava cualquiera duda que pudiera albergar el lector acerca de la eficacia de la magia, al afirmar que el libre albedrío fácilmente vencerá cualquier poción o conjuro (p. 34). Aquí Cervantes sabotea el punto axial de la narrativa: la supuesta causa de la locura de Tomás se presenta como improbable e ilógica. Cervantes dedica una atención incluso menor y sugiere incluso menor motivación a la siguiente metamorfosis de Tomás: la curación de su locura por un monje (p. 79). En su falta de atención a los lazos necesarios entre los episodios ficticios, parece que Cervantes va contra un principio básico de la actividad de relatar. En un ensayo muy conocido sobre la aproximación estructural a la narrativa, Barthes sugiere que la dinámica de todas las tramas reside en un deslizarse entre la consecución y la consecuencia. Así pues, en la narrativa (pero no en la vida) se piensa generalmente que el acontecimiento que sigue a otro lo hace como consecuencia del mismo. Cita Barthes un dicho escolástico en este

contexto: "post hoc, ergo propter hoc". El escritor depende (y el lector acepta) esta lógica falsa.[34] En *El licenciado Vidriera,* por otra parte,
la ausencia de una probable o incluso posible conexión entre acontecimientos sucesivos previene al lector de realizar el doblete de la
consecuencia y la consecución, de lo cronológico y lo lógico. Existe
un conflicto entre la secuencia de las acciones y la relación que intentamos establecer entre ellas. El relato no satisface las demandas de
una narración coherente y hermética. Pero a través de su fallo, nos
obliga a preguntarnos sobre estas demandas y la irreflexiva sumisión
a ellas. La incoherencia de *El licenciado* no necesita, por esto, ser
interpretada. Su valor no es hermenéutico, sino heurístico.

Si los cambios en el personaje de Tomás parecen arbitrarios,
entonces las otras figuras del relato difícilmente merecen el nombre
de "personajes". El capitán es el único al que se le concede la dignidad de un nombre. Y los propios nombres del Licenciado sugieren, no una personalidad estable, sino una radical indeterminación:
es un dudoso Tomás, inseguro del estatus de lo que ve; y una
"rueda" o "rodaja", que rueda fuera de control sobre Europa antes
de pararse en un momento arbitrario. Cuando se le pregunta que
quién es el hombre más feliz del mundo, Tomás responde: "Nemo"
("Ninguno"); porque "Ninguno conoce a su padre; Ninguno va al
cielo; Ninguno es feliz con su suerte". Según los editores modernos,
la idea es vieja, y se retrotrae al menos hasta Séneca (pp. 65-6).
Pero el dicho es casi emblemático de una obra que arranca todas
las características individualizadoras de las criaturas humanas que
representa. Y los motivos de esta despersonalización son la magia
y la locura. La magia es, por su esencia, irracional, está más allá
del entendimiento humano. Como hemos visto, su efecto es inexplicable, está fuera del control de los individuos. De la misma
manera, la locura es el discurso de lo inmotivado y de lo inconsecuente, lo irreductiblemente diferente. Cervantes nos presenta dos
modos o momentos de locura: los curiosos espejismos de Tomás en
relación a su cuerpo de cristal y sus lúcidos comentarios sobre los
vicios de la sociedad contemporánea. Estos momentos son bastante inconsistentes: ¿Cómo puede estar Tomás tan engañado y ser al

---

34 «Introduction to the Structural Analysis of Narratives», en *Image Music Text,* ed. y
   trad. Stephen Heath (Londres, 1982), 79-124 (p. 94).

mismo tiempo tan perspicaz? Pero sugieren que esa locura es incoherente incluso en su alteridad, que es diferente incluso con respecto a ella misma. Como los personajes contradictorios y despersonalizados de Cervantes, la locura no ofrece una "faz" consistente o unificada al lector, ni siquiera la de lo Otro inefable, que permanece eternamente extraño a nuestro propio buen sentido. Por supuesto, el loco juicioso es una figura común en la época. Lo que es más importante es que Cervantes nos niega la estrategia interpretativa que normalmente requiere: una inversión simple y consistente en la que la locura se convierte en sabiduría y la sabiduría en locura. Cervantes elogia la locura como antídoto frente a una "cordura" inmoral y, al mismo tiempo, la vitupera como un espejismo incompatible con el orden social. Rehúsa, por tanto, reducir la diferencia entre la cordura y la locura a la que existe entre una simple oposición.

El problema final suscitado por *El licenciado* es el de la autoridad y el lenguaje. En varios momentos del relato debemos preguntarnos "¿Quién esta hablando?" A veces el narrador proporciona los tópicos más aburridos de la manera más directa: Salamanca está "encantadora"; Venecia, la maravilla del Viejo Mundo, sólo encuentra rival en Méjico, la maravilla del Nuevo Mundo (pp. 12, 30). A pesar de las opiniones de los críticos menos exigentes, no resulta en absoluto claro que estas observaciones deban atribuirse a un Tomás ingenuo que no sabe distinguir. De la misma manera, como el satírico que busca reformar la sociedad, parece que Tomás, a veces, habla con la voz de Cervantes. Pero sus mofas antisemitas contra la lavandera y contra los dos hombres que entran en la iglesia (pp. 40, 42) no son precisamente típicas del sentido del humor y de la relativa tolerancia del autor. Forcione diría que Cervantes comparte con Tomás el escepticismo, pero no su falta de discriminación. Ante la ausencia de cualquier marco narrativo estable es muy difícil delinear la distinción. Resulta irónico, entonces, que Tomás hable con sentencias o aforismos, porque sus palabras están desprovistas de la autoridad moral generalmente asociada con semejante forma. Su derroche verbal sugiere, no obstante, una alternativa: que la locura es una función del propio lenguaje. Así pues, por una parte, la locura es una especie de contagio metonímico: Tomás desplaza la claridad de visión desde su intelecto a su cuerpo. Y su humor se deriva a menudo del inesperado desvío o variación del significado también conocido como desplazamiento.[35] Así, en el ejemplo de la lavandera, cita Tomás un verso de los *Evangelios*, y, de este modo, desplaza la invocación bíblica a los judíos hacia la mujer que está frente a él, aludiendo cruelmente a su origen converso. O, de nuevo, en el caso de los dos hombres que entran en la iglesia, desplaza el orden de los días de la semana dentro del campo de los nombres y de los días santos: el Domingo cristiano debe dejar que el sábado judío pase. En otros casos, la locura y el humor se basan en la condensación. De este modo, Tomás reagrupa las varias cualidades del vidrio (el brillo, la claridad, la fragilidad) dentro del único espacio de su cuerpo trasformado. Y hace uso frecuente de juegos de palabras (la condensación de múltiples significados en una sola palabra) en sus ingeniosos apotegmas. Por ejemplo, cuenta a una madre, mientras ésta saca a pasear a su hija, cargada de joyas, que hace bien en "apedrearla" para "hacerla caminar" (donde "apedrearla" significa al mismo tiempo "revestir de joyas" a una persona y "lapidarla") (p. 63). Este es uno de los ejemplos más sencillos de un juego conceptuoso con las palabras. La importancia del desplazamiento y de la condensación no es (o no sólo) que nos permitan analizar la locura y el humor de Tomás; es que sugieren que ninguno de los dos puede ser extraído del juego incesante del propio lenguaje. Los juicios de Tomás no pueden ser totalmente atribuidos al personaje, al autor o a las supuestas "fuentes" externas al texto. Y esto es así porque el humor y la locura son precisamente esos discursos marginales que se resisten a la clausura subjetiva, que demandan espacio intersubjetivo.

Pero argumentar simplemente que es la locura (o el lenguaje) lo que habla por boca de Tomás supone ofrecer una generalización tan indiscriminada como las que hace el propio loco. La actitud del licenciado Vidriera no está totalmente fuera de juego: también parece ofrecer una crítica implícita del conocimiento y de la representación. Así, hay insinuaciones que sugieren la nostalgia de una base original para la autoridad. Cuando Tomás visita Roma, describe las ruinas de la antigua ciudad como "la garra del león", la única huella

---

35 En la discusión que sigue utilizo los términos de «desplazamiento» y «condensación» en los sentidos que propone Freud en su obra *Jokes and their Relation to the Unconscious* (Harmondsworth, 1983), 50-66, 86-93.

superviviente de su gloria primera (p. 26). Esto es una alusión al proverbio "ex ungue leonem": el testigo de la decadencia contemporánea debe retroceder, desde el fragmento actual hasta el conjunto original. Sin embargo, en otro lugar, el texto sugiere que la Roma Antigua no puede ser considerada como la imagen de una presencia original y autorizadora. Cuando se le pregunta qué opina de los poetas, Tomás cita el *Ars amatoria* de Ovidio: antaño ("olim") los poetas se preocupaban como debe de ser del bienestar de sus estados, y sus antiguos coros recibían grandes recompensas (p. 46). Con esta cita (la más larga y la primera de otras varias) no se consigue probar su actitud, porque su propio lamento por una integridad cultural perdida, su propia nostalgia por la expresión autorizadora, se encuentran, asimismo, en la supuesta fuente de esa integridad y esa expresión. Roma es invocada como la garante de una tradición auténtica. Pero, según la propia cita de Tomás, en su propio interior ya se detecta el declive de esa tradición. La búsqueda de un estándar fijo cultural o epistemológico (de la poderosa bestia de la que se deriva la traza artística) se revela como un infinito retorno a un origen mítico siempre perdido. La decadencia por la que el Licenciado reprende a su propia época es un estado de cosas permanente.

En otro lugar, Tomás sugiere (de nuevo, a pesar de sí mismo) que existe una falta de "adecuación" o correlación entre los medios y el objeto de la representación. Las imágenes y argumentos que utiliza son muy similares a los que vimos en el capítulo primero que usaba López Pinciano. Así, en su discusión sobre los poetas, una vez más, Tomás afirma que la poesía es universal en su alcance: abarca todas las demás ciencias (p. 46). Pero si el arte es infinito en escala, la representación no es materia fácil. Al ver algunas estatuas mal pintadas fuera de la iglesia, Tomás dice que las buenos pintores imitan la naturaleza, los malos la vomitan (p. 49). Tomás ofrece otros ejemplos de imitación impropia: los médicos cuyas medicinas tienen el efecto opuesto al requerido, y los sastres y los zapateros remendones cuyas prendas deben forzarse de un modo artificioso para adecuarse a las partes del cuerpo para las que fueron creadas (p. 55, 60). Estas imágenes se remiten reflexivamente al mismo relato, un relato cuyo lenguaje y estructura parecen inadecuados o excesivos para la materia elegida. Cervantes no llega a "digerir" su materia variada (la narrativa y los apotegmas) y, por ello, la vomita en toda su variedad e incongruencia. La labor de muchos críticos ortodoxos es análoga a la de los desafortunados compradores en el texto: deben estirar o plegar la prenda literaria hasta que asuma la forma de su propia postura crítica. Cuando Tomás parte para sus viajes lleva consigo una edición de Garcilaso "sin comentar" (p. 20). La referencia implica una predisposición hacia la autosuficiencia o la sencillez del texto que podríamos estar tentados de atribuir al propio Cervantes. Sin embargo, esta autosuficiencia no se logra ni por el personaje ni por el autor: tanto Tomás como Cervantes engalanan sus relatos con una varga ornamental más y más redundante. Y esto es así porque el ideal de un objeto no tocado por la representación (de un texto inocente de comentario) es un espejismo seductor pero imposible. La textura inconsistente del relato y las lecturas contradictorias de sus críticos desaprueban la noción de un objeto original fuera del texto o de una lectura no comprometida y objetiva del mismo.

En la primera parte de este capítulo he citado la definición que Foucault hace de Don Quijote como el "héroe de lo mismo". En esta lectura de *El licenciado* he subrayado el papel de la diferencia en el texto: de la diferencia dentro de la forma y de la caracterización del relato, dentro del estilo y de la voz narrativa. Estas diferencias se aproximan a la inconmensurabilidad. Es decir, yuxtaponen términos que no tienen un marco común de referencia. Sin embargo, podría argumentarse que en el relato el propio Cervantes es el "héroe de lo mismo". Al prestar al protagonista loco su propio escepticismo e ironía y al abolir (al menos de manera intermitente) la diferencia habitual entre el personaje y el narrador, Cervantes rompe la ilusión ficticia y desorienta al lector. Irónicamente, entonces, la intervención del autor tiende a socavar cualquier tipo de creencia en su autoridad como fuente de conocimiento. Porque pasajes como el que describe los viajes y el de la alabanza de la poesía resultan ser una arbitraria colección de prejuicios y de preferencias, en los que parece inevitable ver asomarse al autor. Al llevar adelante su habitual pose de neutralidad o de no intervención, al participar él mismo en las ambiciones enciclopédicas de su personaje, Cervantes desestabiliza el orden del conocimiento al mismo tiempo que afirma su universalidad. No puede haber salida a la configuración discursiva de su época; pero esa configuración no es en absoluto inmutable. *El licenciado Vidriera* suscita, así, un número de cuestiones asociadas con la obra de un teórico del conocimiento harto conocido: Michel Foucault. Sugiere la novela, en primer lugar, que la locura no es un estado esencial o inmutable, sino un discurso marginal, a través del cual la sociedad refuerza los límites de su poder. En segundo lugar, confirma (como en el caso del *Quijote*) que el sujeto que se aferra a lo mismo como un principio cognitivo y que rehúsa experimentar el mundo en términos de diferencia y de identidad, se encontrará a sí mismo excluido de la visión del mundo crecientemente empiricista de comienzos del siglo XVII. En tercer lugar, implica que el orden del conocimiento está inextricablemente limitado por la omnipresencia del poder y el privilegio tiránico de la vista. [36] Por consiguiente, el relato puede ser leído como una burla del principio de claridad o perspicacia, que (como hemos visto a lo largo de este libro) resulta fundamental para toda la escritura de la época. La mirada crítica del loco define y mantiene a los demás frente a una especie de parodia del método científico o enciclopédico. Toda la vida humana es clasificada y disecada por la penetrante acción del ojo y de la lengua de Tomás. Pero esta mirada es reflejada o desviada de nuevo sobre su propio cuerpo, un espacio perfectamente lúcido y perfectamente ausente. La mirada de la luz anula al sujeto del cual fluye: el loco es desprovisto tanto de la carne que lo haría humano como de la autoridad que legitimaría su discurso. En la Introducción a este libro he citado el dicho de Lacan: "Nunca me miras desde el lugar desde el que yo te miro". La moral de *El licenciado Vidriera* es ligeramente diferente, pero más radical: "Nunca me miro desde el lugar desde el que te miro". No puede existir una posición del sujeto pura o inocente, ningún lugar desde el que uno pueda escudriñar su propia especificidad. El lugar de la transparencia pura, de la libertad perfecta con respecto a la determinación individual, es la de la locura.

Lo que no puede ver el personaje es, entonces, que el conoci-

---

36 Estos tres puntos son explorados, en amplitud y con gran sutileza, en las tres obras que siguen: *Histoire de la folie à la âge classique* (Paris, 1972); *Les Mots et les choses; Surveiller et punir.* Para una excelente guía de estas obras véase Alan Sheridan, *Michel Foucault: The Will to Truth* (London and New York, 1982), parte I, caps. 1 y 2; parte II, cap. 2. Para la tiranía de la vista véase Martin Jay, «In the Empire of the Gaze: Foucault and the Denigration of Vision in Twentieth-century French Thought», en *ICA Documents 4: Postmodernism* (London, 1986), 19-25.

miento es ilimitado. Incluso si logramos un conocimiento absoluto del mundo, nunca tendremos acceso al espacio ocupado por nuestro propio cuerpo, a esas fuerzas irreconocibles que dan forma a la manera en que vemos. La ceguera de los críticos consiste en no ver que la ausencia es irremediable. Al luchar por ganar acceso a los procesos creativos de Cervantes, el genio inmortal, no consiguen señalar el retorno del autor de manera no trascendental y relativizada. Allí donde Tomás niega o anula las particularidades de su cuerpo, Cervantes proyecta lo que le gusta y lo que no le gusta, de manera completamente informal, dentro del espacio ficticio del relato. Cervantes alude, así, al significado de la afirmación aparentemente sin sentido de Barthes: "La escritura pasa a través del cuerpo".[37] Porque si (como revela el relato) la borradura del cuerpo es imposible, entonces la única alternativa es reconocer la especificidad de su determinación. En su fragmentaria autobiografía, Barthes ofrece listas de cosas favoritas, como la comida y la bebida (pp. 120- 1), que parecen casi tan fortuitas como las listas muy semejantes del relato de Cervantes. Pero en ninguno de los dos casos significa esto la vuelta del autor como un individuo integrado, si bien idiosincrásico. Más bien sugiere la constitución material del sujeto, que ni es autorizador ni trascendente.

Una lectura foucaultiana de *El licenciado* sitúa en primer plano la marginalidad de la locura y la tiranía de la visión. Pero también llama la atención hacia otro efecto de la voluntad sobre el conocimiento: el impulso a "hablar la verdad" en la sexualidad.[38] Porque el sexo es el término desplazado o reprimido del relato. Como muchos críticos han señalado, Tomás retrocede ante la única oferta de amor que se le hace, la de la anónima mujer fatal. Pero, en un nivel más profundo, es el don del amor el vehículo para el retorno de lo reprimido. Es un "membrillo" venenoso, que se piensa que es un afrodisíaco; y hablando en términos de su supuesta etimología, el conocimiento prohibido de los genitales femeninos, que se piensa que representa la fruta ("membrum"). Una lectura superficial freudiana podría afirmar que Tomás se vuelve loco por la

---

37 *Roland Barthes par Roland Barthes* (Paris, 1980), 83.
38 Éste constituye un tema central del primer volumen de la *Historia de la Sexualidad* de Foucault, *La Volonté de savoir*.

frustración sexual. Pero, como vimos en el último capítulo, la economía sexual no es la de una simple homeostasis o hidráulica. Lo que sugiere el "membrum-membrillo" es que la sexualidad es, en verdad, central a la subjetividad, pero que siempre está limitada por la estructura lingüística. La falsa etimología implicada pero no expresada por el texto de Cervantes supone tanto el desplazamiento del razonamiento lógico como la condensación del significado múltiple. El membrillo es al mismo tiempo y de manera alternativa fruta y órgano, comida y sexo. Y Cervantes, como de nuevo Foucault, no da por hecho que el sexo forme la esencia del ser de una persona. Más bien cuestiona esa asunción, a través de su falta de atención a la intriga amorosa y en el modo precipitado en que la representa. Así pues, no existe una simple oposición entre la sexualidad y la represión, como no la hay entre la locura y la cordura. Del mismo modo, las distinciones entre el conocimiento y la ignorancia o entre la luz y la oscuridad son más complejas de lo que en un principio parece. No son contrarias, sino privativas: el segundo término se define por la ausencia del primero. Si el relato parece fragmentario y hueco es porque está basado en parte en una economía general del conocimiento que es propensa a la asimetría estructural.

El relato acaba con la muerte. Pero, de nuevo una vez más, la muerte no es lo opuesto al deseo. Es en la muerte donde Tomás consigue su deseo de "fama". La naturaleza de esta fama subyace como preocupación de una obra que trata el problema del conocimiento absoluto, el texto más intimidador de Derrida, *Glas* (Paris, 1981). El título de Derrida es apropiado para el final de nuestro relato: "glas" (del latín vulgar "classus") significó una vez un toque militar, y ahora significa un toque de difuntos. En las páginas iniciales, el texto de Derrida (que se elabora a partir de un comentario sobre Hegel y Genet) entreteje un número de motivos aparentemente fortuitos y dislocados, sacados de una variedad de fuentes. Así, el catafalco es a la vez un tablado para elevar el cuerpo y un cadalso para su ejecución (i.2,3); la obra maestra es una elevación que se hincha en la firma de su autor, pero que la llena como un sarcófago (fo. 15); las flores de la retórica, que no son naturales ni artificiales, se pudren como coronas en las paredes de un cementerio (fo. 17). Podría resultar fácil ofrecer interpretaciones o paráfrasis de estos fragmentos: la fama se predica de la muerte del héroe, la escritura de la ausencia del autor y la figu-

ración de la diferencia entre el tropo y el referente. El problema es
que adoptar tales lecturas unívocas supone reintroducir esos espejismos de conocimiento absoluto y de comentario objetivo que *Glas*
insiste implacablemente en perturbar. Quizá sea mejor insistir en el
motivo más persistente en *Glas*: el monolito o coloso. El monolito es,
al mismo tiempo, el falo erecto y el sitio de la muerte, algo que apunta a la continua presencia y a la definitiva ausencia de su hacedor.
El monumento literario, como su equivalente militar, es una construcción vana o una erección fantasma porque debe siempre servir
de testigo a la ausencia del autor que, sin embargo, afirma encarnar.
Como personaje, Tomás consigue su propósito, pero es desterrado al
mismo tiempo del relato; como autor, Cervantes construye su monumento, pero es reducido al estatus de una institución cultural. Como
el cráneo anamórfico de *Los Embajadores*, de Holbein, la fama literaria es un señuelo distorsionador, una trampa para la mirada, un falo
hinchado que no puede esconder la necesaria preeminencia de la
muerte. [39]

Podemos volver ahora a la imagen citada por Forcione en conexión con la "visión" humanista de Cervantes, el "Silenus Alcibiadis".
Como dije al principio de esta sección, el Silenus se suele considerar
como el símbolo de un proceso de interpretación binario: los monstruos grotescos en el exterior del arca del tesoro se abren para revelar
los objetos preciosos que guardan dentro. Exactamente de esta manera, deduce Forcione, la superficie a veces inconsistente de las *Novelas*
revela al lector activo el misterio escondido en su interior. Sin embargo, he sugerido que la acción de *El licenciado Vidriera* tiende a invertir
nuestra creencia en la esencia interna o en el significado trascendente.
Y si miramos los tratamientos renacentistas y clásicos del Silenus, su
moral se convierte en algo menos auto-evidente. Así, Covarrubias ofrece una pintura de dos monstruos "rudos y aterradores" posados en un
arca, que parece un catafalco o un ataúd. El lema reza: "Meliora
latent" (iii.25). Pero ¿qué son exactamente esas "cosas mejores" escondidas dentro? Resulta tal vez significativo que Covarrubias no nos
ofrezca la fuente de su lema. El verso que hay debajo de la pintura

---

39 Para el cráneo de Holbein como falo, véase la obra de Lacan *Four Fundamental Concepts*
   (pp. 86-90). Para la anamorfosis como la muerte de la representación véase Jean-
   François Lyotard, *Discours, figure* (Paris, 1971), 376-9.

dice que el Silenus contiene "joyas y preseas"; pero en texto en prosa encima del verso llama al arca "escritorio", algo para almacenar papeles y útiles de escribir. Un libro de emblemas posterior, el *Mundus symbolicus* de Pincinellus (Cologne, 1681), afirma que los Sileni contienen "dioses y joyas" ("deos et gemmas") (lib.3, numer.133).

Si retornamos a la autoridad favorita de Forcione, Erasmo, el objeto escondido deviene incluso menos seguro. Las ediciones de los *Adagia* afirman que lo que es revelado cuando la estatua se abre es un "numen". Derivado originalmente de la raíz que significa "asentir con la cabeza", "numen" llega a significar, de manera variable, una orden o autoridad humana, o la voluntad o majestad divinas. Una edición de los *Adagia* sitúa el Silenus en una sección titulada "Simulatio et dissimulatio". [40] Erasmo parece acelerar este juego de esconder y revelar ya implícito en la imagen al situar un nombre abstracto (no un objeto concreto) en el centro de su metafórica arca del tesoro. Los *Adagia* en sí mismos, en buena medida como las listas de objetos y de apotegmas en el relato de Cervantes, parecen ejemplificar la manera exuberante de la visión humanista. Pero el tratamiento que Erasmo da al Silenus pone en entredicho la existencia de la autoridad que tiene intención de afirmar. Como señala Forcione (p.9), para Erasmo el mayor ejemplo del Silenus es Cristo, cuyo exterior familiar esconde la presencia del numen en el interior. Sin embargo, el deslizarse entre lo literal y lo figurativo en el Silenus debe socavar la habilidad de la alegoría para servir como vehículo de la verdad fundamental.

La principal autoridad citada tanto por Erasmo como por Covarrubias es el *Symposium* de Platón. En su discurso en alabanza de Sócrates, Alcibiades compara a su tutor (aparentemente feo, tonto y lujurioso) con los semidioses fieros y lascivos, los Sileni (216 E). Hasta aquí, se le entiende perfectacmente. Pero la palabra que utiliza para describir el tesoro del interior del arca es incluso más problemática que la de "numen": «agalma», un nombre que denota deleite, fama u honor; un don lisonjero, especialmente para los dioses; una estatua en honor de un dios; una estatua, un retrato o una pintura; o una imagen, expresada en pintura o con palabras. El lexicón que proporciona todos estos significados afirma que el último es

40 Publicado en Frankfurt, 1629 (pp. 653-7).

apropiado para su uso en el *Symposium*.[41] Sin embargo, difícilmente podría haber una imagen lingüística dentro del arca. Y si es una imagen pintada (o una estatua, de cualquier tipo) entonces el tesoro del interior debe ser en sí mismo una representación; no una fuente original del conocimiento o del poder, sino un significante que ocupa impropiamente el lugar del privilegio, refiriéndose en otro lugar a su origen ausente. De ahí, el Silenus es una *mise-en-abyme*. Reflejándose sólo a sí mismo, envía el ojo del observador en rápido movimiento hacia adentro o hacia atrás en la búsqueda de la verdad fundamental que afirma esconder en su interior. Pero como Tomás Rodaja descubrió para su propio perjuicio, la búsqueda del conocimiento que inicia es interminable, el deseo por el significado que estimula es insaciable. Si el Silenus es una imagen de las *Novelas*, es porque socava la búsqueda del significado absoluto al mismo tiempo que parece subrayarlo; y si es una imagen de la obra de Cervantes en su conjunto, será porque proporciona una ilusión de la presencia o la autoridad que, en último término, no consigue comunicar. Pero esto no hace de la búsqueda algo menos valioso, ni de la ilusión algo menos necesario.

41 Henry George Liddell y Robert Scott, *A Greek-English Lexicon* (Oxford, 1968).

CONCLUSIÓN:
LA «MARGINALIDAD»
DE LA CULTURA ESPAÑOLA

No PARECE QUE NADIE abrigue la menor duda sobre la no marginalidad de la literatura española durante los años de su hegemonía política y cultural. No ha sido mi objetivo, en este estudio, explorar el complejo problema histórico de la relación entre los escritores españoles y un público europeo; parece empero innegable que, incluso en el cenit de su poder, los españoles se sintieron a menudo diferentes (y frecuentemente inferiores) con respecto a sus contemporáneos de otras latitudes. Como he intentado mostrar, la diferencia se revela, ya desde la entraña misma de los textos, como un pertinaz intento de conseguir lo imposible: fijar de una vez por todas las fronteras entre lo de dentro y lo de fuera, definiendo los límites entre lo esencial y lo superfluo. Algunos de los motivos con que nos hemos enfrentado a lo largo de este ensayo pudieran ser emblemáticos de esta conciencia reflexiva. La "lengua" de Garcilaso, curiosamente insistente, que sigue cantando en boca de la cabeza cortada del poeta, nos sugiere el virtuosismo e ingeniosidad de la lírica española; la pintura al revés de Mateo Alemán, pintura cuya posición se le invita al lector a corregir, sugiere el interés de la narrativa picaresca hacia el problema de la representación y sus límites; la playa soleada de Calderón, cruzada por sombras y trazas, sugiere el juego incesante de la inscripción y borrado, típicos de la comedia. Estas imágenes de la exuberancia se complementan con la obra de Cervantes,

229

que también se enreda con los problemas del lenguaje, la percepción y la convención, pero que ha sido con mucha mayor facilidad asimilada por lectores no españoles.

Quizás ha llegado la hora de un conocimiento más amplio y ajustado de estos textos. Gracián se lamentaba de que, hasta su *Agudeza,* los "conceptos" españoles habían andado huérfanos de nacimiento, arrojados a un mundo extraño, que no supo reconocer su singular cualidad. No dista mucho de ser lo que ha ocurrido con la recepción de la literatura del Siglo de Oro por críticos humanistas, tanto si adoptan la postura encomiástica como si reniegan de su valor. Ante unos textos que dan muestras de diversidad y discontinuidad, reaccionan alabando el comedimiento prudente de los autores renacentistas y luchando por reducir las obras «barrocas» a unidad formal y a la ortodoxia moral. Se reprime o, simplemente, se ignora el complejo placer lingüístico que brinda la producción escrita del Siglo de Oro, la pertinacia con la que exagera los límites arbitrarios del habla sencilla y de la estructura orgánica (y, por ello, pone en entredicho la posibilidad misma de tales criterios). De ese modo, se reinvindica a Góngora, en nombre de una inteligencia activa y viril, de un "ingenio" que proporciona unidad a un mundo fragmentado y que, de este modo, devuelve la complejidad verbal "esencial" al poema. O en el caso de Quevedo, el más retorizante de los poetas, se le elogia por la "modernidad" de su estilo y por una supuesta expresión del sentimiento personal. De manera que los textos, así concebidos, escapan enteramente a sus condiciones históricas y, al mismo tiempo, se les agobia con el peso de concepciones anacrónicas como las del "individuo" o de la "humanidad". Porque la mayoría de las lecturas nacen atrapadas en una red de dicotomías arbitrarias y auto-generadoras: conceptismo y culteranismo, renacimiento y barroco, lo natural y lo artificial. Incluso aquellos trabajos críticos que prometen una nueva perspectiva o un nuevo enfoque parecen quedar confinadas a los límites de un debate convencional. Por supuesto que cualquier intervención desde «fuera» de esos límites se arriesga, o bien a la absorción dentro del canon crítico, o bien a la petrificación dentro de una forzada postura inconformista.

Las más recientes teorías sobre la escritura suelen ser juzgadas como bizantinismo. Sus mentores comparten con los retóricos del Renacimiento una cierta desconfianza hacia el lenguaje sin adornos y un afán por los vocabularios técnicos. Lo que nosotros apreciamos, desde nuestra perspectiva histórica, es que la fe de los humanistas en la posibilidad, e incluso la necesidad, de discutir la literatura y su entorno en un lenguaje accesible al «lector común» era, en sí misma, un dogma históricamente específico, cuyo plazo de vida fue relativamente corto. Seguramente, Derrida esta más cerca de Escalígero (o de Quintiliano) de lo que lo están F. R. Leavis (o A. A. Parker). Puede ser que la crítica literaria en estos últimos años del siglo XX esté volviendo a la filosofía, de la que había emergido en el siglo XVI. Así, cuando Herrera o Barthes utilizan términos como los de metalepsis o anacoluto, no sólo están llamando la atención sobre su propio estatus como cofrades de una disciplina minoritaria; también están reconociendo, de manera implícita, que el objeto literario que tratan es un complejo fenómeno lingüístico, no un simple desarrollo orgánico. Es más, podría argumentarse que términos tradicionales como los de "tensión" o "experiencia" (desconocidos en el renacimiento) constituyen una "jerga", en la misma medida que sus equivalentes retóricos más brillantes. Porque, como todas las abstracciones, encuentran su significado sólamente dentro de un contexto discursivo particular y no pueden pretender una prescripción universal. La verdadera diferencia entre las escuelas críticas reside en la afirmación que hacen los tradicionalistas de que son teóricamente neutrales o no comprometidos, un estatus que se niega a cualquier trazo escrito por parte de los teóricos modernos.

Así pues, si propugno en este estudio que finalice la resistencia a la teoría dentro del hispanismo, utilizo «teoría» en el sentido de reflexión, no de abstracción: un retorno a nuestra propia actividad, no una disolución de los lazos materiales. Esta atención a la teoría requeriría un cambio de rumbo en el horizonte del análisis, hacia atrás o hacia afuera, para encarar las bases mismas de la crítica. El lenguaje, la representación y la subjetividad no volverían a darse por supuestos, sino que ellos mismos constituirían el objeto del análisis. Esta perspectiva teórica requeriría, al tiempo, una toma de conciencia clara: no puede existir una lectura definitiva de un texto; todas son parciales, deficientes y totalmente comprometidas por la estrategia o los prejuicios conceptuales del lector. De modo que no estoy proponiendo un "nuevo" o un "anti-hispanismo". Un movimiento así (si alguno fuera a surgir) se reinscribiría inevitablemente como opuesto o igual al académico. Como Jean-François Lyotard ha afirmado, la deconstrucción es, en sí misma, una construcción,[1] no está capacitada para demostrar su inocencia con respecto a la dominación opresora que buscaba desplazar o descentrar.

Sin embargo, si no puede haber huida frente a las estructuras del poder y de las instituciones (pues ¿qué espacio puede existir "fuera" de la Academia para los que escribimos y enseñamos dentro de ella?), entonces la particularidad de España y de sus escritores renacentistas podría considerarse como un ejemplo de pertinaz e irreductible marginalidad. Porque España es la "mujer" de la cultura europea. Ha quedado excluida de las principales corrientes del poder político y cultural, despreciada por su supuesto sensualismo y emotividad, y compadecida por la carencia de ese clasicismo sereno o racionalismo que alguna vez se entronizó como el ideal. Pero, en un tiempo en que tanto los proyectos utópicos de la ilustración como la objetiva autoridad de la ciencia empírica están deteriorándose o poniéndose en entredicho, las ventajas de una posición marginal, menos comprometida por una tradición intelectual dominante, son más que evidentes. Como el concepto de "mujer" bajo el patriarcado, España encarna esa carencia de la que se predica la Ley, funciona como el término que no puede ser excluido del sistema pero al que tampoco se le permite participar en él. Como suplemento, traza o parergon, la escritura del Siglo de Oro define, desde su misma marginalidad, los parámetros arbitrarios de la cultura europea, que no puede absorberla ni se atreve a admitirla. Y al comportarse así sugiere una característica definitiva del discurso literario en general: la coexistencia de la especifidad y de la indeterminación. De este modo, uno de los pensadores punteros del período, Juan Caramuel, afirma en su *Rationalis et realis philosophia*, que el objeto creado e infinito ni puede existir ni ser concebido: "Ens infinitum creatum nec esse nec concipi potest".[2] Caramuel clasifica este objeto impensable, con habitual rigor, bajo la "aperantología", la ciencia de lo que no tiene límites. Sin embargo, podemos identificar este objeto como el propio lenguaje literario, como producido por los seres humanos bajo circunstancias particulares ("creatum"), y, además, atrapado en el incesante desplazamiento del deseo y del lenguaje ("infinitum"). Los necesarios excesos de la escritura áurea apuntan, así,

1 *Economie libidinale* (Paris, 1974), 305.
2 Publicado en Lovaina, 1642 (la tabla al final, f. Nnn-r).

calladamente, hacia esta paradoja: el texto literario como producto terminado y, al mismo tiempo, como proceso incesante. Y la peculiar posición de la cultura española (ni igual ni opuesta a la de sus rivales) ofrece al lector atento tanto los placeres de la diferencia como la posibilidad de lo superfluo, el acceso al exceso.

RELECTURA DE *ESCRITO AL MARGEN:*
HISTORIA, PSICOANÁLISIS
Y LA SUBVERSIÓN DE LA IDENTIDAD [1]

HISTORIA Y TEORÍA, POLÍTICA y psicoanálisis: no existe una simple oposición entre los dos términos. Desde hace más de seis años he intentado trabajar en el campo de la «teoría», con el fin de encararme con todo tipo de cuestiones concretas. Así, *Escrito al margen* se centraba en la crítica de autor (de textos canónicos y de críticos tradicionales); así también, *The Body Hispanic* ofrecía una nueva lectura del género basada en un cierto número de teorizaciones sobre la diferencia sexual. En *Representing the Other* extendía la crítica a la raza y a la etnia; y *Laws of Desire* lo hacía a la homosexualidad. A pesar de la variedad de textos y de teorías a las que aludo en dichos libros, todos comparten un tema o estrategia común: la subversión de la identidad, el intento de desplazar a un «Hombre» pseudo-universal cuya centralidad se ve reforzada por la marginación de sujetos subordinados: mujeres, gente de color, lesbianas y homosexuales. Fundamentales para este proyecto son las dos disciplinas, con frecuencia incompatibles, del marxismo y del psicoanálisis.

1 Este ensayo, no publicado, fue leído por primera vez como comunicación en una sesión especial del congreso anual de la Asociación de Lengua Moderna de América, que tuvo lugar en Chicago en diciembre de 1990. La sesión se llamó «Crítica postestructuralista de la comedia: cuestiones suscitadas por *Escrito al margen*, de Paul Julian Smith», y dicha comunicación es, en parte, respuesta a las otras dos comunicaciones que se leyeron en la misma sesión: «Estudios culturales e identidad: hacia una definición de la comedia», de Catherine Swietlicki; y «Lo que Derrida malinterpretó en Lacan: grafocentrismo neoescéptico y dogmático», de Henry Sullivan.

En el marxismo existen, al menos, tres modos de representar la relación entre historia y literatura. Como reflejo (Lukacs), lo típico del personaje literario engloba las contradicciones ocultas de la totalidad social en la que él /ella viven; como producción (Macherey), el texto se considera como síntoma de contradicciones que, una vez más, resultan invisibles para el observador empírico; como interpelación (Althusser), el texto es visto como un estímulo para que el lector se convierta en un sujeto y, de este modo, participe en las identificaciones imaginarias de las que está compuesta la vida social. Los tres modelos (reflexión, producción, interpelación) sugieren una relación oblicua y mediata entre historia y literatura, base y superestructura. Y los tres se relacionan con el que quizás sea el término más discutido y controvertido dentro del marxismo, el de ideología.

En *Escrito al margen* sugiero que es en la ideología (definida de modo lato) donde los estudiosos de la comedia pueden encontrar una suma de la relación entre prácticas discursivas y no discursivas adecuadas a las sutilezas del género elegido por ellos.

Quizás no sea del todo arbitrario el que la categoría de ideología sea la que proporcione ese punto de conexión entre política y psicoanálisis. Yo afirmaría que, así como el marxismo debe ser ya leído dentro de un marco psicoanalítico, del mismo modo el psicoanálisis debe ser sometido a la historia, politizado. Así, el psicoanálisis (como terapia hablada) se funda en la práctica material del lenguaje, en la integración de un cuerpo pre-lingüístico dentro del campo social. Y con este situar lo inconsciente y el papel de la fantasía en el ámbito de la vida cotidiana, ofrece un método para desmontar esas identificaciones dominantes que son frecuentes en el aparato político. Finalmente, el psicoanálisis es una gramatología, una ciencia de la escritura: en su famoso ensayo «Freud ou la scène de l'écriture», Derrida muestra como el modelo freudiano de la memoria subconsciente reside en una metáfora textual que no debe ser reconocida: el cuaderno mágico o místico que conserva huellas fantasmales de inscripciones pasadas, al mismo tiempo presentes y ausentes en su superficie.

En mi capítulo de *Escrito al margen* sobre la comedia llamo la atención hacia el concepto de «écriture» (que traduzco como «inscripción») y hacia el tropo o figura de la huella («trace»). Como veremos, la última (que subraya el movimiento del cuerpo a través del espacio y del tiempo) es particularmente apropiado para el teatro.

Sin embargo, la pregunta general que a mí me gustaría suscitar aquí es: si es posible adherirse a la historia y a la política mientras se intenta esa radical subversión de la identidad que hemos aprendido de la teoría francesa. Ilustraré esta cuestión haciendo referencia al libro ejemplar de Judith Butler *Gender Trouble: Feminism and the Subversion of Identity (El problema del género: el feminismo y la subversión de la identidad)* (Londres y Nueva York: Routledge, 1990). Este estudio extiende la crítica feminista del patriarcado a un análisis paralelo de la heterosexualidad obligatoria, que tan a menudo lo acompaña. Al poner el acento sobre la actuación («performance»), repetición y proliferación, *Gender Trouble* alude constantemente al modelo del teatro. En la segunda parte de esta comunicación sugeriré que esto es particularmente útil para un texto como el de Tirso *Don Gil de las calzas verdes*, texto que yo leo como una exploración de un deseo de tipo lesbiano, en sentido muy lato, que se presenta como incomprensible por el texto mismo que le hace alusión.

Recapitulemos: *Escrito al margen* ofrece un nuevo análisis del canon de textos del Siglo de Oro al tiempo que la crítica tradicional sobre esos textos, desde un punto de vista antihumanista; esto es, aquel que pone de relieve la subversión de una identidad estable, idéntica a sí misma y central. Como ensayo, se mueve de modo alternativo en las esferas de las teorías postestructuralistas y renacentistas sobre el conocimiento, así como en la de los textos latinos de Escalígero y de Caramuel. Resulta, por cierto, significativo que los críticos hayan tendido a menosvalorar este segundo intertexto, que sirve una vez más para desestabilizar cualquier oposición simplista entre historia y teoría. Como han señalado Ruth El Saffar y Elias Rivers, el título del libro es un juego de palabras, que se refiere tanto a la posición histórica de España, a menudo considerada como alejada de los centros culturales de Europa, como a los supuestos excesos de los textos del Siglo de Oro, que apuntan en los límites mismos del lenguaje hacia las fronteras de la representación. Lo que debería subrayar es, sin embargo, que «centro» y «margen» son posiciones relativas y no identidades esenciales. No busco reafirmar la exclusión de España de una cultura europea consagrada, sino, más bien, preguntarme sobre esa exclusión y el papel que ésta juega en la construcción de identificaciones hegemónicas. Se trata de un movimiento inverso: es la repulsión hacia el otro (España, la mujer, la homosexualidad) lo que constituye el fundamento del discurso dominante (el de Europa, el del hombre, el de la heterosexualidad). Lo dominante depende, así, de lo marginal y debe, constantemente, vigilar los límites permeables (márgenes fluidos) que existen entre ambos. Lo central y lo marginal son, de este modo, categorías producidas históricamente, que siempre resultan vulnerables al debate y a la redefinición.

Escrito al margen es una obra historicista en sentido amplio; pero no es empirista: he evitado referirme a acontecimientos puntuales que no puedan tener un efecto inmediato sobre los textos que trato. Pero si resulta anti-empirista, también es anti-idealista: rechazo los lugares comunes ahistóricos con los que se fragua la identidad nacional, los del llamado temperamento femenino, o de la eterna naturaleza humana, o del valor literario trascendente. El libro es psicoanalítico; pero no es individualista o personalizador: no someto ni al autor a análisis ni al personaje literario, como si pudiéramos acceder inmediatamente a él dentro de su ficción, y el segundo tuviera el mismo estatus que un analizado empírico. Marxismo y psicoanálisis confluyen en mi lectura en aquello que yo doy por evidente, y es que la ideología y lo subconsciente preceden al sujeto y producen, por tanto, una radical subversión de la identidad en ambas esferas. En el capítulo sobre la Comedia, llamo a este material cultural (que precede tanto al texto literario como a la identidad individual) «écriture» o «inscripción». Esto puede parecer confuso. Pero ejemplos de escritura, en este sentido amplio del término, característicos de la Comedia, son los nombres y las relaciones de parentesco: nombres y genealogía sirven para definir (no para agotar) las posiciones desde las que los sujetos hablan. Asociada con la «inscripción», como hemos visto, está la huella. La huella («trace») es al mismo tiempo movimiento y residuo: como la palabra inglesa «writing», se refiere tanto al acto de formar caracteres en una página como a aquellos que quedan cuando el lápiz se desplaza. El hecho empírico de la actuación (de la repetición en el tiempo y en el espacio) puede, así, ser concebido teóricamente como el hecho de «escribir» sobre el cuerpo del actor y sobre la memoria del público. La huella sugiere un modelo de drama como proceso, pero al subrayar la materialidad del acto es, también, desnaturalizadora. De este modo, sugiero que en *Fuenteovejuna*, en *El burlador de Sevilla* y en *El médico de su honra*, naturaleza, deseo y honor, respectivamente, están desnaturalizados, revelados como constructos históricos y no verdades eternas. Esto constituye un punto de vista marxista en sentido lato. Pero, al mismo tiempo, llamo la atención sobre escenas en cada una de estas obras en las que un hombre inconsciente es acunado en los brazos de una mujer: este es un momento psicoanalítico, algo que apunta hacia esa castración postulada a través de la cual el macho accede al lenguaje y reprime una primaria, homosexual identificación.

En *Trouble Gender* Judith Butler explora este proceso por el que el patriarcado y la heterosexualidad obligatorios refuerzan una unidad fantasmal de sexo, género y deseo. La autora llama a estos regímenes regulatorios (que se presentan a sí mismos como naturales) «ficciones». Lo cual no significa, sin embargo, negar que tengan un verdadero efecto material. A través de la repetición de estos regímenes el poder se inscribe en el cuerpo y vigila las fronteras (o márgenes) entre los cuerpos. Para Butler, el género es actuación: sólo existe en actos repetidos que no se derivan de una identidad original, sino que, más bien, la producen. Pero si el género es actuación o forma parte del juego, resulta entonces vulnerable a la repetición paródica, a la proliferación y a la subversión. En el papel de la machota y del amanerado, lesbianas y homosexuales opera un pastiche de identidades de género que, de modo momentáneo, desplaza estas identidades de la posición central que ocupan en nuestra cultura y las despojan de su autoridad naturalizada. Lo importante, sin embargo, es que la repetición paródica opera dentro de la órbita del orden dominante y no en un espacio utópico o externo; es una «remotivación de las ilusiones fundacionales de la identidad» (pág. 33), algo que pone en entredicho la oposición convencional entre el original y la copia, lo primario y lo secundario.

La obra de Tirso *Don Gil de las calzas verdes* (compuesta hacia 1614 y representada por vez primera en 1615) resulta notable por poseer una de las tramas más complejas de la comedia. En la introducción a su edición (Madrid: Anaya, 1971) Everett W. Hesse y Charles J. Moolick sugieren que la obra se estructura sobre tres triángulos amorosos de importancia decreciente. En el primero, Juana (disfrazada de Don Gil) persigue a Martín, que la ha abandonado por la rica Inés. En el segundo, Martín compite con su rival, Juan, por Inés, una vez más. En el tercero, el personaje menor, Antonio, ama a la prima de Inés, Clara, que está a su vez enamorada de Don Gil, la travestida

Juana (p. 17). Lo que interesa con respecto a este esquema es que evita desde el mismo comienzo la posibilidad de una relación exclusiva entre mujeres. Porque existe un triángulo más, que no mencionan los editores: las primás Inés y Clara compiten ambas por el amor de Juana-Don Gil, un «hombre» cuya feminidad está bien clara para todos los personajes. En un gesto harto familiar, los críticos que se ofrecen mansamente como guías para llevarnos hacia el texto, elaboran previamente su campo de investigación, delimitando las fronteras de la interpretación legítima. El término sobre el que se ejerce la represión, el lesbianismo, retorna sólo como un «tema secundario», eludido en el lenguaje particular de la época como «perversión sexual» (p. 18).

En otro lugar, sin embargo, los editores aluden, a su pesar, a las características de la obra que tienden a subvertir las identidades establecidas del género sexual. De este modo, subrayan que existe una contradicción implícita entre las dos motivaciones de Juana en la obra: busca tanto la venganza como expresar el amor por el hombre que la ha abandonado. Y también señalan el entrañamiento de la forma dramática: Juana, como Don Gil, juega un papel (masculino) en el que ella/él es libre para improvisar sus parlamentos y manipular a su antojo a los demás personajes. En la lectura que sigue pondré de relieve asimismo la inconsistencia y la volubilidad del papel de Juana, que tiende a poner en entredicho el régimen social que fijaría el sexo, el género y el deseo dentro de una unidad heterosexual reificada. Hesse y Moolick sugieren que el disfraz de Juana esconde una identidad que se presume preexiste a las marcas culturales de los nombres, la ropa y el parentesco. En mi opinión la acción de la obra subvierte la oposición entre lo verdadero y lo falso (el original y la copia) mediante la alusión indirecta de que toda vida social es representación, una repetición ritualizada de los signos convencionales de la identidad.

El primer acto de la obra parece confirmar algunas de las intuiciones de Judith Butler. Así, el régimen regulador de la jerarquía de género y del resorte heterosexual está siempre presente: la obra da por sentado que existe un tráfico de mujeres, a través del cual los padres acuerdan cambiar sus hijas y casarlas con los hijos. Sin embargo, desde el mismo comienzo de la acción, esta práctica de la exogamia se resquebraja: el padre de Martín le dice a su hijo que se cambie el nombre cuando viaje a Madrid, para pedir la mano de

Inés, temiendo que la vengativa Juana confunda los planes de los hombres. Como Don Gil (el primero), Martín revela que la masculinidad, no menos que la feminidad, es una mascarada. Con un nombre propio y apropiado y una carta de presentación de su padre (que en este caso está falsificada) cualquier sujeto puede desempeñar el papel masculino en la circulación y apropiación ritual de las mujeres. La feminidad, además, está sujeta al voluntarismo, puede adoptarse o rechazarse a voluntad por un sujeto anatómicamente femenino. De modo que Juana, al darse cuenta de su desgracia, súbitamente, «abandona sus temores femeninos» (1. 209) y parte en pos de Martín. En el proceso, crea una nueva relación asimétrica entre sexo y género, entre anatomía y posición cultural. Porque su criado, Caramanchel, insiste desde el principio en que su amo es un castrado o capón. Privado de un patronímico (ella/él es simplemente «don Gil») se dice que ella/él está «castrado incluso de nombre» (1. 519). La referencia resulta significativa, porque la acción de la obra revelará que la onomástica (como el parentesco) son los que hacen existir esa identidad que, modestamente, afirman describir. Cuando Gil/Juana se encuentra con la hermosa Inés, ella/él afirma: «Me llamaré como tú quieras». (1. 825). Esto apunta a la volubilidad de la identidad en la obra, que se produce y se pone en funcionamiento por las repetidas acciones de inscribir y borrar sobre el cuerpo, por la marcha de una intriga que sirve para delimitar las fronteras entre un cuerpo y otro (una identidad de género y otra).

Pero este «hombre» afeminado (castrado) no sólo personifica un sujeto masculino del deseo; ella/él encarna, también, un objeto del deseo femenino. Inés y Clara describen a Juana/Gil como un «ángel de cristal», una «pequeña joya», un «dulce diseño». En el uso que hacen del diminutivo («Gilico»), de la imaginería que sugiere placer visual y oral, las dos mujeres proyectan de una manera clara cualidades genéricamente femeninas sobre un cuerpo cuyo sexo creen que es masculino. Además, es la característica secundaria del cuerpo masculino lo que las mujeres que sienten el deseo están ansiosas por repudiar: cuando Inés ve a continuación al personaje anatómicamente masculino don Gil (Martín disfrazado) pregunta cómo puede ser posible que se prefiera a esa criatura con barba a su Gilico «de esmeralda». Sexos, géneros y deseos comienzan, así, a embarullarse. Pero lo hacen dentro de un régimen establecido y presente: lo que las mujeres quieren en Don Gil es la extraña yuxtaposición de una identidad femenina proyectada sobre un cuerpo (considerado) masculino. Tomando prestada la frase de Judith Butler, a diferencia de algunas mujeres lesbianas, a quienes «les gusta que sus novios sean novias», a semejantes mujeres (nominalmente heterosexuales) «les gusta que sus novias sean novios» (p. 123). Lo subversivo y, mejor todavía, el placer de tal deseo es, de este modo, necesaria y felizmente dependiente de la conservación y de la repetición de sexo y las identidades de sexo preexistentes.

En el Acto II, la preocupación o turbación femenina se nos presenta como desenfrenada. La ecuación de la mujer y el engaño se confirma por el desplazamiento de Martín: Juana/Gil será el pretendiente de Inés; posteriormente rechazará el precepto de su padre para que se case con Martín. Pero, una vez más, esta preocupación se precipita por las marcas o los signos de masculinidad vacíos, en este caso las «calzas» que Juana/Gil denomina explícitamente «señas» (1. 1047). Pero «señas» implica localización, lo mismo que «signo»: ese necesario lugar de origen que desautoriza la carencia que sufre Juana/Gil de patronímico. Como un personaje nómada, residuo de hechos o papeles sucesivos y a veces contradictorios, ella es definida por los metónimos contingentes de masculinidad (los nombres y la ropa), que otros personajes consideran, de modo erróneo, que son metáforas de una identidad de género esencial. Resulta aquí significativa la localización urbana de esta comedia, Madrid, lo que permite tanto el anonimato como la contigüidad: como mujer (rebautizada Elvira) Juana puede alquilar una casa vecina a la de Inés sin despertar sospechas.

El problema suscitado por este barajarse de las identidades de género es el del original y la copia. Recordemos que Inés ve al falso don Gil (el femenino) antes que a la verdadera versión (masculina), y que repudia al segundo en favor del primero. De la misma manera, el anhelo amoroso de Inés por Juana/Gil se apacigua por la asociación con Juana/Elvira, que ella afirma que es el mismo «retrato» de su mitad masculina (1. 1111). Juana/Elvira se compara irónicamente con el llamado Viejo Testamento, que resulta agradable sólo en la medida en que es reminiscente del Nuevo. Pero, aquí, el estatus de prioridad resulta ambiguo. Como en la narrativa psicoanalítica de Freud, se dice que el término original (de la elección homosexual del objeto, del judaísmo) es reemplazado por un rival posterior (la elección heterosexual del objeto, del cristianismo); pero ese término original permanece como una huella fantasmal en la formación final, y puede irrumpir en cualquier momento con inesperada violencia. No es sorprendente que Inés sienta «espanto» (1. 1255) al ver por primera vez a Juana/Elvira vestida de mujer.

En las escenas entre las dos mujeres llama la atención los papeles que les toca representar. Así, Juana/Elvira cuenta el relato verdadero de cómo fue abandonada por su pretendiente, pero recrea ese relato al cambiar los nombres de los participantes. Así como un nombre (un deíctico) puede denotar múltiples sujetos, así también muchos nombres pueden denotar un único sujeto. La tradicional intimidad de la conversación entre mujeres está aquí manipulada. Del mismo modo, cuando Inés se ofrece como la esclava de Juana/Elvira, la última replica con el aparte exultante: «la boba está en mi trampa» (1. 1440). Las relaciones entre las mujeres se presentan, pues, sin escapatoria frente a las jerarquías del género. Más aún, como en las relaciones entre mujeres de identificación masculina o femenina promovidas por algunas lesbianas, se nos está mostrando que el placer de la mujer deriva de una repetición de la jerarquía de género que no puede ser reducida o agotada por precedentes heterosexuales. Lo que es más, el amante heterosexual, masculino, se revela como una impostura: en otro comentario ambiguamente sincero, Juana/Elvira afirma que Martín se está haciendo pasar simplemente por el pretendiente legítimo, don Gil (1. 1362). Esa conjunción de lo más natural del sexo, el género y el deseo (masculinidad heterosexual), se revela aquí sólamente como otra forma de travestismo, una impostura patéticamente fracasada.

En esta desnaturalización y revolución de las categorías de género (esta inversión y dispersión del original y de la copia) la escritura se nos revela como algo imprescindible. La escena de la escritura es un espacio erotizado por el deseo lesbiano: Juana/Elvira invita a la enamorada Inés a observarla mientras le escribe una carta a don Gil (1. 1432). Una preocupación de género se manifiesta en la ruptura del circuito masculino de la correspondencia. Juana/Gil intercepta las cartas arrojadas por Martín que garantizarán la identidad de éste ante el padre de Inés y le permitirán embolsarse una orden de dinero enviada por su padre a Madrid. Aquí, el tráfico con mujeres y la circulación del capital coinciden en la precaria forma de la firma: las «firmas hurtadas» (1. 1863) de la orden de dinero revelan que las muestras convencionales del prestigio masculino, que se consideran naturales y esenciales, están inevitablemente abiertas al trueque y a la demora.

En el acto final de Don Gil este contrato heterosexual, hecho sobre y a través de los cuerpos de las mujeres, se parodia abiertamente: Juana/Gil abraza a Clara y a su padre y promete casarse con la primera. Y la subversión del contrato heterosexual se corresponde con una proliferación de los metonímicos redundantes (signos vacíos) de la heterosexualidad masculina: no menos que cuatro don Giles aparecen ante la ventana de Inés, dos de ellos anatómicamente femeninos. La acción es rápidamente cortada, sin embargo, por los múltiples matrimonios, inevitables en comedias de este tipo; y Juana es de manera inequívoca devuelta a la unidad «natural» del sexo, del género y del deseo: es, una vez más, anatómicamente, una mujer, culturalmente femenina, afectivamente heterosexual. Sin embargo, ¿en qué medida resulta un final convincente? Resulta significativo que en el acto segundo la incontrolada proliferación de nombres y de posiciones del sujeto se escape incluso al propio autor: se dice en diferentes momentos de la obra que la «verdadera» identidad de Martín es la de don Miguel de Cisneros o la de don Miguel de Ribera (1. 1780). Y la persona que hace efectiva la letra se dice, primero, que es el criado de Juana/Gil, y luego la propia ama/amo (1. 2023). La preocupación por la filiación (en la transmisión del patronímico y del patrimonio) se vuelve pandémica, salta fuera del espacio del relato y dentro del mundo que está «más allá» del mismo.

He argumentado, por eso, que la escritura (en sentido estricto) forma una escena erótica en *Don Gil* en la que los pares binarios de verdad y engaño, original y copia se confunden por esas posibilidades de ruptura y demora siempre implícitas en la escritura (en sentido amplio). Judith Butler cita a Foucault al hablar de la historia como «inscripción» o «teatro», un «instrumento implacable de escritura» que toma al cuerpo como su medio de sacrificio (p. 130). Parecería que *Don Gil* es ejemplar en el sentido de que representa al cuerpo atrapado en ese afán de asumir la inscripcion cultural que lo constituye. Sin embargo, este proceso no es puramente pasivo. Si nos movemos desde la interioridad a las actuaciones del género, entenderemos que el cuerpo «no tiene un estatus ontológico aparte de los varios actos que constituyen su realidad»; y que «los géneros no pueden ser ni verdaderos ni falsos, sino que se producen como efectos de verdad de una identidad primaria y estable», que es en sí misma una ficción (p. 136). Deberíamos leer tanto el género como el teatro no como expresión (de personalidades que se presume que ya existen) sino como actuación (una representación de hechos originarios y que se autoconstituyen). La definición que da Butler del género como una «estilizada repetición de actos», como una «nueva ejecución de un conjunto de significados ya socialmente establecidos» (p. 140) puede resultar familiar para los comediantes. Pero así como la obra amaga hacia un deseo lesbiano (un deseo de las mujeres por lo femenino) que aboca a la ininteligibilidad, así también revela que la repetición no necesita ser mecánica, sino que siempre puede producir nuevas posibilidades de actuación social y libidinosa. Para citar a Butler por última vez, «operar dentro de la matriz del poder no es lo mismo que recrear de una manera no crítica las relaciones de dominio»; más bien, es buscar «una repetición de la ley que no significa su consolidación, sino su desplazamiento... (una redistribución del) falicismo a través de la identificación» (p. 30).

Deberíamos recordar que lo que es impensable dentro de la cultura del siglo XVII (como el deseo lesbiano) está «de manera completa dentro de la cultura, pero también de manera completa excluido de la cultura dominante» (p. 77). Como un *escrito al margen* (como una práctica y un producto de la inscripcion social) deseos como esos son enteramente recuperables, basta con que queramos buscarlos. A través del marxismo y del psicoanálisis, a través de una subversión de la identidad de inspiración feminista, podemos todavía remover los discursos dominantes y descentrar las estructuras de poder, al mismo tiempo que continúa siendo necesario hablar dentro de esos discursos y trabajar dentro de esas estructuras de poder.

BIBLIOGRAFÍA

Alemán, Mateo, *Guzmán de Alfarache,* ed. Francisco Rico (Barcelona, 1983).

Almeida, José, *La crítica literaria de Fernando de Herrera* (Madrid, 1976).

Alonso, Dámaso, *La lengua poética de Góngora* (Madrid, 1935).

——, *Góngora y el «Polifemo»* (Madrid, 1961).

——, *Cuatro poetas españoles* (Madrid, 1962).

——, Intr. a *Antología de la poesía española: Lírica de tipo tradicional* (Madrid, 1969).

——, «Garcilaso y los límites de la estilística», in *La poesía de Garcilaso,* ed. Elias L. Rivers (Barcelona, 1974), 269-84.

Althusser, Louis, *Lenin and Philosophy,* trans. Ben Brewster (London, 1971).

Archer, Robert, «The Fictional Context of *Lazarillo de Tormes*», *MLR* 80 (1985), 340-50.

Arias, Joan, *«Guzmán de Alfarache»: The Unrepentant Narrator* (London, 1977).

Aubrun, Charles V., «Le Don Juan de Tirso de Molina: Essai d'interprétation», *BHisp.* 59 (1957), 26-61.

Aylward, E. T., *Cervantes: Pioneerand Plagiarist* (London, 1982).

«Azorín» [José Martínez Ruiz], «Garcilaso», en *La poesía de Garcilaso,* ed. Elias L. Rivers (Barcelona, 1974), 35-9.

Barthes, Roland, *Mythologies* (Paris, 1957).

——, *Le Plaisir du texte* (Paris, 1973).

——, *Roland Barthes par Roland Barthes* (Paris, 1980).

——, «Introduction to the Structural Analysis of Narratives», in *Image Music Text,* ed. and trans. Stephen Heath (London, 1982), 79-124.

Bataillon, Marcel, *Défense et illustration du sens littéral* (Leeds, 1967).

——, *Pícaros y picaresca: La pícara Justina* (Madrid, 1969).

Beverley, John, «Hispanism Today: A View from the Left», paper read at the Midwest MLA Conference (Iowa, 1982).

Bjornson, Richard, «Moral Blindness in Quevedo's *El buscón*», *RR* 67 (1976), 50-9.

——, *The Picaresque Hero in European Fiction* (Madison, 1977).

Blue, William R., *«The Development of Imagery in Calderón's «Comedias»* (York, SC, 1983).

Bowie, Malcolm, «Lacan and Literature», *RS* 5 (1984-5), 1-26.

Bruck, Jan, «From Aristotelian Mimesis to Bourgeois Realism», *Poetics*, II (1982), 189-202.

Bryans, John V., *Calderón de la Barca: Imagery, Rhetoric, and Drama* (London, 1977).

Calderón de la Barca, Pedro, *El médico de su honra*, ed. C. A. Jones (Oxford, 1976).

Caramuel, Juan, *Rationalis et realis philosophia* (Louvain, 1642).

——, *Mathesis audax* (Louvain, 1644).

Carballo, Luis Alfonso de, *Cisne de Apolo*, ed. Alberto Porqueras Mayo (Madrid, 1958).

Carrillo y Sotomayor, Luis, *Libro de la erudición poética*, ed. Manuel Cardenal Iracheta (Madrid, 1946).

Casa, Frank P., «Structural Unity in *El licenciado vidriera*», *BHS* 41 (1964), 242-6.

Casalduero, Joaquín, Intr. a Tirso de Molina, *El burlador de Sevilla* (Madrid, 1982).

Cascardi, Anthony J., *The Limits of Illusion: A Critical Study of Calderón* (Cambridge, 1984).

Castro, Américo, «El *Lazarillo de Tormes*», en *Hacia Cervantes* (Madrid, 1967), 143-9.

Cave, Terence, «*Enargeia*: Erasmus and the Rhetoric of Presence in the Sixteenth Century», *L'Esprit créateur*, 16. 4 (Winter 1976), 5-19.

——, *The Cornucopian Text: Problems of Writing in the French Renaissance* (Oxford,1979).

Cavillac, Michel and Cécile, «A propos du *Buscón* et de *Guzmán de Alfarache*», *BHisp*. 75 (1973), 114-31.

Cervantes Saavedra, Miguel de, *The History of the Renowned Don Quixote de la Mancha*, trans. various (London, 1 706).

——, *Persiles and Sigismunda: A Celebrated Novel* (London, 1741).

——, *The Life and Exploits of the Ingenious Gentleman Don Quixote de la Mancha*, trans. Charles Jarvis (London, 1742).

——, *The History and Adventures of the Renowned Don Quixote* (London, 1755).

——, *Nouvelles espagnoles*, trans. Lefebvre de Villebrune (Paris, 1788).

——, *Novelas ejemplares*, ii, ed. Francisco Rodríguez Marín (Madrid, 1975).

Cicero, Marcus Tullius, *De oratore*, ed. E. W. Sutton and H. Rackham (London and Cambridge, Mass., 1967).

Close, Anthony, *The Romantic Approach to «Don Quijote»* (Cambridge, 1977).

——, «Cervantes's *Arte nuevo de hazer fábulas cómicas en este tiempo*», *Cervantes*, 2 (1982), 3-22.

Cohen, Walter, «Calderón in England: A Social Theory of Production and Consumption», *BCom.* 35 (1983), 69-77.

Collard, Andrée, *Nueva poesía: Conceptismo, culteranismo en la crítica española* (Madrid, 1967).

Colombí-Monguió, Alicia de, «Los "ojos de perlas" de Dulcinea *(Quijote* II, 10 y 11): El anti-petrarquismo de Sancho (y de otros)», *NRFH* 32 (1983), 389-402.

Combet, Louis, *Cervantes, ou les incertitudes du désir: Une approche psychostructurale de l'oeuvre de Cervantes* (Lyon, 1980).

Covarrubias Orozco, Sebastián de, *Emblemas morales* (Madrid, 1610).

Cros, Edmond, *Protée et le gueux: Recherches sur les origines et la nature du récit picaresque dans «Guzmán de Alfarache»* (Paris, 1967).

——, *Mateo Alemán: Introducción a su vida y a su obra* (Madrid, 1971).

——, *L'Aristocrate et le carnaval des gueux: Étude sur le «Buscón» de Quevedo* (Montpellier, 1975).

Cruikshank, Don N., «"Pongo mi mano en sangre bañada en la puerta": Adultery in *El médico de su honra*», in *Studies in Spanish Literature of the Golden Age presented to E. M. Wilson*, ed. R. O. Jones (London, 1973), 45-62.

Culler, Jonathan, «Poetics of the Lyric», in *Structuralist Poetics* (London, 1983), 161-88.

Curtius, Ernst Robert, *European Literature and the Latin Middle Ages*, trans. Willard R. Trask (London, 1953).

Darst, David H., *The Comic Art of Tirso de Molina* (Chapel Hill, 1974).

Davies, Gareth Alban, *«Pintura:* Background and Sketch of a Spanish Seventeenth-century Court Genre», *JWCI* 38 (1975), 288-313.

Derrida, Jacques, *De la grammatologie* (Paris, 1967).

——, *L'Écriture et la différence* (Paris, 1967).

——, *La Dissémination* (Paris, 1972).

——, *Marges, de la philosophie* (Paris, 1972).

——, *La Vérité en peinture* (Paris, 1978).

——, *La Carte postale de Socrate à Freud et au-delà* (Paris, 1980).

——, *Glas* (Paris, 1981).

Deyermond, A. D., *Lazarillo de Tormes* (London, 1975).

Díaz-Migoyo, Gonzalo, *Estructura de la novela: Anatomía de «El buscón»* (Madrid, 1978).

Dunn, Peter N., *The Spanish Picaresque Novel* (Boston, 1979).

——, «Problems for a Model of the Picaresque and the Case of Quevedo's *Buscón»*, *BHS* 59 (1982), 95-105.

Eagleton, Terry, *Criticism and Ideology* (London, 1978).

——, *Literary Theory: An Introduction* (Oxford, 1983).

Easthope, Anthony, *Poetry as Discourse* (London, 1983).

El Saffar, Ruth, *Novel to Romance* (Baltimore, 1974).

——, *Distance and Control in «Don Quijote»: A Study in Narrative Technique* (Chapel Hill, 1975).

——, «Cervantes and the Games of Illusion», in *Cervantes and the Renaissance*, ed. Michael D. McGaha (Easton, Pa., 1980), 141-56.

——, Review of Louis Combet, *Cervantes, MLN* 97 (1982), 422-7.

——, *Beyond Fiction: The Recovery of the Feminine in the Novels of Cervantes* (Berkeley, 1984).

Erasmus, Desiderius, *Adagia* (Frankfurt, 1629).

Evans, Peter W., *«Peribáñez* and Ways of Looking at Golden Age Dramatic Characters», *RR* 74 (1983), 136-51.

Fernández, Xavier A., «¿Cómo se llamaba el padre de don Juan?», *REH* 3 (1969), 145-59.

Fernández Morera, Dario, *The Lyre and the Oaten Flute: Garcilaso and the Pastoral* (London, 1982).

Ferreras, Juan Ignacio, *La estructura paródica del «Quijote»* (Madrid, 1982).

Flores, R. M., «The Role of Cide Hamete in *Don Quijote»*, *BHS* 59 (1982), 3-14.

Forcione, Alban K., *Cervantes and the Humanist Vision: A Study of Four Exemplary Novels* (Princeton, 1982).

——, *Cervantes and the Mystery of Lawlessness: A Study of «El casamiento engañoso» and «El coloquio de los perros»* (Princeton, 1984).

Fothergill-Payne, Louise, *«El caballero de Olmedo y* la razón de diferencia», *BCom.* 36 (1984), 111-24.

Foucault, Michel, *Les Mots et les choses* (Paris, 1966).

——, *L'Ordre du discours* (Paris, 1971).

——, *Histoire de la folie a l'age classique* (Paris, 1972).

——, *Surveiller et punir: Naissance de la prison* (Paris, 1975).

——, *La Volonté de savoir* (Paris, 1976).

Freud, Sigmund, *Jokes and their Relation to the Unconscious* (Harmondsworth, 1983)

Fumaroli, Marc, «L'Apologétique de la langue française classique», *Rhetorica* 2.2 (1984), 139-61.

Gallego Morell, Antonio (ed.), *Garcilaso de la Vega y sus comentaristas* (Madrid, 1972).

Garcilaso de la Vega, *Obras completas con comentario*, ed. Elias L. Rivers (Madrid, 1974).

Garrote Pérez, Francisco, *La naturaleza en el pensamiento de Cervantes* (Salamanca, 1979).

Gates, Eunice Joiner, *Documentos gongorinos* (Mexico City, 1960).

Gaylord Randel, Mary, «Proper Language and Language as Property: The Personal Potics of Lope's *Rimas*», *MLN* 101 (1986), 220-46.

Gilman, Stephen, «The Death of Lazarillo de Tormes», *PMLA* 81 (1966), 149-66.

Góngora, Luis de, *Sonetos completos*, ed. Biruté Ciplijauskaité (Madrid, 1969).

Gracián, Baltasar, *Agudeza y arte de ingenio*, ed. Evaristo Correa Calderón (Madrid, 1969).

Grimaldi, William M. A., *Studies in the Philosophy of Aristotle's Rhetoric* (Wiesbaden, 1972).

Guillén, Claudio, «La disposición temporal del *Lazarillo de Tormes*», *HR* 25 (1957), 264-79.

Hahn, Juergen, «*El capitán cautivo:* The Soldier's Truth and Literary Precept in *Don Quijote* Part 1», *JHP* 3 (1979), 269-303.

Herrera, Fernando de, *Obra poética*, ed. José Manuel Blecua (Madrid, 1975).

Hesse, Everett W., *New Perspectives on Comedia Criticism* (Potomac, 1980).

——, *Theology, Sex, and the Comedia* (Potomac, 1982).

Ife, B. W., *Reading and Fiction in Golden Age Spain* (Cambridge, 1985).

Iffland, James, *Quevedo and the Grotesque*, i. (London, 1978).

Ihrie, Maureen, *Skepticism in Cervantes* (London, 1982).

Irigaray, Luce, *Speculum, de l'autre femme* (Paris, 1974).

——, *Ce sexe qui n'en est pas un* (Paris, 1977).

Jay, Martin, «In the Empire of the Gaze: Foucault and the Denigration of Vision in Twentieth-century French Thought», in *ICA Documents, 4: Postmodernism* (London, 1986), 19-25.

Jiménez Fajardo, Salvador, «The Sierra Morena as Labyrinth in *Don Quijote* I', *MLN* 99 (1984), 214-34.

Johnson, Barbara, Intro. to Derrida, *Dissemination* (London, 1981).

Johnson, Carroll, B., *Inside «Guzmán de Alfarache»* (Berkeley, 1978).

——, *Madness and Lust: A Psychoanalytical Approach to «Don Quijote»* (Berkeley, 1983).

Jones, R. O., *A Literary History of Spain: The Golden Age: Prose and Poetry* (London and New York, 1971).

——, «Garcilaso, poeta del humanismo», en *La poesía de Garcilaso*, ed. Elias L. Rivers (Barcelona, 1974), 53-70.

Jordan, Barry, «Between Discipline and Transgression: Re-tracing the Boundaries of British Hispanism», *RS* 5 (Winter 1984-5), 55-74.

Joset, Jacques, «Bipolarizaciones textuales y estructura especular en *El licenciado Vidriera*», en *Cervantes, su obra y su mundo: Actas del I Congreso Internacional sobre Cervantes* (Madrid, 1981), 357-63.

Kahn, Victoria, *Rhetoric, Prudence, and Skepticism in the Renaissance* (Ithaca, 1985).

Kallendorf, Craig, «The Rhetorical Criticism of Literature in Early Italian Humanism from Boccaccio to Landino», *Rhetorica*, 1. 2 (1983), 33-59.

Kennedy, George, «Authorial Intent in the Aristotelian Tradition of Rhetoric and Poetic's», paper read at the Fifth Biennial Conference of the International Society for the History of Rhetoric (Oxford, 1985).

Kennedy, Ruth Lee, *Studies in Tirso*, i: *The Dramatist and His Competitors, 1620-6* (Chapel Hill, 1974).

Lacan, Jacques, *Écrits*, i (Paris, 1966).

——, *The Four Fundamental Concepts of Psychoanalysis*, trans. Alan Sheridan (Harmondsworth, 1977).

Lapesa, Rafael, *La trayectoria poética de Garcilaso* (Madrid, 1968).

Lausberg, Heinrich, *Manual de retórica literaria*, trad. José Pérez Riesco (Madrid, 1966-8).

Lázaro, Fernando, *Estilo barroco y personalidad creadora* (Salamanca, 1966).

Lida de Malkiel, María Rosa, «Sobre la prioridad de *¿Tan largo me lo fiáis?* Notas al *Isidro* y a *El burlador de Sevilla*», *HR* 30 (1962), 275-95.

Liddell, Henry George, and Robert Scott, *A Greek-English Lexicon* (Oxford, 1968).

López de Úbeda, Francisco, *La pícara Justina* (Barcelona, 1968).

López Pinciano, Alonso, *Philosophia antigua poética*, ed. Alfredo Carballo Picazo (Madrid, 1953).

López Quintás, Alfonso, «Confrontación de la figura del hombre "burlador" (Tirso), el "estético" (Kierkegaard), el "absurdo" (Camus)», en *Homenaje a Tirso* (Madrid, 1981), 337-80.

Lyotard, Jean-François, *Discours, figure* (Paris, 1971).

——, *Économie libidinale* (Paris, 1974).

McKendrick, Melveena, *Woman and Society in the Spanish Drama of the Golden Age* (Cambridge, 1974).

——, «Honour-Vengeance in the Spanish Comedia: A Case of Mimetic Transference?», *MLR* 79 (1984), 313-35.

Macrí, Oreste, *Fernando de Herrera* (Madrid, 1959).

Mancing, Howard, «The Deceptiveness of *Lazarillo de Tormes*», *PMLA* 90 (1975), 426-32.

——, *The Chivalric World of Don Quijote* (Columbia and London, 1982).

Mariscal, George, «Re-reading Calderón», *BCom.* 36 (1984), 131-3.

Martí, Antonio, *La preceptiva retórica española en el siglo de oro* (Madrid, 1972).

Marx, Karl, *Grundrisse: Foundations of the Critique of Political Economy*, trans. Martin Nicolaus (London, 1973).

Menéndez y Pelayo, Marcelino, *Calderón y su teatro* (Buenos Aires, 1946).

——, *Historia de las ideas estéticas en España* (Santander, 1947).

Moi, Toril, *Sexual/Textual Politics: Feminist Literary Theory* (London and New York, 1985).

Molho, Maurice, *Introducción al pensamiento picaresco* (Salamanca, 1972).

Montori de Gutiérrez, Violeta, *Ideas estéticas y poesía de Fernando de Herrera* (Miami, 1977).

Morris, C. B., «Metaphor in *El burlador de Sevilla*», *RR* 55 (1964), 248-55.

Norris, Christopher, *Deconstruction: Theory and Practice* (London and New York, 1982).

Olivares, Julián, *The Love-poetry of Francisco de Quevedo: An Existential and Aesthetic Study* (Cambridge, 1983).

Ong, Walter, J., «The Writer's Audience is always a Fiction», *PMLA* 90 (1975), 9-21.

——, *Orality and Literacy: fhe Technologizing of the Word* (London, 1982).

Orozco Díaz, Emilio, *En torno a las «Soledades» de Góngora* (Granada, 1969).

Pallares, Berta, Introd. a Tirso de Molina, *La huerta de Juan Fernández* (Madrid, 1982).

Parker, Alexander A., *«The Approach to Spanish Drama of the Golden Age* (London, 1957).

——, «Towards a Definition of Calderonian Tragedy», *BHS* 39 (1962), 222-37.

——, *Literature and the Delinquent: The Picaresque Novel in Spain and Europe 1599-1753* (Edinburgh, 1967).

Paterson, Alan K. G., Intro. to Tirso de Molina, *La venganza de Tamar* (Cambridge, 1969).

——, *«Ecphrasis* in Garcilaso's "Egloga tercera"», MLR 72 (1977), 73-92.

——, «The Alchemical Marriage in Calderón's *El médico de su honra*», *RJ* 30 (1979), 263-82.

Peale, George, *«Guzmán de Alfarache* como discurso oral», *JHP* 4 (1979), 25-57.

Picinellus, Philippus, *Mundus symbolicus* (Cologne, 1681).

Prieto, Antonio, Introd. a Tirso de Molina, *El vergonzoso en palacio* y *El condenado por desconfiado* (Barcelona, 1982).

Pring-Mill, R. D. F., «Spanish Golden Age Prose and the Depiction of Reality», *ASSOJ* 32-3 (1959), 20-31 .

——, «Escalígero y Herrera: Citas y plagios de los *Poetices libri septem* en *Las anotaciones*», in *Actas del Segundo Congreso Internacional de Hispanistas* (Nimega, 1967), 489-98.

——, «Some Techniques of Representation in the *Sueños* and the *Criticón*», *BHS* 45 (1968), 270-84.

Quevedo, Francisco de, *Obras completas: Prosa*, ed. Luis Astrana Marín (Madrid, 1932).
——, *Poesía original*, ed. José Manuel Blecua (Barcelona, 1974).
——, *La vida del buscón llamado Don Pablos*, ed. B. W. Ife (Oxford, 1977).
Quintilian [Marcus Fabius Quintilianus], *Institutio oratoria*, ed. H. E. Butler (London and Cambridge, Mass., 1968).
Raimondi, Ezio, «Poesia della retorica», in *Retorica e critica letteraria* (Bologna, 1978), 123-50.
Rey Hazas, Antonio (ed.), *Lazarillo de Tormes* (Madrid, 1984).
Rico, Francisco, *The Spanish Picaresque Novel and the Point of View*, trans. Charles Davis with Harry Sieber (Cambridge, 1984).
Rico Verdú, José, *La retórica española de los siglos XVI y XVII* (Madrid, 1973).
Riley, Edward C., *Cervantes's Theory of the Novel* (Oxford, 1962).
——, «"Romance" y novela en Cervantes», in *Cervantes: Su obra y su mundo, Actas del I Congreso Internacional sobre Cervantes* (Madrid, 1981), 5-13.
Rivers, Elias L., «The Pastoral Paradox of Natural Art», *MLN* 77 (1962), 130-44.
——, (ed.), *La poesía de Garcilaso: ensayos críticos* (Barcelona, 1974).
——, «Cervantes and the Question of Language», in *Cervantes and the Renaissance* (Easton, Pa., 1980), 23-33.
——, *Quixotic Scriptures: Essays on the Textuality of Hispanic Literature* (Bloomington, 1983).
Rodríguez, Evangelina, and Antonio Tordera, *La escritura como espejo de palacio: «El toreador» de Calderón* (Kassel, 1985).
Rogers, Daniel, «Fearful Symmetry: The Ending of El *burlador de Sevilla*», *BHS* 41 (1964), 141-59.
Roldán, Antonio, «Cervantes y la retórica clásica», en *Cervantes: Su obra y su mundo* (Madrid, 1981), 47-57.
Rose, Constance Hubbard, «Pablos' *Damnosa Heritas*», *RF* 82 (1970), 94-101.
Ruano de la Haza, José M., «An Early Rehash of Lope's *Peribáñez*», *BCom.* 35 (1983), 5-29.
——, «Hacia una nueva definición de la tragedia calderoniana», *BCom.* 35 (1983), 165-80.
——, «Malicia campesina y la ambigüedad esencial de *Peribáñez y el comendador de Ocaña* de Lope», *Hispanófila*, 84 (1985), 21 -30.
Salcedo Coronel, García de (ed.), *Soledades... comentadas* (Madrid, 1636).
——, *Obras... comentadas*, ii (Madrid, 1649).
Saldívar, Ramón, «Don Quijote's Metaphors and the Grammar of Proper Language», *MLN* 95 (1980), 252-78.
Sánchez de Lima, Miguel, *Arte poética en romance castellano*, ed. Rafael de Balbín Lucas (Madrid, 1944).
Sánchez Escribano, Federico y Alberto Porqueras Mayo, *Preceptiva dramática española del renacimiento y del barroco* (Madrid, 1965).
Scaliger, Julius Caesar, *Poetices libri septem* (Lyons, 1561).
——, *De causis linguae latinae* (Heidelberg, 1584).
Shepard, Sanford, *El Pinciano y las teorías literarias del siglo de oro* (Madrid, 1962).
Shergold, N. D., *A History of the Spanish Stage from Medieval Times until the End of the Seventeenth Century* (Oxford, 1967).
Sheridan, Alan, *Michel Foucault: The Will to Truth* (London and New York, 1982).
Sieber, Harry, *The Picaresque* (London, 1977).
——, *Language and Society in «La vida de Lazarillo de Tormes»* (Baltimore, 1978).
Smith, C. C., «On the Use of Spanish Theoretical Works in the Debate on Góngora», *BHS* 39 (1962), 165-76.
Smith, Paul Julian, «Barthes, Góngora, and Non-sense», *PMLA* 101 (1986), 82-94.

——, «Affect and Effect in the Lyric of Quevedo», *FMLS* 22 (1986), 62-76.

——, *Quevedo on Parnassus: Allusion and Theory in the Love-lyric* (London, 1987).

Spitzer, Leo, «Sobre el arte de Quevedo en el *Buscón*», in *Francisco de Quevedo: El escritor y la crítica*, ed. Gonzalo Sobejano (Madrid, 1978), 123-84.

Stern, Charlotte, «Lope de Vega, Propagandist?», *BCom.* 34 (1982), 1-36.

Sullivan, Henry W., *Tirso de Molina and the Drama of the Counter Reformation* (Amsterdam, 1976).

——, «La razón de los altibajos en la reputación póstuma de Calderón», conferencia leída en el Congreso Anglo-germano sobre Calderón (Cambridge, 1984).

Tarr, F. Courtney, «Literary and Artistic Unity in the *Lazarillo de Tormes*», *PMLA* 42 (1927), 404-21.

ter Horst, Robert, *Calderón: The Secular Plays* (Lexington, Ky., 1982).

Terry, Arthur, «The Continuity of Renaissance Criticism: Poetic Theory in Spain between 1535 and 1650, *BHS* 31 (1954), 27-36.

——, *An Anthology of Spanish Poetry 1500-1700 Part I: 1500-1580* (Oxford, 1965).

——, «Thought and Feeling in Three Golden Age Sonnets», *BHS* 59 (1982), 237-46.

Tesauro, Emanuele, *Il cannocchiale aristotelico* (Bad Homburg, 1968).

Tirso de Molina [Gabriel Téllez], *El burlador de Sevilla*, ed. Américo Castro (Madrid, 1980).

Valdés, Juan de, *El diálogo de la lengua*, ed. Cristina Barbolani (Madrid, 1982).

Vega, Lope Félix de, *Obras poéticas*, ed. José Manuel Blecua (Barcelona, 1969).

——, *Peribáñez y el comendador de Ocaña*, ed. J. M. Ruano and J. E. Varey (London, 1980).

Walters, D. Gareth, *Francisco de Quevedo, Love Poet* (Cardiff, 1985).

Wardropper, Bruce W., «El trastorno de la moral en el *Lazarillo*», *NRFH* 15 (1961), 441-7.

Watson, A. I., «Peter the Cruel or Peter the Just? A Reappraisal of the Role played by King Peter in Calderón's *El médico de su honra*», *RJ* 14 (1963), 322-46.

Weiger, John G., *The Individuated Self: Cervantes and the Emergence of the Individual* (Ohio, 1979).

——, *The Substance of Cervantes* (Cambridge, 1985).

Weinberg, Bernard, *A History of Literary Criticism in the Italian Renaissance* (Chicago, 1961).

Welles, Marcia L., «The *pícara*: Towards Female Autonomy, or the Vanity of Virtue», *RQ* 33 (1986), 63-70.

Williamson, Edwin, «The Conflict between Author and Protagonist in Quevedo's *Buscón*», *JHP* 2 (1977), 45-60.

——, «Romance and Realism in the Interpolated Stories in the *Quijote*», *Cervantes*, 2 (1982), 43-67.

——, *The Half-way House of Fiction: Don Quijote and Arthurian Romance (Oxford, 1984).

Willis, Raymond S., «Lazarillo and the Pardoner: The Artistic Necessity of the Fifth *Tractado*», *HR* 27 (1959), 267-79.

Wilson, Edward M., «The Four Elements in the Imagery of Calderón», *MLR* 31 (1936), 34-47.

——, «Images et structure dans *Peribáñez*». *BHisp.* 51 (1949), 125-59.

——, and Duncan Moir, *A Literary History of Spain: the Golden Age: Drama 1492-1700* (London, 1971).

Wilson, Margaret, *Tirso de Molina* (Boston, 1977).

Woods, M. J., «Gracián, Peregrini, and the Theory of Topics», *MLR* 63 (1968), 854-63.

——, «Rhetoric in Garcilaso's First Eclogue», *MLN* 84 (1969), 143-56.

——, *The Poet and the Natural World in the Age of Góngora* (Oxford, 1978).

——, «Pitfalls for the Moralizer in *Lazarillo de Tormes*», *MLR* 74 (1979), 580-98.

——, «Herrera's Voices», *in Medieval and Renaissance Studies on Spanish and Portuguese in Honour of P. E. Russell* (Oxford, 1981), 121-32.

Wright, Elizabeth, *Psychoanalytic Criticism: Theory in Practice* (London and New York, 1984).

Young, Richard A., *La figura del rey y la institución real en la comedia lopesca* (Madrid, 1979).

Zahareas, Anthony N., «The Historical Function of Art and Morality in Quevedo's Buscón», *BHS* 61 (1984), 432-43.

ESTE LIBRO
SE TERMINÓ DE IMPRIMIR
EL DÍA 27 DE NOVIEMBRE DE 1995.

El autor, jefe del Departamento de Literatura
española y portuguesa en la Cambridge
University, es ampliamente conocido en medios
de la crítica y del hispanismo por su modo de
tratar los autores y obras de nuestra literatura,
desde una postura crítica en la que se aúnan
marxismo y psicologismo con las nuevas
teorías críticas deconstructivistas.

Consecuente con este enfoque, en ESCRITO
AL MARGEN ofrece lecturas muy nuevas y
sugestivas de los temas mayores de la Literatura
española de los siglos XVI y XVII. El libro se
dirige a todos los especialistas y lectores de la
Literatura clásica española, para sostener la tesis
de que la aparente marginalidad de la cultura
española es necesaria en el contexto cultural
europeo, que no puede excluirla y no sabe
asimilarla las más de las veces.